EN VRILLE

Deon Meyer

EN VRILLE

Roman

TRADUIT DE L'AFRIKAANS
PAR GEORGES LORY

ÉDITIONS DU SEUIL
25, bd Romain-Rolland, Paris XIVe

COLLECTION DIRIGÉE
PAR MARIE-CAROLINE AUBERT

Titre original : *Ikarus*
Éditeur original : Human & Rousseau
© Deon Meyer, 2015
ISBN original : 978-0-7981-6977-6

ISBN 978-2-02-123664-4

www.seuil.com

Les ennemis du vin sont ceux qui ne le connaissent pas.

Citation attribuée conjointement au professeur Michel Portman, médecin à Bordeaux, et au docteur Sellier du *Journal de médecine*, in *Boland, Wynland*, Vlok Delport, Nasionale Boekhandel, 1955.

En milieu clinique, certaines personnes dépressives font montre d'une forte tendance à la culpabilité du survivant, c'est-à-dire, la culpabilité de survivre à un être cher ou la culpabilité de mieux s'en sortir que d'autres.

Lynn E. O'Connor, Jack W. Berry, Joseph Weiss et Paul Gilbert, in *Journal of Affective Disorders*, 71 (2002).

1

C'est un complot entre ciel et terre qui permet de découvrir le cadavre d'Ernst Richter. Une conjuration de l'univers donne un coup de pouce à la justice.

D'abord survient la tempête du 17 décembre, juste après 8 heures du matin. Phénomène rare, mais pas exceptionnel, né d'une pression en chute libre : un monstre noir-bleu, tournoyant, qui éclate sur l'océan Atlantique au nord de Robben Island.

La masse nuageuse lance de spectaculaires langues blanches et fourchues sur terre et mer. Elle entraîne un rideau de pluie dense qui, en moins d'une demi-heure, déverse soixante et onze millimètres d'eau sur Bloubergstrand et Parklands, sur Killarney Gardens et Zeezicht.

Crue destructrice et trafic perturbé. Les médias répètent à perdre haleine le mot clé, *réchauffement climatique*.

La contribution de la terre dans la découverte du corps est plus modeste ; une simple modification du relief du veld derrière Blouberg où le vent de sud-est, tel un sculpteur aveugle, a dessiné au pied levé des dunes afin de canaliser l'inondation. Cela dégage les pieds d'Ernst Richter, le premier nu et tragique, le second burlesque, une chaussette noire à mi-mollet.

Le dernier maillon dans la chaîne de la découverte, c'est le hasard, qui à 11 h 17 fait s'arrêter Craig Bannister, cameraman de vingt-neuf ans, au bord d'Otto du Plessis Drive, la route côtière qui relie Blouberg et Melkbosstrand. Il descend de son véhicule, évalue la météo. Les vents se sont largement calmés, les nuages se morcellent. Il veut tester son drone, un DJI Phantom 2 Vision + équipé d'une caméra haute définition. Ce Phantom, surnommé « quadcoptère », est un bijou de technologie miniature. Il est muni d'un GPS et d'une connexion wi-fi qui permet à Bannister de connecter son iPhone à la caméra. Il peut voir la vidéo sur son téléphone portable, à peine quelques millièmes de seconde après la prise de vue là-haut dans les airs par son Phantom.

À 11 h 31, Bannister fronce les sourcils en observant une image étrange, il règle le Phantom pour qu'il descende et s'approche. Il le laisse tourner un mètre au-dessus de la bizarrerie, jusqu'à ce qu'il soit certain de ce qu'il distingue.

Du sable, du plastique noir, des pieds. Clairement.

Il lève les yeux de son iPhone pour noter précisément où le Phantom tourne et se dirige en toute hâte dans cette direction. Comme si la vidéo était une incroyable fiction, style tragédie à la télévision. Il prend un sentier à travers les buissons, à travers les dunes. C'est seulement en franchissant la dernière butte qu'il voit le cadavre pour de bon. Il s'approche, laissant derrière lui la trace solitaire de ses pas dans le sable trempé.

Les pieds sortent d'un épais plastique noir dans lequel est apparemment enroulé un corps. Tout le reste est enfoui dans le sable.

– Merde, dit Craig Bannister.

Il se saisit de son téléphone, attaché à la télécommande. Il se rend compte que le Phantom tourne toujours à un mètre au-dessus du sol et qu'il filme tout.

Il fait atterrir le quadcoptère et débranche les appareils. Puis il compose le numéro de la police.

* * *

À 13 h 14, dans le restaurant Ocean Basket de Kloof Street, sonne le portable du capitaine Bennie Griessel. Il voit qu'il s'agit d'un appel du major Mbali Kaleni. Sa supérieure au sein du Groupe Criminalité violente de la DPCI*[1], la Direction des Enquêtes criminelles prioritaires, qu'on surnomme aussi les Hawks*. Il entrevoit la possibilité de s'esquiver. C'est pourquoi il répond sur-le-champ, un vague espoir dans la voix.

— Bennie, je suis désolée d'interrompre ton déjeuner…

— Pas de problème, répond-il.

— J'ai besoin de toi à Edgemead. Farmersfield Road. Vaughn est en chemin, lui aussi.

— J'y serai dans vingt minutes.

— Excuse-moi auprès de ta famille, ajoute-t-elle, car elle est au courant du *repas spécial* qu'Alexa Barnard, le grand amour de Griessel, a prévu ce jour-là.

— Je n'y manquerai pas.

Il raccroche. Alexa, Carla et le jeune Van Eck ont entendu la conversation. Ils le fixent. Son fils Fritz, lui, a toujours le nez collé sur son portable.

— Mon pauvre papa, dit Carla, compréhensive et déçue.

Alexa lui prend la main et la serre avec compassion.

— Je suis désolé, dit Bennie en se levant.

Il ressent une vague douleur dans le ventre et dans le bras mais pas aussi aiguë que ce matin.

— Je dois me rendre à Edgemead.

— Un truc très moche ? demande le jeune Van Eck.

C'est le nouvel « ami » de Carla. Il ressemble à Jésus avec ses cheveux sur les épaules et sa barbe clairsemée.

Griessel ignore la question. Il sort son portefeuille, puis sa carte de crédit. Il la donne à Alexa. Il est soulagé de la voir opiner et saisir la carte.

— Embrasse-moi, mon enquêteur en chef.

1. Les mots suivis d'un astérisque sont expliqués dans le glossaire.

Dans le veld, à l'est d'Otto du Plessis Drive, on déterre avec précaution la dépouille d'Ernst Richter, pendant que la bourrasque se déchaîne un moment, puis se calme. Derrière les nuages épais, le soleil pointe soudain, chaud, aveuglant, luisant sur les dunes et sur l'océan Indien encore agité.

L'unité vidéo des services de police a fini ses enregistrements à 13 h 32 tandis que l'équipe d'investigation prélève avec précaution le sable autour du corps et le verse dans des sacs en plastique numérotés.

L'adjudant Jamie Keyter du poste de police de Table View commande l'opération. Dans un rayon de dix mètres autour de la découverte, il a tendu une bande de plastique jaune. Il a posté deux policiers en uniforme pour réguler la circulation sur Otto du Plessis Drive et tenir à distance les curieux. En interrogeant Craig Bannister, il a pris la voix suspicieuse et vaguement accusatrice qu'il réserve à ce genre d'occasion.

— Pourquoi êtes-vous venu tester votre petit avion par ici, dites ?

— Aucune loi ne l'interdit.

— Je le sais. Mais pourquoi n'êtes-vous pas allé le long de la Vlei, à l'endroit où l'on fait voler les avions miniatures ?

— C'est pour les amateurs.

— Et alors ?

— Voyez-vous, je viens d'acheter cet engin. Je suis un chef-op professionnel. C'est un...

— Qu'est-ce que c'est, un chef-op ?

— Un chef opérateur. Je travaille dans la production de films pour la télévision et le cinéma. Il s'agit là de la dernière technologie en matière de caméra mobile. J'ai besoin de m'entraîner sans avoir à esquiver une centaine de petits avions.

– Vous avez une licence ?

– Une licence ? Personne n'a besoin de licence pour faire voler un petit drone.

– Vous vous êtes donc arrêté ici ?

– C'est exact.

– Belle coïncidence.

Jamie Keyter se veut ironique.

– Que dites-vous ?

– Je ne dis rien. Je pose des questions.

– Écoutez, j'ai roulé jusqu'à ce que je trouve un endroit avec une belle vue, répond Bannister avec patience. La route, la mer, la montagne, regardez donc. C'est spectaculaire. J'avais besoin de m'exercer à faire voler l'engin et je voulais aussi tester la caméra. Dans un endroit qui en vaille la peine. Comme ce paysage.

Jamie Keyter enlève ses lunettes de soleil Ferrari pour regarder Bannister au fond des yeux.

Mais l'homme attend, mal à l'aise.

– Vous avez donc tout sur vidéo ? finit-il par demander.

– Oui.

– Montrez-moi ça.

Ils regardent ensemble l'écran du téléphone portable. Ils repassent la vidéo. « OK », conclut Keyter. Il ordonne à Bannister d'attendre dans sa voiture.

Chemise polo noire qui met en valeur ses biceps, pantalon noir de chez Edgars, ceinture en cuir noir, les mains sur les hanches, il observe les deux pieds qui sortent du sac en plastique.

Il est content de lui. Les pieds, malgré la décoloration post mortem, sont clairement ceux d'un Blanc, ce qui signifie intérêt médiatique.

Jamie Keyter adore l'attention des médias.

* * *

13

Bennie Griessel, quarante-six ans, alcoolique en voie de désintoxication, à l'eau pure depuis six cent deux jours, coincé dans la Buitengracht, observe le trafic derrière le pare-brise de sa voiture.

D'habitude, il hait le mois de décembre.

D'habitude, il voue aux gémonies les vacanciers, surtout ces maudites gens du Gauteng avec leur portefeuille bien garni, qui descendent vers Le Cap à toute vitesse dans leur BMW clinquante pour dépenser leur treizième mois. Leur attitude du genre « on va réveiller Le Cap endormi ». De même la totalité des habitants des quartiers Nord du Cap qui laissent leurs inhibitions à la maison et affluent sur les plages. Tout comme les Européens qui fuient le froid.

D'habitude, il rumine avec rancœur les conséquences de cette invasion : pas de place de parking, circulation malodorante, prix qui grimpent et criminalité en hausse de douze pour cent, car tout le monde boit comme un trou et les mauvais penchants se déchaînent.

D'habitude. Mais pas cette année-ci. Il sent l'oppression en lui, au-dessus de lui, autour de lui. Comme un nuage inconsolable. De retour. Persistant.

Le soulagement qui a suivi son évasion de chez Ocean Basket fait long feu. En route vers sa voiture, la mélancolie dans la voix de Mbali l'a gagné. Une sorte de consternation, accentuée par sa tentative de la cacher. En contraste criant avec sa tentative de se montrer positive depuis deux mois qu'elle est chef du groupe.

J'ai besoin de toi à Edgemead. Farmersfield Road. Vaughn est en chemin lui aussi.

Il y avait du malheur dans l'air. Mais il n'avait plus le goût au malheur.

C'est pourquoi la folie du mois de décembre et les encombrements de la circulation n'étaient pas aujourd'hui une épine dans sa chair, mais plutôt une bénédiction.

* * *

L'équipe forensique a complètement dégagé le cadavre d'Ernst Richter.

L'adjudant Jamie Keyter fait revenir l'équipe vidéo afin qu'elle filme le plastique épais enroulé autour du corps, mais pas assez long pour couvrir les pieds, et la corde rouge sang qui enserre fermement la tête, la taille et les chevilles.

Keyter a aperçu le photographe de presse avec son télé-objectif qui essaie de prendre des clichés à partir d'Otto du Plessis Drive. C'est pourquoi il se tient jambes écartées, les mains sur les hanches : l'image d'un enquêteur qui maîtrise le théâtre des opérations. Il surveille l'équipe vidéo jusqu'à ce qu'elle ait filmé la scène sous tous les angles qui lui conviennent.

– OK, lance-t-il. Quittez les lieux.

Il fait un geste autoritaire en direction des experts foren-siques.

– Déballez-le.

Les deux techniciens choisissent les instruments adéquats dans leur mallette, soulèvent la bande de plastique jaune et vont s'agenouiller près de la victime. Le premier coupe la corde rouge avec précaution. Le second la saisit et la range dans une pochette.

Jamie Keyter se glisse à son tour sous la bande jaune et s'approche du corps.

– Déroulons-le.

L'opération prend presque dix minutes, car le travail est méticuleux et la bâche en plastique est particulièrement longue. Les experts replient le plastique tous les deux mètres afin de limiter les risques de contamination.

Les policiers en uniforme, l'unité vidéo, deux enquêteurs et les ambulanciers s'approchent avec curiosité.

Le corps est finalement dégagé.

— Cela ne fait pas très longtemps qu'il est là, annonce un des techniciens, car il y a peu de traces de décomposition, simplement un assombrissement général de la peau, un réseau bleu-pourpre, la *livor mortis,* est visible aux pieds et sous le cou, des grains de sable sont collés de la tête aux orteils.

Il s'agit d'un homme mince de taille moyenne, cheveux épais, brun foncé, vêtu d'un jean bleu et d'un T-shirt noir sur lequel se détachent en lettres blanches les mots *Je refuse de jouer au plus fin avec une personne désarmée.*

— Une semaine, probablement, dit l'autre qui trouve que le visage de la victime lui est vaguement familier, sans le reconnaître sur-le-champ – il refrène son envie d'en parler.

Sur la scène de crime, c'est celui qui sera à deux doigts d'identifier Ernst Richter.

— On l'a étranglé, dit l'autre expert forensique en indiquant une décoloration profonde autour de la gorge.

— De toute évidence, juge Jamie Keyter.

2

En ce mercredi après-midi, Farmersfield Road est calme, avec ses rangées de maisons blanches ou crème, des pavillons classe moyenne, toits de tuiles et pelouses bien entretenues. Dans la rue, la tempête de la matinée a laissé son sillage de branches et de feuilles.

Griessel n'a pas besoin de chercher l'adresse. Il aperçoit en face les voisins en petits groupes épars, des véhicules de police regroupés. Il se gare à cinquante mètres de là, sur le trottoir. Il reste assis, les mains sur le volant, les yeux baissés.

Il n'a aucune envie de sortir.

Quelque chose a perturbé la vie normale de cette banlieue d'Edgemead. Il sait que cela va aggraver le sentiment d'oppression qu'il a ressenti ces derniers mois. Le minibus de la PCSI*, l'unité d'élite de la police criminelle de la province, se trouve là. Que fait-elle par ici ? Pourquoi a-t-on fait venir les Hawks, Vaughn et lui ?

Il respire profondément, lâche le volant lentement et sort. Il s'avance.

Un mur blanc lui cache la vue, il doit d'abord se diriger vers l'allée dont l'accès est contrôlé par un agent.

La maison ressemble à la plupart des habitations de la rue. Des policiers en uniforme se tiennent en cercle devant la porte, tête baissée. L'agent lève une paume autoritaire. Griessel montre sa carte.

Les yeux s'écarquillent :

– Oh, capitaine Griessel ! Le capitaine Cupido a demandé que vous l'attendiez un instant. Je vais l'appeler…

– Mais pourquoi ? demande Bennie en contournant l'homme.

– Non, capitaine, s'il vous plaît, intervient-il, inquiet. Il m'a donné des ordres. Il faut que je l'appelle.

– Allez le chercher.

Il n'apprécie pas les lubies de Vaughn.

L'agent demande à voix haute aux policiers en uniforme de faire venir « le capitaine des Hawks ». L'un d'eux se précipite à l'intérieur.

Griessel s'impatiente.

Cupido déboule dans son costume de Hawk protestataire – jean, T-shirt jaune, veston bleu, et, contestation criarde, des chaussures de sport jaune et orange. Il l'a expliqué la veille au matin : « Des Nike Air Pegasus Plus, *pappie**, presque mille rands au tarif normal, mais Tekkie Town les soldait. Confort décontract' en Technicolor, c'est comme marcher dans l'air pendant un rêve coquin. Mais le vrai bonus, c'est que ces tennis vont emmerder le *major* Mbali. »

Vaughn renâcle, ces dernières semaines, face au « *major* Mbali » (accentuation ironique sur ce grade récemment obtenu) et à ses règles de bonne tenue vestimentaire. Le lundi précédent, Kaleni avait énoncé en réunion de groupe : « Si l'on veut être professionnel, il faut se montrer professionnel. Nous avons une responsabilité envers le public. » Elle leur avait demandé de porter la veste, la cravate et des « chaussures correctes ». Ou au moins une chemise et un veston. Ce fut la goutte d'eau pour Cupido, car il avait déjà eu du mal à avaler la nomination de Mbali à la tête du groupe : « Tu crois qu'il s'agit d'une coïncidence, juste dans la foulée des élections ? Je ne le pense pas. C'est parce qu'elle est zouloue, c'est de la discrimination ethnique, c'est du Zuma* à tous les coups, Benny. Toi et moi avons plus d'expérience, plus d'années de service, plus de jugeote. Et c'est elle qui est promue ? »

Griessel savait que le véritable problème était l'inquiétude profonde de Cupido, adepte des coups bizarres, face à sa nouvelle supérieure. Mbali était du genre consciencieux et conservateur, à l'inverse de Vaughn. Il lui avait répondu que, vu les circonstances, elle était la personne idoine pour la fonction.

Cupido n'avait pas changé d'opinion pour autant.

En dépit de sa hâte et de sa tenue flashy, Cupido affiche une mine sombre en s'approchant.

— Benny, ce n'est pas la peine d'entrer. On a fini le boulot.

Au son de la voix de son collègue, Griessel comprend que sous le ton professionnel se cache de la consternation.

— Je n'ai pas roulé jusqu'ici… Qu'est-ce qui se passe, Vaughn ? Qu'est-il arrivé ?

— Crois-moi, Benny, s'il te plaît. On a tout bouclé, on s'en va.

Cupido pose une main protectrice sur l'épaule de Griessel.

Bennie sent monter sa colère. Pourquoi Cupido se comporte-t-il de la sorte ? Il dégage son épaule.

— Vas-tu me dire ce qui se passe, ou faut-il que j'aille voir moi-même ?

— Benny, pour une fois, fais-moi confiance, dit-il avec désespoir, ce qui renforce la suspicion de Griessel.

— *Jissis**, grogne Griessel en s'avançant vers la porte d'entrée.

— Il s'agit de Vollie, dit Cupido.

Griessel se fige.

— Vollie ?

— Oui. Notre Vollie. Vollie Vis. Et sa famille.

L'adjudant Tertius van Vollenhoven, qui a travaillé avec eux quand existait encore la Direction d'enquête provinciale. Vollie qui ressortait ses dictons de la côte Ouest avec son accent du Namakwaland quand la nuit se faisait trop longue et le moral trop bas. Vollie Vis, natif de Lamberts Bay, qui y retournait tous les week-ends et rapportait des fruits de mer à toute l'équipe le lundi. Avec des instructions précises pour les préparer, « car c'est un sacrilège de bousiller un homard, mon cher collègue ». L'homme qui, en l'espace de quatre ans, avait attrapé deux tueurs en série dans les Cape Flats. Avec une patience infinie et beaucoup de dévouement. Et puis il s'était fait muter au poste de Bothasig. Affirmant qu'il avait bien donné et qu'il aspirait à une vie plus calme – il voulait sauver son mariage, voir grandir ses enfants. Mais tous savaient qu'il partait à cause du stress des enquêtes, de la vision des cadavres mutilés qu'il découvrait mois après mois, ayant compris que seule la chance permettait d'arrêter les monstres, quoi que l'on fasse.

Une vieille rancœur envers les responsables se réveille chez Griessel.

– Cambriolage ?

– Non, Benny...

– Vaughn, qu'est-ce qui s'est passé ?

La voix de Cupido devient presque inaudible. Il n'arrive pas à regarder Griessel dans les yeux.

– Vollie les a tous tués, la nuit dernière, et puis il s'est suicidé.

– Vollie ?

– Oui, Benny.

Il se souvient des deux filles mignonnes, à peine adolescentes et de la femme de Vollie, potelée, solide, encourageante. Mercia ou Tersia... Il veut s'en aller, il ne veut pas voir cela – Vollie avec son pistolet de service à côté d'un lit d'enfant.

– Seigneur, Vaughn, dit-il en sentant revenir l'oppression, étouffante.

– Je sais.

Griessel veut continuer de parler, il veut échapper à la pression.

– Mais pourquoi ? Que s'est-il passé ?

Cupido indique les policiers en uniforme devant la porte.

– Le poste de Bothasig a découvert une fille hier, dans le veld en bas de Richwood. La seconde. Le même modus operandi qu'un meurtre le mois dernier. Un tueur en série. Ça sent très mauvais, Benny, un baiseur détraqué. Vollie était présent sur les lieux.

Griessel rassemble ses esprits, la main sur la nuque. Il essaie de comprendre ce qui est arrivé. Les démons qui sont revenus ronger l'adjudant Vollie de l'intérieur.

– Viens, Benny. Viens, on s'en va.

Griessel demeure pétrifié.

Cupido remarque que son collègue est livide.

– Benny, ce serait vraiment mieux que nous…

– Attends…

Griessel lance un regard aigu à Cupido.

– Pourquoi Mbali nous a-t-elle envoyés ici ?

– L'officier commandant Bothasig a demandé que nous passions voir. Il veut s'assurer que son équipe n'a rien loupé, car les médias…

– Oh. Mais pourquoi veux-tu me tenir à l'écart, Vaughn ?

Cupido le regarde dans les yeux et se tape l'index contre la tempe.

– Parce que tu n'es pas encore tiré d'affaire, Benny. Je le sais.

* * *

Jamie Keyter et les deux techniciens de scène de crime fouillent minutieusement les poches du jean de la victime. Elles ne contiennent rien.

Ils glissent le corps dans une grande housse noire, la ferment et font signe aux brancardiers. Le corps est transporté vers l'ambulance. Les experts ont empaqueté et étiqueté la bâche noire et la corde rouge avec précaution. L'un d'eux prend un détecteur de métaux et trace des cercles concentriques autour de la scène de crime, écouteurs sur les oreilles.

21

Le second s'approche de Jamie Keyter. Hors de portée d'oreille des autres personnes.

— Je jure qu'il ressemble à quelqu'un de connu, dit le technicien.

— De toute évidence. Il travaille avec toi.

Keyter fronce les sourcils derrière ses lunettes de soleil.

— Pas mon collègue, la victime.

— Tu la connais ?

— Non, je ne la connais pas. Je sais simplement...

— Une sorte de célébrité ?

— Je sais simplement que je l'ai déjà vu.

— C'est que dalle comme tuyau si tu ne sais pas où... Tu penses qu'il s'agit d'un policier ?

Le technicien regrette d'avoir ouvert la bouche.

— Non, je... Je me suis peut-être trompé. Peut-être ressemble-t-il à quelqu'un que...

Le technicien qui tient le détecteur de métaux s'arrête.

— Il y a quelque chose par ici.

Il se tient à trois mètres environ de l'endroit où l'on a découvert la victime.

Son collègue se saisit d'une petite pelle et se glisse sous le ruban jaune. Il dégage le sable à mains nues sous la tête du détecteur et creuse avec prudence. Il ne trouve rien.

— Tu es sûr ?

— Certain, il y a quelque chose.

À quarante centimètres de profondeur, il sent du métal. Il enfonce les doigts pour dégager le sable. Il sort l'objet.

— *Jis*, c'est un téléphone portable.

Il se lève, va chercher une petite brosse dans sa boîte à outils et enlève tout le sable, tandis que Jamie Keyter rappelle l'équipe vidéo.

— Un iPhone 5, on dirait... dit le technicien de scène de crime.

Il appuie sur un bouton de l'appareil.

— Complètement HS.

3

Transcription d'entretien.
Maître Susan Peires avec M. François Du Toit.
*Mercredi 24 décembre, Huguenot Chambers 1604
40 Queen Victoria Street. Le Cap*

Fichier audio 1

M^E SUSAN PEIRES (SP) : ... bien entendu vous pouvez refuser. Dans ce cas je me bornerai à prendre des notes. Mais l'enregistrement est plus fiable et nous le traitons avec la même discrétion. Je le ferai transcrire, ça servira de notes. Le secret professionnel prévaut dans tous les cas.

FRANÇOIS DU TOIT (FdT) : Même si vous ne prenez pas mon affaire ?

SP : Absolument.

FdT : Qui s'occupe de la transcription ?

SP : Ma secrétaire, elle est aussi tenue au secret professionnel.

FdT : C'est bon. Enregistrez.

SP : Merci, monsieur. Pouvez-vous décliner votre nom complet, votre date de naissance et votre profession ?

FdT : Je m'appelle François Du Toit, né le 20 avril 1987. Je suis viticulteur, vignoble Klein Zegen près de Stellenbosch... Sur la route de Blauwklippen.

SP : Vous avez... vingt-sept ans ?

FdT : En effet.

SP : Vous êtes marié ?

FdT : Oui. Avec San… Susanne… Nous avons un fils de six semaines. Guillaume.

SP : Merci. Je sais par votre avocat que la police vous attend chez vous en ce moment. Dans votre exploitation ?

FdT : Oui…

SP : Et vous souhaitez mon conseil pour aborder cette affaire ?

FdT : Oui.

SP : Sur quoi porte l'enquête de la police ?

FdT : Mon avocat… Gustav… Il ne vous en a pas parlé ?

SP : J'ai compris que c'était grave, mais j'ai demandé à maître Kemp de ne pas me fournir de détails. Je préfère entendre l'affaire de la bouche du client.

FdT : C'est… c'est en relation avec l'assassinat d'Ernst Richter.

SP : L'homme qui a disparu ? Le patron d'Alibi ?

FdT : C'est exact.

SP : Et vous êtes impliqué dans cette affaire ?

FdT : La police ne serait pas… Je suis désolé. C'est… C'est une longue histoire… Il faudrait que je vous explique tout… S'il vous plaît.

SP : Je vois… Monsieur Du Toit, avant de poursuivre, permettez-moi de vous exposer le petit topo que je fais à chaque client. Cela fait vingt-huit ans que j'exerce comme avocate et au cours de cette période j'ai défendu plus de deux cents personnes dans des affaires criminelles. Meurtres, homicides involontaires, viols, escroqueries, la liste est longue. Mon conseil est toujours le même, et l'expérience a montré que c'est un bon conseil : franc, vous n'êtes pas obligé de l'être avec moi, mais au bout du compte cela me facilite grandement la tâche. Je ne juge…

FdT : Je suis disposé à être franc…

SP : Laissez-moi finir, s'il vous plaît. Je ne suis pas ici pour vous juger, je suis ici pour vous assurer la meilleure défense. Je crois mordicus au système juridique où l'accusé est innocent tant que l'État n'a pas prouvé le contraire au-delà de tout doute raisonnable. Une de mes plus grandes responsabilités, c'est de placer ce critère de doute raisonnable le plus haut possible. J'ai accepté des affaires où le client m'avait dit qu'il était coupable, et je me suis battue pour lui avec autant d'énergie que pour ceux qui affirmaient être innocents. Car le système ne peut fonctionner que si nous sommes tous égaux devant la loi. Je crois à ce système. C'est pourquoi peu m'importe que vous soyez coupable ou pas…

FdT : *(inaudible)*

SP : S'il vous plaît, monsieur…

FdT : Appelez-moi François…

SP : Non, je vous appellerai monsieur. Nous ne sommes pas amis, nous sommes avocat et client. C'est une relation officielle, professionnelle, qui vous coûtera beaucoup d'argent. Mais je tiens à conserver mes distances et mon objectivité. Je veux dire, si vous êtes innocent c'est pareil. Je ferai de mon mieux, car c'est pour cela que vous me payez. Je ne peux pas vous forcer à la franchise avec moi, mais j'aimerais souligner ce que cela implique. Les informations tues ont tendance à remonter à la surface. Pas toujours, mais souvent. Et quand elles sortent au moment malencontreux, elles peuvent causer un tort incalculable à votre défense. En ce qui concerne mon rôle, je prends seulement la responsabilité de ce que je sais. Je monte le dossier et pilote votre défense sur la seule base de ce que vous me dites. Si vous choisissez de me présenter une version fictive des faits, je n'ai pas le choix, je dois faire avec. Mais à mon avis, fondé sur mon expérience, cela n'a jamais d'influence positive. Bref, monsieur, plus vous serez franc avec moi, plus nous améliorerons vos chances d'éviter la prison. Vous comprenez ?

FdT : Oui.

SP : Voulez-vous d'abord réfléchir à cela ?

FdT : Non. Je vais tout vous raconter. Tout.

SP. Très bien. Par quoi voulez-vous commencer ?

4

À 15 h 48, Bennie Griessel pénètre dans le Fireman's Arms qui, d'après la légende, est le bistrot le plus ancien de Buitenkant Street derrière la Perseverance Tavern.

Le Fireman's sert alcooliques et autres buveurs depuis 1864, ce qui en ce mercredi 17 décembre fait environ cent cinquante ans. Griessel se moque de l'histoire de la dive bouteille au Cap. C'est une place de parking dans Mechau Street qui l'a décidé à s'arrêter par ici.

L'air résolu, il s'avance entre les tables et les chaises en bois sombre jusqu'au long comptoir, s'assied et attend qu'on le serve. Il respire l'odeur de la taverne. Elle libère mille souvenirs. Tous agréables.

Les bras sur le comptoir, il note un léger tremblement de ses mains. Il les joint, afin que le barman qui s'approche ne le remarque pas.

– Un double Jack, commande-t-il.

– De la glace ?

– Non, merci.

Le barman opine et s'en va remplir un verre trapu de deux doigts d'ambre. Des gestes bien rodés, machinaux. Il le lui apporte sans se douter de la signification de cet instant.

Griessel n'hésite pas. Il ne pense pas aux six cent deux jours sans alcool derrière lui. Il prend le verre et le vide, goulûment.

C'est le goût d'un ami perdu depuis longtemps, de joyeuses retrouvailles.

Mais cela ne lui provoque rien à l'intérieur.

Il sait que ce n'est pas avec la première gorgée qu'arrive le réconfort. Il vient, ainsi que l'anesthésie, le calme, la sensation, la guérison, la douceur, l'équilibre, l'ordre et la réunification avec l'univers, à la fin du deuxième verre, divin.

* * *

Depuis 2011, le laboratoire scientifique de la police sud-africaine se trouve Silverboom Avenue, à Plattekloof, plus de dix-sept mille mètres carrés impressionnants d'acier et de verre. Le cœur du bâtiment forme un C majuscule de quatre étages, dont sortent cinq bras trapus, chacun affecté à un service, Balistique, Analyse ADN, Analyse scientifique, Analyse des documents et Analyse chimique.

C'est dans la cuisine du service Analyse scientifique, tandis qu'il se sert du café, que le technicien forensique a une illumination. Il sait à qui lui fait penser le visage couvert de sable retiré des dunes derrière Bloubergstrand.

Est-ce Dieu possible ?

Il ne dit rien à son collègue, se dirige en toute hâte vers son poste de travail, pose son café près du clavier et tape un nom sur Google.

Il clique sur un lien et observe la photo en train d'apparaître. Il sait qu'il ne s'est pas trompé. Il cherche le numéro de l'adjudant Jamie Keyter dans les notes prises plus tôt et l'appelle.

— Jamie, répond l'enquêteur, du ton de celui qui n'aime pas être dérangé.

Il prononce son prénom « Yâ-mi » à l'afrikaans, pas « Djé-mi » à l'anglaise. Légèrement affecté et irritant, ça reflète bien le policier, trouve le technicien.

Il se présente et dit :

— Je pense… Je suis pratiquement certain que la victime s'appelle Ernst Richter.

— Qui est Ernst Richter ?

— Le type de chez Alibi qui a disparu.

Keyter demeure un temps silencieux, puis répond avec agacement :

— Je ne vois pas de qui tu parles, mec.

— Dans ce cas-là, tu ferais mieux d'appeler le poste de Stellenbosch.

* * *

Griessel tient son deuxième verre dans ses mains.

Ça me fait des vacances, pense-t-il. Il n'a besoin de rien. Mbali devrait arrêter ses conneries.

Lundi dernier elle avait son dossier personnel sous les yeux.

— Tu n'as pas pris de vacances depuis trois ans, Bennie, avait-elle dit, soucieuse.

— J'ai eu plus de trois mois d'arrêt maladie après…

Ils savaient tous deux qu'il faisait référence à la fusillade qui avait coûté la vie au prédécesseur de Mbali et blessé Griessel.

— Ça ne compte pas. J'aimerais que tu fasses un break entre Noël et le Nouvel An. Tu as besoin de prendre un *vrai* congé…

Un *vrai* congé ? Tout ce qu'il peut se payer, c'est d'aller s'asseoir chez lui et il deviendra fou dès le premier jour.

— … et de passer du temps avec tes proches.

C'était l'atout maître de Kaleni.

Ses proches.

Avant l'appel de Mbali à midi, cela faisait vingt minutes qu'il était attablé à l'Ocean Basket avec *ses proches*. Sa fille Carla et Alexa, l'élue de son cœur, n'arrêtaient pas de parler de trucs artistiques dont il n'avait que faire. Son fils Fritz était rivé sur son portable, les doigts valsant sur l'écran, lançant un rire bref et mystérieux à chaque sonnerie indiquant un nouveau SMS ou un message WhatsApp, ou Facebook ou Twitter ou BBM ou n'importe quel serveur « in ». Comme si son père n'existait pas. Comme s'il ne s'agissait pas d'un *repas spécial*, laborieusement organisé par Alexa. Fritz dont l'école de cinéma va lui coûter une fortune l'an prochain. Littéralement une fortune, ce n'est pas un mot en l'air, car la South African School of Motion Picture Medium exige 5 950 rands rien que pour enregistrer le dossier. S'y ajoutent 10 000 rands de frais d'inscription et 55 995 rands pour les cours. Rien que pour une année. Il connaît les chiffres, il peut les réciter en plein milieu d'une putain de nuit, car il a dû les présenter à son banquier. La banque a mis un long mois avant d'accorder le prêt.

Fritz n'en avait cure, il était vautré avec son portable pendant le *repas spécial*. Griessel ne sait plus quoi faire.

Ses deux enfants ont une meilleure relation avec Anna, leur mère. Il les entend parfois quand ils se téléphonent. Des conversations ponctuées de rires, d'expériences partagées, d'informations confidentielles.

Mais lui ? Que doit-il faire ? Son métier, c'est sa vie, et il ne peut pas en parler. Ni de son « altruisme » ni de sa dépression, détectés par sa psy.

Et le jeune Van Eck. Le copain de Carla suit des études de théâtre à Stellenbosch avec elle (pour la somme annuelle de 29 145 rands qu'il arrive à régler en se serrant la ceinture et sans prêt bancaire, du moins jusqu'à maintenant). Griessel ne peut pas supporter Van Eck. Il commence à se demander si le copain précédent, ce grand joueur de rugby d'Etzebeth, n'était pas un meilleur choix. Car au moins Etzebeth savait quand il fallait la fermer.

Van Eck n'est jamais à court de cancans, d'opinions et de questions auxquelles Griessel ne tient pas à répondre. « Quelle a été ton enquête la plus intéressante ? Que penses-tu du verdict dans l'affaire Oscar Pistorius ? Pourquoi le taux de criminalité est-il si élevé dans notre pays ? »

Il le tutoie, il ne lui donne même pas du *oom**, ses cheveux sont longs, ses petits yeux rusés. Alexa dit qu'il est beau gars, qu'il est charmant. Griessel ne veut pas se montrer revêche, c'est l'ami de Carla, mais pour lui Van Eck est un petit con gâté.

Vincent Van Eck. Il entend déjà la réaction de Vaughn Cupido : C'est quoi ce putain de prénom ? Qui ose appeler son fils Vincent ? Avec un nom pareil ?

* * *

À 16 h 28, l'adjudant Jamie Keyter est assis en face du bureau surchargé du responsable du poste de Table View. Il lui raconte que le type qu'ils viennent de déterrer dans les sables du côté de Blouberg se nomme très probablement Ernst Richter.

— Ernst Richter en personne ? demande le colonel avec une pointe d'inquiétude dans la voix.

Keyter s'étonne que tout le monde sauf lui ait entendu parler de cet homme – peut-être devrait-il lire les journaux, même quand ils ne mentionnent pas ses enquêtes à lui.

Il confirme, il ajoute que la disparition de Richter a été signalée à Stellenbosch voilà plus de trois semaines. La couleur des cheveux et les traits de la victime indiquent une forte concordance avec les portraits que le poste de Stellenbosch vient d'envoyer il y a dix minutes par courriel. De surcroît, les vêtements du cadavre sont ceux que portait Richter juste avant sa disparition.

— Bon travail, dit le commandant de poste, pensif.

— Merci, mon colonel. Mais les gars de Stellenbosch pinaillent. Je veux dire, cette affaire est de notre juridiction, un point c'est tout. N'est-ce pas ?

— L'identification est-elle formelle ?

– Je vais téléphoner à la mère de la victime pour qu'elle vienne le reconnaître, mon colonel. Mais on l'a découvert dans notre secteur. Tout ce dont Stellenbosch a besoin, c'est d'un quatre-vingt-douze pour clore leur dossier...

Plein d'espoir, Keyter fait référence au formulaire 92 qu'il convient de remplir quand on a retrouvé une personne disparue.

Le responsable se gratte la nuque en réfléchissant. Il connaît les points forts et les faiblesses de Jamie Keyter. Il sait que, sur le lustre des enquêteurs de Table View, l'adjudant n'est pas l'ampoule la plus brillante, mais il est zélé, méthodique, fiable, avec plusieurs succès au compteur, dans des enquêtes peu compliquées.

La question de fond : S'il s'agit vraiment d'Ernst Richter, va-t-il confier l'affaire à Keyter ?

Son premier problème, c'est l'ambition de l'adjudant. À la suite du démantèlement d'un réseau de vol de voitures il y a trois ans, Jamie Keyter a tendance à surestimer ses compétences et son potentiel. Au poste de Table View on glose souvent sur son goût pour les projecteurs – et sur le temps qu'il passe devant le miroir.

Son second problème, c'est la charge de travail. Dans la péninsule du Cap, le secteur de Table View connaît un des taux de croissance les plus élevés de la métropole. Une croissance de la classe populaire, avec notamment des immigrés venus du Nigeria, de Somalie, du Malawi et du Zimbabwe. Ils sont installés dans la zone de Parklands où se concentrent soixante pour cent des délits suivis par son équipe. S'il s'agit vraiment d'Ernst Richter, il va devoir affecter beaucoup de monde à cette enquête, car la pression du directeur de la police provinciale sera forte dès que les caméras camperont devant sa porte.

Le colonel n'a pas le personnel suffisant. Keyter ne veut que l'attention des médias.

– Jamie, je vais appeler Stellenbosch et voir ce que je peux faire, ment-il.

* * *

Au bout du troisième verre, la douleur physique de Griessel commence à s'estomper. Cette douleur dans le bras et
dans le ventre – la douleur sourde des coups de feu qu'il
a reçus six mois plus tôt. Quand on a descendu le colonel
Zola Nyathi, et non Bennie.

Ce matin, attisée par le temps lourd, la douleur a ressurgi
et rappelé ce souvenir lancinant.

Et le voilà au comptoir en train d'attaquer son quatrième
double whisky. Il savait depuis quelque temps qu'il n'était
pas loin de replonger dans l'alcool. Doc Barkhuizen, son
parrain de longue date chez les Alcooliques anonymes, le
voyait venir lui aussi. « Je sais ce que signifient ces yeux
vitreux, Bennie. Affronte ton envie. À quand remonte ta
dernière réunion chez les AA ? Va parler à ta psy. Reprends
tes esprits. »

Il n'a aucun désir de revoir la psy, en premier lieu parce
qu'on lui a forcé la main après la fusillade. En second lieu,
parce qu'il a suivi les séances jusqu'au bout, contre son gré.
Enfin, les psychiatres ne comprennent rien, ils demeurent
dans leurs petits bureaux décorés de manière irritante pour
mettre à l'aise les gens effrayés ou instables. Une boîte de
mouchoirs en papier à portée de main, comme une insulte,
et un ours en peluche à côté de la fenêtre.

Un ours en peluche. Chez une psy qui doit conseiller
des policiers !

Et puis ils sont très forts en grands mots, en connaissance
livresque, mais se sont-ils retrouvés trois fois, quatre fois en
face d'un cadavre mutilé ? Ou savent-ils ce que c'est d'être
étendu à regarder son propre sang gicler, goutter, couler,
à savoir qu'on va crever avec un collègue ? Savoir qu'il n'y
a plus rien à faire pour le sauver.

Une femme attirante, cette psy qui le recevait. Une

32

bonne quarantaine, comme lui. D'abord il a pensé que cela marcherait, malgré les mouchoirs en papier et l'ours en peluche, mais elle s'est mise à parler avec sa putain de voix caressante, comme s'il était un possédé qu'il fallait calmer. Des questions sur sa vie entière, sur son vécu d'enquêteur. Elle a écouté avec attention, une concentration parfaite, acquiescé avec humanité et dit qu'elle comprenait. Au bout de quatre semaines elle lui a asséné qu'il souffrait de stress post-traumatique. Et du sentiment de culpabilité des survivants.

Ce sont son altruisme et sa dépression qui le font boire.

Qu'entendait-elle par « altruisme », il n'en était pas tout à fait certain.

— Se préoccuper des autres, a-t-elle répondu. À un tel point qu'on sacrifie quelque chose pour eux, sans rien attendre en retour.

— Et c'est pourquoi je bois ?

— C'est une pièce du puzzle, capitaine. L'interprétation commune de la dépression, en résumé bien sûr, c'est que les gens qui en souffrent ne voient pas de sens à l'avenir. C'est la dépression d'intérêt personnel, d'inquiétude quant à son statut social. Mais les recherches les plus récentes montrent qu'il y a une autre forme de dépression – celle où les gens se sentent terriblement coupables et développent une forte empathie envers le sort des autres. Leur altruisme est si fort qu'ils éprouvent des sensations pathogènes, ils se considèrent comme un danger pour leur entourage. Je suggère que c'est sur ce point que nous devrions nous concentrer.

Griessel n'a pas apprécié. Les dépressifs, ce sont des zombies qui tournent en rond, tête basse, ruminant de sombres projets, comme s'entailler les veines. Une chose qu'il n'a jamais envisagée. Il a dédaigné ces bêtises, mais poliment il a légèrement opiné de la tête.

Elle a poursuivi de sa voix apaisante :

— Tout ce que vous m'avez raconté l'indique. Pas seulement les tirs qui ont descendu votre colonel. Chaque fois que vous arrivez sur la scène d'un crime, vous avez le sentiment d'être complice, vous auriez dû prévenir le crime. Cette attitude n'est pas exceptionnelle dans votre profession. Mais le facteur important, c'est votre sentiment de responsabilité envers vos proches, vous éprouvez un besoin anormal de les protéger des horreurs que vous vivez quotidiennement. D'une certaine manière, vous savez que c'est impossible. Il nous faut explorer si ce n'est pas cela qui cause la dépression et le penchant pour la boisson.

Va donc explorer. Merde. Comme s'il était une jungle.

Assis au comptoir il se souvient. Et il boit, dans l'espoir de tout oublier. Car à Edgemead les démons de Vollie Vis se sont insinués dans sa tête.

5

Dans l'immeuble Huguenot Chambers, le bureau de maître Susan Peires offre une vue splendide sur le jardin verdoyant de la Compagnie des Indes orientales envahi par une foule de visiteurs en cette étouffante veille de Noël.

Parfois, quand il lui faut réfléchir à une affaire, elle relève les stores et contemple la verdure. Cela l'aide à mettre de l'ordre dans ses idées. Mais, aujourd'hui, elle concentre toute son attention sur le jeune viticulteur François Du Toit.

Assise à la table de conférence, elle lui fait face. Elle écoute chaque mot qu'il prononce, elle enregistre dans sa tête son intonation, ses tics de langage et le rythme de ses phrases. Il a beaucoup de mal à se lancer, il fallait s'y attendre. Elle compare son travail à celui d'un médecin urgentiste : quand ses clients arrivent ici, le traumatisme est déjà une donnée de base.

Elle analyse le langage corporel de Du Toit, les expressions de son visage, son regard qui croise le sien un instant puis repart se fixer sur le mur.

Elle sait qu'elle doit interpréter tous ces éléments avec prudence.

Jeune avocate, elle a reçu naguère une leçon bénéfique. Elle s'était retrouvée commise d'office dans une affaire pendant les dernières années de l'apartheid, période turbulente. Un employé municipal blanc, un mécanicien, était accusé du meurtre de sa femme. Les circonstances pesaient sérieusement contre lui – il avait appris la veille du meurtre l'infidélité de son épouse par une connaissance ; des voisins dans les petites maisons entassées de Goodwood avaient entendu une violente dispute. Il portait des traces de griffures d'ongles sur la joue, il avait été condamné sept ans plus tôt pour une affaire d'agression, avec sursis. En le rencontrant pour la première fois dans la salle d'interrogatoire du poste de police, Peires fut convaincue qu'il était coupable. Car l'homme avait un visage rude, primitif. Sous de lourds sourcils, ses yeux sournois esquivaient le regard de l'avocate. Il était grand, fort, avec des mains comme des marteaux de forgeron. Il se comportait de façon revêche, ses phrases étaient maladroites et vagues. Peires, à l'instar des enquêteurs, pensa que son alibi – il maintenait qu'il avait passé toute la nuit chez sa mère à Parow – résultait d'une connivence entre mère et fils.

Elle était partie interroger la mère. Une dame nerveuse, fumant à la chaîne, qui n'allait pas faire bonne impression au tribunal. C'est seulement quand Peires lui avait dit qu'il y avait de fortes chances que son fils passe sa vie en prison qu'elle avait avoué, en pleurs, effrayée : cette nuit-là dans sa maison, ils n'étaient pas seuls. Son amant, un officier du régiment métis de l'armée sud-africaine, pouvait confirmer l'alibi.

Ce qu'il avait fait d'une voix douce et ferme, cet homme éloquent et digne.

Les poursuites à l'égard du mécanicien furent abandonnées, l'attention de la police se reporta sur l'amant de la victime, un homme marié. Peires demanda à son client s'il avait tellement honte de la race de l'amant de sa mère qu'il était prêt à subir la prison.

– Non, répondit-il.

– Vous vouliez protéger votre mère ? Aviez-vous peur du qu'en-dira-t-on ?

Geste de dénégation de la tête.

— Mais alors pourquoi ne m'avez-vous rien dit ?

— Parce que vous avez un visage vraiment dur.

Susan Peires en fut bouleversée. Elle qui se considérait comme une professionnelle pleine de compassion était perçue comme « une femme dure ». Cet homme fort et à l'air rugueux avait eu peur de sa physionomie ! L'un et l'autre s'étaient perçus de façon erronée en raison de leur apparence.

Elle a longuement réfléchi. Elle a passé des heures devant son miroir. Lentement, à reculons, elle a fini par faire la paix avec son visage sévère – il sied comme un gant à sa profession – qui est probablement la raison pour laquelle elle n'a pas encore sérieusement attiré la gent masculine. Elle a essayé d'adoucir son aspect par son maquillage, ses vêtements et une approche plus souple des événements.

Elle a philosophé sur le penchant humain à étiqueter autrui selon l'apparence, elle s'est interrogée sur l'influence des traits du visage dans l'élaboration de la personnalité, mais surtout elle s'est promis de ne plus jamais renouveler cette erreur.

C'est pourquoi elle ne se laisse par influencer par le fait que François Du Toit est un homme attirant, éloquent et bronzé. Elle écoute, elle observe.

Mensonge ou vérité, elle veut retenir son jugement.

6

Mercredi 17 décembre. Huit jours avant Noël.

À 17 h 03, le responsable du poste de police de Table View téléphone à la Direction des Enquêtes prioritaires à Bellville et demande à parler à l'officier en chef.

— Le général de brigade Manie n'est pas pour le moment dans son bureau, mon colonel, répond sa secrétaire.

Le colonel soupire, car c'est la période qui veut ça. Pots de fin d'année pour le personnel, achats de Noël, repas de Noël...

— Qui dirige le Groupe Criminalité violente ?

— Le major Mbali Kaleni, mon colonel.

Il a souvent entendu parler d'elle. Il réprime un second soupir.

— Puis-je lui parler ?

— Ne quittez pas...

* * *

Bennie Griessel vit dans un cocon. Il ne fait attention ni aux personnes derrière lui ni au bistrot qui se remplit régulièrement en cette fin d'après-midi. Il ne jette pas un regard aux matchs de foot sur les grands écrans, n'entend pas le brouhaha des habitués qui bavardent et rient.

Il n'y a que lui et son sixième double Jack qui existent, la bravoure et la sagesse de l'ébriété.

Il baisse la tête, essaie d'ordonner ses pensées qui dansent.

Il se souvient, il se trouvait avec Vaughn Cupido devant la maison d'Edgemead, une illumination lui transperçait le cœur avec le poignard de la lucidité. La psy avait raison.

L'adjudant Tertius Van Vollenhoven venait de commettre le crime le plus terrible, impensable, déchirant, parce qu'il voulait protéger ceux qu'il aimait du malheur, ce chien qui écume le monde avec sa gueule baveuse et ses yeux injectés de sang. Personne n'arrive à arrêter ce molosse, sa voracité grandit.

La psy avait raison – lui, Bennie Griessel, il boit parce que cela éloigne le chien de sa porte et de ses proches. Boire, c'est son rempart, ce qui l'empêchera de faire comme Vollie...

Il n'est pas assez saoul pour se perdre dans cette zone.

Mais il va s'y rendre. Dès ce soir.

Deux hommes, la trentaine, costume-cravate, se glissent à côté de Griessel contre le comptoir. Ils le regardent se pencher sur son verre. Grimaces dédaigneuses.

Il n'aime pas ça.

Son portable sonne avant qu'il ne leur adresse la parole. Il voit qu'il s'agit de Mbali Kaleni.

Merde. Il est en vacances pour de bon. Avec son copain Jack.

Il vide son verre et fait signe au barman.

* * *

Le major Mbali Kaleni est au bureau, elle appelle Bennie sur son portable.

Cupido est assis en face d'elle. Il respire des effluves de chou-fleur, il pense que c'est une honte. Elle est chef de groupe désormais, comment peut-elle laisser son bureau empester de la sorte ?

C'est à cause de son régime. Elle a perdu onze kilos, mais il ne l'a pas remarqué, il la trouve toujours aussi gironde et courte sur pattes.

Il y a deux semaines, il n'en savait rien. Il déambulait dans le couloir, picorant un paquet d'œufs en chocolat, quand Mbali l'a croisé et a déclaré sur le ton irritant de celle qui sait tout : « Le professeur Tim dit que le sucre est un poison, savez-vous. »

Il n'a pas réagi, car une dispute avec Kaleni ressemble à du sumo – on ne trouve jamais prise, on termine en sueur et mécontent. Le lendemain, alors qu'il avalait un grand pot de yaourt en guise de petit déjeuner, cela devint : « Le professeur Tim dit que tous ces produits prétendus pauvres en matière grasse ne sont qu'une arnaque. » Il a encore laissé dire. Mais le surlendemain, comme il quittait la cérémonie du salut au drapeau un paquet de chips Simba – sel et vinaigre – à la main, Mbali décréta : « Le professeur Tim estime que ce sont les glucides qui font grossir. » Il ne parvint pas à se retenir et commit la grande faute de demander sur un ton irrité : « Qui est le professeur Tim ? »

Et donc elle lui déballa tout. Tout sur ce professeur Tim Noakes* qui a d'abord encouragé la putain de planète entière à bouffer des pâtes, et puis a tourné casaque en affirmant que, non, c'était en fait les glucides qui rendaient obèse, puis il s'est mis à écrire un livre de recettes, et il est devenu le grand héros de Mbali, « parce que seul un grand homme peut admettre qu'il avait tort » ; elle a déjà perdu beaucoup de poids, elle a tellement plus d'énergie, et ce n'est pas vraiment un régime dur, elle n'est plus en manque de glucides, car elle mange du chou-fleur avec du riz, du chou-fleur en purée et du pain aux graines de lin.

Du pain aux graines de lin, merde alors.

Avec la passion du converti, Mbali lui donne l'impression qu'il est devenu gros, lui, à son tour.

Chaque jour à midi elle achète deux choux-fleurs, elle laisse exhaler leur arôme dans son bureau. Il regrette le temps où cela sentait le Kentucky Fried Chicken.

Au bout d'une éternité, Kaleni dit :

– Bennie ne répond pas.

Cupido se lève et tâche de se ressaisir. Parce qu'il sait que Griessel répond toujours au téléphone. Et si le *major* Kaleni se préoccupait un peu moins de son régime et un peu plus de ses hommes, il n'aurait pas à s'inquiéter sérieusement pour Bennie. Ce midi à Edgemead il a lu le choc et l'abattement sur le visage de Griessel. En voyant son collègue s'éloigner, il s'est demandé s'il n'allait pas au-devant de difficultés.

Le *major* Mbali n'aurait jamais dû envoyer Bennie là-bas.

Il réprime son agacement, il ne fait que regarder sa chef.

– Je lui ai laissé un message, dit-elle. Vous pouvez peut-être commencer sans lui ? Dès qu'il rappelle, je lui demande de vous rejoindre.

– Oui, major.

Depuis qu'elle est son supérieur, elle est particulièrement aimable avec lui. Jadis, elle ne pouvait pas le supporter. Qu'est-ce que ça signifie ?

Il se retourne et s'en va.

– Capitaine, j'ignore pourquoi on hérite de cette affaire, lâche-t-elle avant qu'il n'atteigne la porte. Quand vous serez totalement certain que le défunt est le patron d'Alibi, mettez le capitaine Cloete dans la boucle.

John Cloete est le responsable médias des Hawks.

– OK, fait Cupido.

– Je tiens à ce que vous assuriez le commandement opérationnel de l'enquête.

Il est pris au dépourvu. Jamais il n'aurait pensé qu'elle le nommerait à la tête d'une équipe interservices. « OK », répète-t-il, et il se demande s'il a été nommé simplement parce que Griessel n'a pas répondu sur son portable.

* * *

À côté de Griessel, un des types en costume-cravate raconte une histoire à son collègue. D'une voix assez forte pour qu'il entende tout. Il écoute, car c'est une façon de s'évader de ses pensées morbides.

— Noleen dit que c'est une amie d'amie. Une fille gentille, jolie et...

— Si une poulette dit qu'une fille est jolie, c'est qu'elle ne l'est pas, généralement...

— Tu connais ça. C'est curieux. Bref, Noleen dit que la jolie fille a rompu avec son gus il y a six mois, elle travaille dans une PME, elle ne voit pas beaucoup de types, elle décide donc d'essayer les rencontres sur le Net...

— Mauvaise idée...

— Tu connais ça. Bref, elle se fait tirer le portrait chez un pro, passe en revue les sites de rencontres et flashe sur l'un d'eux. Elle se bâtit un profil avec ses photos toutes neuves, tape ce qu'elle aime et n'aime pas et les mecs commencent à venir la taquiner. Elle parcourt la liste, sépare le bon grain de l'ivraie et au bout de quelques semaines se met à chatter sur le site avec un gars élégant. Plus ils chattent, plus elle le trouve cool. Elle décide, OK, je vais sortir un soir avec lui. Prudemment, elle prend sa propre voiture, le rencontre dans un restaurant. Le gars arrive, il est vachement charmant et futé, ils bavardent à perdre haleine, dégustent leur dîner avec un bon petit vin. Elle tombe à moitié amoureuse. Pour faire court, le gars la raccompagne à sa voiture, elle lui envoie les bons signaux, il l'embrasse. Rien de passionnel, une sorte de bisou à demi romantique, du genre « je respecte ta sphère privée lors d'une première rencontre ». Qui a dit que les rencontres sur le Net ne marchaient pas, songe-t-elle. Deux jours plus tard elle se retrouve avec des boutons blancs sur les lèvres...

— Putain, frangin...

— Tu connais ça. Bref, elle va chez le toubib. Il lui

demande d'être franche avec lui : Avez-vous eu un contact avec des morts ? Vous savez, des cadavres.

— Putain !

— Comme je te dis. La fille répond, jamais de la vie, docteur. Il l'interroge sur ses derniers contacts. Elle réfléchit bien et lui parle du gars élégant. Il dit, l'unique façon d'attraper ce genre d'abcès, ou de les transmettre, c'est lors d'un contact avec des cadavres. Embrasser un mort...

— Putain, frangin.

— Tu connais ça. Le toubib lui dit qu'il va devoir appeler la police. D'accord, dit-elle. La police arrive et lui demande d'organiser un autre rendez-vous afin qu'on puisse attraper le type. D'accord, dit-elle, et ce coup-ci, elle se laisse reconduire chez le gars, la police sur leurs talons. Dès qu'ils entrent, l'équipe du SWAT envahit les lieux et passe la maison au peigne fin. Ils dégottent trois cadavres, frangin, avec encore l'étiquette autour du gros orteil...

— Putain, c'est pas croyable !

— Le gars travaillait à la morgue...

— Merde, intervient Bennie Griessel.

Il a beau être embrumé, il a dit ça plus fort qu'il ne le voulait.

— Quoi ? demande le narrateur.

— C'est une histoire de merde, dit Griessel en trébuchant sur les mots.

— Et pourquoi ?

— Je suis policier, éructe-t-il avec difficulté.

— T'es salement bourré, lance le second costume-cravate.

— Pas encore assez. Mais c'est une histoire de merde.

Son portable sonne. Bennie le sort de sa poche, consulte l'écran. C'est Vaughn Cupido. Il range son portable.

— Pourquoi est-ce une histoire de merde ? demande le narrateur.

— Article 25 du Code de procé... du Code pépé...

43

Il a du mal à articuler, il prononce les mots lentement, scandés :

— Code... de... procédure... pénale. Jamais un ci... un citoyen... un civil...

— Où est ton badge de policier ?

Griessel met la main à la poche, sort son portefeuille. L'opération prend du temps. Les deux costumes-cravates le contemplent avec dédain. Il farfouille, sort sa carte de police et la claque sur la table.

Ils la regardent. Ils le fixent.

— Pas étonnant que notre taux de criminalité soit le plus élevé du monde, estime le narrateur.

— Je t'emmerde, dit Griessel, c'est pas vrai.

— Je t'emmerde, poivrot. Si tu n'étais pas policier je t'aurais éclaté la gueule.

— Tu serais bien incapable d'entailler une merde, dit Griessel qui se lève en chancelant.

Il titube, maladroitement, tout contre le costume-cravate.

L'homme lui lance un coup de poing sur la joue. Griessel tombe.

Le narrateur se tourne vers son ami :

— Tu peux témoigner – il m'a poussé le premier.

7

Transcription d'entretien :
Maître Susan Peires avec M. François Du Toit
Mercredi 24 décembre, Huguenot Chambers 1604
40 Queen Victoria Street, Le Cap

FdT : J'ai rencontré Richter... Peut-être devrais-je... Diable, je ne l'ai pas vu venir. Il y a deux ans je travaillais encore outre-mer, je n'aurais jamais pensé... On fait parfois des choses stupides en croyant qu'on n'a pas le choix. Le stress est infernal... La panique aussi. C'était surtout de la panique, mais quand on est en plein dedans, quand on est déboussolé et qu'un type vient à votre rencontre...

Cette histoire... Comment je... ? Elle ne date pas d'hier, ni de l'année dernière. Cette histoire... L'autre jour quand les journaux s'étendaient sur la disparition de Richter, je me suis dit que cette histoire remontait au temps de mon grand-père. Il s'appelait Jean Du Toit, il jouait demi de mêlée pour la Western Province, je ne sais pas si vous savez... En 1949 et en 1950, il a... Aucune importance. Il y a tant de... Cela fait sept générations que Klein Zegen appartient à notre famille. Avant nous, la ferme était la propriété des Visser. Elle a trois cent trente ans, elle a été attribuée en 1682. Trois cent trente ans de dur labeur... Les épidémies... Le phylloxéra des années 1890, le père de mon arrière-grand-père a dû tout arracher, chaque plant de vigne, quatre-vingt-seize hectares... L'année dernière, en considérant son histoire, je me suis dit qu'une malédiction pesait sur l'exploitation...

Excusez-moi, permettez-moi de raconter dans le détail, au bout du compte cela explique tout...

SP : Prenez votre temps...

FdT : Je suis vraiment désolé. C'est Noël, vous préféreriez... vous savez, la famille...

SP : Je peux vous assurer que ce n'est pas un souci. Prenez votre temps, dites tout ce qui vous semble utile.

FdT : Je voudrais que vous compreniez... Je cherche certainement des circonstances atténuantes. C'est le terme approprié ?

SP : Oui.

FdT : Je veux... Je veux dire, l'histoire se déroule dans un certain contexte... Je... c'est tout ce qui me reste. Mon histoire. Au tribunal, je veux dire, le processus judiciaire, on travaille sur des faits. Celui-ci a fait telle chose, celui-là a commis telle autre, la cour tranche. Je ne pense pas qu'elle écoute les histoires. Mais notre histoire est importante. Notre histoire nous définit. Nous sommes notre histoire, nous sommes le produit de notre histoire.

Excusez-moi... je sais que ce n'est pas cohérent. Dans ma famille, nous sommes des lecteurs, ma grand-mère Hettie et moi. Ma mère aussi... J'ai une relation particulière aux histoires, je pense que... Si on lit énormément depuis le tout jeune âge, on souhaite forcément que sa vie devienne un livre, structurée par le combat et la victoire, passant du chaos à l'ordre. Avec une fin qui ait du sens. C'est pourquoi je parle du contexte de l'histoire, car le contexte donne l'aperçu final. Une partie de mon contexte c'est... cette affaire du péché des ancêtres... Et le premier-né, cela fait biblique, toute...

Il y a deux choses que vous devez bien comprendre : la première, la tradition qui veut que le fils aîné hérite de l'exploitation. Cela se passe ainsi dans la plupart des fermes du pays, c'est ce qui est arrivé depuis 1776 à sept générations de Du

Toit. C'est ainsi. Mon aïeul a eu six filles avant d'avoir un garçon, il avait la quarantaine quand il a enfin cessé de faire des enfants. C'est une tradition qui implique des contraintes, mais qu'y faire ?

Je suis le cadet...

Mon grand-père Jean n'a eu qu'un fils – mon père, Guillaume... Un instant, peut-être devrais-je... Avez-vous... Puis-je prendre ce stylo et une feuille de papier ?

SP : Naturellement.

FdT : Je vous dessine simplement l'arbre généalogique... Pas toutes les générations. Rien que six noms, mais vous verrez... Voici grand-père Jean et grand-mère Hettie... Puis mon père Guillaume et ma mère Helena... mon frère Paul... et moi... Voilà. Vous voyez...

Grand-père		*Grand-mère*
Jean	×	*Hettie*
Père		*Mère*
Guillaume	×	*Helena*
Paul		*Moi*

SP : Merci...

FdT : Mon père n'était pas enfant unique. Il avait deux sœurs plus jeunes. Mais il était le seul fils du grand-père Jean...

Mon grand-père Jean... L'affaire commence avec lui. Il était fils unique. Il a hérité du domaine. Il l'a conservé longtemps... il a fallu qu'il se saoule à mort avant que mon père ne puisse l'exploiter, et puis... voici la seconde chose qu'il faut que vous compreniez. L'influence du grand-père Jean. Génétique, psychologique et... disons-le, financière. Je... on ne peut pas considérer tout ce... on ne peut pas considérer mon histoire sans commencer par le grand-père Jean. Son ombre porte loin. Elle touche Ernst Richter.

Permettez-moi donc de commencer par le grand-père Jean.

8

Vaughn Cupido exècre la morgue de Durham Street à Salt River. De l'extérieur, c'est un endroit disgracieux : un assemblage de bâtiments, brique brune et toits rouges, derrière une haie décrépite de pilastres en béton. À l'intérieur, c'est encore plus spartiate et déprimant : corridors étroits, effluves, souvenirs d'autopsies sinistres auxquelles il a dû assister. Mais, par-dessus tout, il a une aversion pour la reconnaissance des corps. Car elle va de pair avec un grand malaise et une émotion intense de la part des proches.

La salle d'identification est petite et nue – un simple banc contre le mur, un rideau bleu poussiéreux cache la vitre. Il lui faut partager cet espace étroit avec l'adjudant Jamie Keyter de Table View et Mme Bernadette Richter, mère d'Ernst, le disparu.

Il n'apprécie pas Keyter.

Mme Richter a la soixantaine. Ses cheveux sont teints en châtain foncé, elle porte des lunettes à monture argentée, elle est aussi grande que Cupido et très tendue. Son visage est dessiné pour la gaieté, avec des joues comme des petites brioches et un nez exceptionnellement long. Une bonhomie qui tranche avec la morosité du moment.

Son parfum envahit la petite pièce.

– On va tirer le rideau, vous allez pouvoir voir le corps, lui dit Jamie Keyter.

Elle opine. Cupido s'aperçoit qu'elle tremble.

– Vous êtes prête ? demande Keyter.

Jissis, quelle façon doucereuse de procéder !

– Madame, dit Cupido, vous a-t-on informée que vous n'y êtes pas obligée ?

– Non.

Il se retient pour ne pas lancer un regard mauvais à Keyter. Il ajoute :

– S'il y a quelqu'un d'autre… un membre de la famille, quelqu'un qui a travaillé avec lui…

– Je suis sa mère.

– Je comprends, madame, mais nous savons combien c'est difficile. Si vous…

– Non. Je suis tout ce qu'il lui reste. Il faut que je le fasse.

– Vous pouvez prendre autant de temps qu'il vous faudra.

Elle opine.

Keyter toque impatiemment sur la vitre. Le rideau bouge lentement.

Mme Richter est immobile. Tous trois contemplent le cadavre. Cupido observe que le corps n'a pas été préparé. Des grains de sable collent encore au visage.

Un silence de mort règne dans la petite pièce. Au-dehors on entend le bruit irritant d'un chariot dont une roue est voilée, poussé dans un couloir.

Elle reste si longtemps sans bouger que Cupido se met à craindre que l'identification ne soit pas positive.

– C'est Ernst, dit-elle, presque inaudible.

Ses jambes la lâchent, il l'aide à se redresser, une main sur son bras, une autre dans son dos.

* * *

Elle éclate en sanglots en sortant, direction le parking, flanquée de deux amies. Il leur faut attendre à côté d'une Honda Jazz blanche que les femmes la réconfortent en l'embrassant. Une fois qu'elle est calmée, Cupido glisse qu'il voudrait lui parler.

— Pas aujourd'hui, répond-elle en fondant à nouveau en larmes, inconsolable.

Ses deux amies fusillent Vaughn du regard, comme s'il avait tout provoqué.

Il lui demande son numéro et son adresse. Elle répond en sanglotant. Il prend des notes sur son téléphone.

Il est plus de 19 h 30 quand la Honda repasse le portail de la morgue. Le soleil n'est pas encore couché.

— Tu es amer parce que c'est nous qui reprenons l'affaire ou tu es toujours aussi peu délicat avec la famille des victimes ? demande Cupido à Jamie Keyter.

— Qu'est-ce que j'ai fait ?

— En matière de tact, je ne suis pas le meilleur flic du service, mais merde, Jamie, c'est une situation pénible pour une mère de venir identifier son enfant. Même s'il est adulte. N'importe quel imbécile peut le comprendre. Faut un chouïa de finesse. Tu vois bien que cette femme stresse et tu lui balances : « Vous êtes prête ? » C'est quoi ces façons ?

— C'est bien pourquoi je lui ai demandé si elle était prête.

— Mais il y a la manière, Jamie, tu le sais foutrement bien… Tu as apporté le dossier ?

— Il n'y a pas encore de dossier, je n'ai pas eu le temps, car on ne savait pas qui allait traiter l'affaire et il fallait en plus que j'identifie la victime… répond-il, vexé.

— C'est notre affaire à présent. J'attends donc que tu t'attaques fissa au dossier. Je veux la partie A pour ce soir, et j'attends un formulaire SAPS 5 complet pour demain matin…

— Je n'ai interrogé qu'un type, celui qui a découvert le corps…

— Alors mets ça dans ta partie A, Jamie. Ou veux-tu que nous reprenions tout de zéro… ?

Le portable de Cupido sonne. Il le sort de sa poche, voit que l'appel vient de Bennie. Un soulagement le submerge.

– Benny !

– Non, Vaughn, c'est Arrie September à l'appareil, du poste central du Cap ; un ancien collègue, aujourd'hui en charge du poste appelé jadis Caledon Square. J'appelle du portable de Bennie – c'est comme ça que j'ai eu ton numéro.

– Où est Bennie ?

– Ici, chez nous, en cellule. On l'a amené pour ivresse et désordre sur la voie publique. Je ne tiens pas à parler à son supérieur, tu vois toutes les difficultés que ça pourrait causer.

– *Jissis,* Arrie, un grand merci. Garde-le au frais, mais ne l'inscris pas sur la main courante, s'il te plaît. Il a eu une très mauvaise journée. J'arrive dans dix minutes.

– Vaughn, on pense qu'il a agressé un type.

– Agresser ? Bennie ?

– Je vais me renseigner. Viens au plus vite.

September raccroche. Cupido se retourne vers Keyter, il observe que l'adjudant l'a écouté avec la plus grande attention.

* * *

En chemin vers Buitenkant Street, Cupido appelle le major Mbali Kaleni. Quand elle décroche il entend la télévision en arrière-fond. Elle doit être chez elle avec du chou-fleur au four.

Il lui raconte qu'on a identifié Ernst Richter avec certitude et qu'il attend les dossiers de Table View et de Stellenbosch.

– … Je viens juste de parler à Bennie, il a un problème avec son portable. Je le vois en ville dans un quart d'heure.

– Merci, capitaine, avez-vous appelé Cloete ?

– C'est le suivant sur ma liste.

C'est exact, car si le nom de Richter lui évoque quelque

chose, il ne sait pas trop qui est le bonhomme. Il ne tient pas à ce que Kaleni s'en rende compte.

Pourquoi l'a-t-elle chargé du commandement opérationnel ?

Il connaît Kaleni. Cette Zouloue est futée. Lente, à cheval sur le règlement, irritante au plus haut point, prudente. Mais futée. Elle a un plan dans le crâne. Toujours. Quelle idée a-t-elle cette fois-ci derrière la tête ?

Confier le commandement opérationnel à Vaughn pour démontrer qu'il est nul ? Qu'il se rende compte qu'elle méritait plus que lui cette promotion ?

Va te faire foutre, ma vieille. Il va lui montrer.

Tout en conduisant il appelle le capitaine Cloete.

— Vaughn ? répond l'officier en charge des médias d'une voix patiente, même s'il doit se douter qu'à cette heure de la soirée l'appel signifie des problèmes.

— John, tu as suivi la disparition de cet Ernst Richter il y a quelques semaines ?

— Oui, répond Cloete avec un brin de résignation.

— On l'a identifié comme le type que les collègues de Table View ont déterré cet après-midi.

Long silence.

— John, tu es toujours là ?

— Je priais.

— C'est si grave ?

— Je suppose qu'il n'est pas décédé de mort naturelle.

— Un mauvais coup, sans aucun doute, mais il faut avancer sur des œufs, John, le dossier est encore dans les brumes. Nous venons à peine d'hériter de l'affaire, et je suis en voiture.

— Un instant... OK, dis-moi ce dont tu disposes.

— Le corps d'un homme, découvert dans les dunes au nord de Blouberg cet après-midi, a été identifié avec certitude comme étant celui d'Ernst Richter, personne disparue... Là, tu mettras la date exacte. Le Groupe Criminalité violente de la Direction Enquêtes prioritaires est sur l'affaire, plus d'infos dès que, bla bla bla. Honnêtement, c'est tout ce que j'ai.

Silence pendant que Cloete prend des notes. Il demande :

– Qui est en charge du commandement opérationnel ?

– C'est moi.

– Vaughn, ça ne suffit pas.

– Que veux-tu dire ?

– Ce truc va exploser, Vaughn. C'est la plus grosse histoire depuis les affaires Pistorius et Dewani*. Les médias vont devenir dingues. Il faudra que je les nourrisse.

Le cœur de Cupido s'arrête.

– Quand Richter a disparu, *oom* Frankie Fillander et moi étions sur les braquages de Somerset-West, j'ai loupé le scénario. Peux-tu m'envoyer les coupures de presse ?

Cloete met un instant avant de comprendre.

– Tu ne sais pas qui est Richter ?

– Je te dis simplement que je n'ai pas encore vu le dossier de disparition. Cela fait deux heures à peine qu'on m'a mis sur l'affaire. Je sais que Richter était célèbre sur Internet. Du porno… ?

– S'il ne s'agissait que de ça ! C'est l'homme qui a lancé Alibi… Écoute, ce sera plus rapide et plus facile si je t'envoie une série de liens. Avant que je ne publie la déclaration. Car quand on aura vendu la mèche, ce sera l'enfer. Pour moi et pour toi.

* * *

Le colonel Arrie September ouvre la cellule pour Cupido. Ils entrent et voient Bennie Griessel sur le dos, la bouche grande ouverte et les yeux clos. Il ronfle fort.

– Et merde, Benny, dit Cupido.

– Il faut qu'on le sorte d'ici, Vaughn, dit September. Avant que je ne me barre.

— Qui est au courant ? demande Cupido en s'asseyant à côté de Griessel sur le banc de béton nu.

Il remarque un horion bleu-violet sur la joue de son collègue.

— Rien que les deux agents en uniforme qui l'ont amené et moi. Ils la boucleront.

— Il a vraiment eu une mauvaise journée. Je ne sais pas si tu as entendu ce qui est arrivé à Vollie Vis...

— Oui. C'est tragique, mon frère. Mais Bennie s'est battu avec deux lièvres*. Les gens du Fireman's Arms sont très mécontents de la bagarre. Ils parlent de porter plainte.

— Il n'aurait jamais fallu envoyer Benny chez Vollie Vis. Depuis la mort de la Girafe, il n'est pas bien dans sa tête.

— Pour l'instant, c'est motus et bouche cousue, mais si une plainte est déposée officiellement...

— Je vais aller leur parler.

— Puis-je faire passer ta voiture par la cour ?

— S'il te plaît.

September sort.

Cupido pose sa main sur le bras de Griessel et le secoue doucement.

— Benny...

Griessel s'arrête instantanément de ronfler.

— Je vous emmerde, dit-il. Je vous emmerde tous.

9

Transcription d'entretien :
Maître Susan Peires avec M. François Du Toit
Mercredi 24 décembre, Huguenot Chambers 1604
40 Queen Victoria Street, Le Cap

FdT : On a encadré une coupure du *Huisgenoot* en 1950 à propos de mon grand-père Jean. Elle est restée accrochée dans l'entrée pendant des années… San l'a enlevée récemment. Elle est un peu, je ne sais pas, elle a un côté tragique. Par rapport à la réalité, l'article… Le titre « Le jeune Jean Du Toit va rafler tous les prix cette année ». Il y a sa photo, au milieu des vignes, avec son maillot de la Western Province, un ballon de rugby à la main. La première fois que San l'a vue, elle a demandé : « Qu'est-il advenu de ses gènes ? » S'il vivait encore aujourd'hui, il serait, selon elle, le chouchou des paparazzis. Il était blond et très attirant, avec ses yeux bleu vif, c'était un joueur de rugby fantastique, mais on perçoit aussi autre chose sur cette photo. Une sorte de… confiance en lui qui frise l'audace, une attitude du genre « je fais ce que je veux, le monde m'appartient ». San ressentait une pointe de danger dans cette attitude, un côté irrésistible. Il y a des femmes qui se précipitent, même si elles savent qu'elles n'ont que des pépins à en attendre.

La photo a été prise deux ans après la mort de mon bisaïeul. Le grand-père Jean venait d'hériter du domaine, à l'âge de vingt-deux ans. À l'époque cela n'avait rien d'étonnant, on voyait même des types de dix-huit ans reprendre des exploitations, rien à voir avec aujourd'hui… Le problème, c'est que Klein Zegen est d'abord un vignoble. Avec tout ce qui s'y rattache. La mystique du vin, le prestige, l'histoire, la culture… Ma grand-mère Hettie disait qu'à cette époque, au début des années 1950, un viticulteur, c'était quelqu'un. Ils donnaient l'impression d'être tous riches comme Crésus. Mais ils ne l'étaient pas… Vous pouvez vous l'imaginer, vingt-deux ans, élégant, sportif, viticulteur dans un domaine vieux de deux cent vingt-deux ans. Comme une rock star d'aujourd'hui. Un jour ou l'autre ça monte à la tête…

Le grand-père Jean n'était pas seulement le fils aîné, il était aussi l'enfant unique. Depuis tout petit il savait que tout lui appartiendrait un jour. Il était trop gâté, je pense. Le golden boy, le garçon talentueux et beau, destiné à un brillant avenir sans se donner de peine.

Il faut que vous compreniez que la reprise de l'exploitation par le grand-père Jean coïncide avec les belles années de la KWV*, la coopérative des viticulteurs. C'était le bras armé de l'État dans l'industrie vinicole. Jusqu'en 1956, la KWV lui a acheté toutes ses vendanges. En 1957, la KWV a instauré un système de quotas. Avec ses relations dans le monde du rugby, le grand-père Jean s'assura d'un large quota pour Klein Zegen. Son seul objectif était de produire son quota, puisque Big Brother KWV le lui achetait en entier. Très peu de viticulteurs se souciaient de qualité. Rares étaient ceux qui fabriquaient leur vin sur place, ce n'était pas intéressant sur le plan financier… Une agriculture à temps partiel, il suffit de se concentrer en période de vendanges et de taille des vignes. Cela donnait du temps au grand-père Jean pour le rugby, les femmes et la boisson. Pas forcément dans cet ordre, d'ailleurs.

Tout le monde pensait qu'il serait promu Springbok quand deux choses survinrent. Grand-père Jean mit enceinte grand-mère Hettie et il se cassa la jambe, juste avant une tournée des Boks en Angleterre et en France…

10

Dans la voiture, Cupido supplie :

– Benny, sur cette affaire, j'ai besoin de toi. S'il te plaît, collègue.

Griessel, tête basse, se balance selon les mouvements du véhicule. Il fait un bruit qui ressemble à un rire sans joie.

Cupido sent la tension lui nouer l'estomac. Il lui faut lancer l'enquête sur Richter dans les plus brefs délais. Demain matin, Cloete devra fournir de nouveaux biscuits au monstre médiatique et lui-même devra rendre compte à Kaleni des progrès que Bennie et lui auront réalisés. Mais il lui faut d'abord discuter gentiment avec les gars du Fireman's Arms. Le problème est bien là, les Hawks tolèrent une cuite de temps à autre, mais si en état d'ivresse, on se met à taper sur un lièvre, c'est le licenciement inéluctable.

Par-dessus le marché, Griessel est bien incapable de gérer une telle situation.

Cupido s'arrête devant la grande maison victorienne d'Alexa Barnard dans Bornlow Street à Tamboerskloof et contourne la voiture pour aider Bennie à sortir. Ils parviennent cahin-caha à franchir la grille du jardin. Cupido frappe avec insistance à la porte d'entrée.

Alexa ouvre, aperçoit Bennie accroché à l'épaule de Cupido, elle en a le souffle coupé.

– Il va bien, il est simplement ivre, dit Cupido.

– Ivre et altruiste, ajoute Griessel en marmonnant.

– Oh, Seigneur, dit Alexa en se mettant à pleurer.

– Je pense qu'il vaut mieux entrer, si vous n'y voyez pas d'inconvénient, murmure Cupido.

Alexa opine et s'efface. Cupido pilote Griessel à l'intérieur. Elle ferme la porte derrière eux.

– Un ivrogne altruiste, c'est mieux, grogne Griessel. Beaucoup mieux.

Cupido conduit Bennie jusqu'au canapé et l'aide à s'asseoir. Griessel s'étend et ferme les yeux.

– On peut parler quelque part ? demande Cupido à Alexa.

Elle contemple Bennie, les larmes lui reviennent.

– Vaughn, j'ai entendu une histoire bizarre, dit Griessel. Une putain d'histoire bizarre…

– C'est bon, Benny.

Griessel referme les yeux.

– Venez, dit Alexa en l'emmenant à la cuisine.

– Il a eu une très mauvaise journée.

Cupido lui raconte le meurtre familial de Vollie Vis.

– On me dit que Benny a boxé un type dans un bar…

– Frappé ? Bennie ?

– Je ne sais pas exactement ce qui s'est passé, mais voilà le problème : s'il y a plainte, Benny sera licencié. Vous et moi savons que ce ne serait pas bon pour lui. Je vais essayer d'arranger les choses avec les gens du bar, mais s'il vous plaît, faites en sorte qu'il redevienne sobre. Et qu'il le reste. Le major Mbali pense qu'il est sur une affaire avec moi. Je peux le couvrir pour l'instant, mais faites tout pour qu'il arrive demain matin à l'heure au bureau.

Au milieu de la pièce Alexa est désemparée, abattue.

– Je ne sais pas si je peux…

Cupido voit bien qu'elle est très perturbée. Il se souvient soudain qu'elle aussi est alcoolique.

– Donnez-lui du café.

– Le café ne sert à rien, Vaughn.

– Essayez autre chose. Appelez son parrain chez les AA.

Je ne peux vraiment pas rester, une énorme affaire nous est tombée dessus, faut que j'aille bosser. Il ne faut pas qu'il réponde au téléphone. En cas de difficulté, appelez-moi.

Elle semble complètement perdue.

– Ça ira ? demande-t-il.

– Je ne sais pas.

* * *

Cupido file au Fireman's Arms et demande à parler au patron. Il plaide :

– Il s'agit d'un enquêteur remarquable et d'un homme bon. Cela fait presque deux ans qu'il n'a plus bu d'alcool, mais un de ses collègues vient de se suicider aujourd'hui, alors, s'il vous plaît, donnez-lui une chance.

– Il a agressé un de mes clients.

– Je le comprends bien et, au nom de la police, je m'en excuse. Mais, je vous en prie, vous pourriez briser la carrière de cet homme…

– OK. Mais je ne veux plus qu'il remette les pieds ici.

– Je vous le promets, un grand merci, dit-il avant de s'éclipser dans la nuit.

Il saute dans sa voiture, branche la sirène et pose le gyrophare bleu. Il fonce vers Bellville pour aller lire ce que John Cloete lui a envoyé.

* * *

Il fallut bien une demi-heure avant qu'Alexa Barnard trouve le courage d'appeler Doc Barkhuizen.

D'abord elle déchausse Bennie et l'aide à s'allonger sur le canapé. Il la regarde, un instant surréaliste, et ne la reconnaît pas. Sa tête retombe, il ferme les yeux.

– Mon Dieu, Bennie, dit-elle en allant s'asseoir sur le fauteuil à côté du canapé pour garder un œil attentif sur lui.

Elle songe qu'elle est la plus faible des deux, celle qui risque le plus de repiquer à l'alcool, Bennie semblait si fort. Pourquoi n'a-t-elle rien vu venir ? Ces derniers temps il était peut-être silencieux, mais à peine plus que de coutume, il n'a jamais été très bavard. Après tout ce qu'il a vécu, avec son travail… Il n'y avait aucun signe avant-coureur.

Il faut qu'elle appelle Doc Barkhuizen, le parrain de Bennie chez les Alcooliques anonymes, le médecin excentrique et musclé qui porte ses cheveux gris en catogan. Il met parfois une boucle d'oreille. Des lunettes épaisses, des sourcils broussailleux, un visage malicieux. Elle se montre prudente, car il est très strict avec Bennie. Il n'apprécie ni Alexa ni leur relation. Il a souvent expliqué à Bennie que deux alcooliques ensemble, c'était la voie directe vers les ennuis. Plus encore avec une chanteuse émotive, capricieuse et mûre. Doc a raison, il n'y a qu'à voir combien elle est désarmée en ce moment. Il faut qu'elle reste forte, comme l'a été Bennie lorsqu'elle avait replongé.

Elle ne pense à rien d'autre qu'à boire à son tour.

Elle finit par se lever, sort doucement le téléphone de la poche de Griessel et cherche le numéro du doc. C'est le dernier parmi les favoris dans son iPhone, note-t-elle. Elle-même vient en tête, suivie de Carla et de Fritz, puis de quelques collègues.

Elle est la préférée de Bennie. Elle ne le savait pas. Ça lui donne envie de pleurer, mais elle se ressaisit et appelle.

— Bennie ? répond Doc Barkhuizen. À cette heure de la soirée, ce n'est jamais pour une bonne nouvelle.

— C'est Alexa, dit-elle un sanglot dans la voix, malgré ses efforts pour le cacher.

— Oh, *magtig**! dit-il.

— Docteur, Bennie a…

Elle pleure.

— Combien ? demande calmement Barkhuizen.

— Beaucoup.

– Il n'y a pas grand-chose que je puisse faire ce soir pour lui, mais il me semble que vous avez besoin d'aide.

– Oui.

À son immense soulagement, il réagit.

– Où êtes-vous ? J'arrive tout de suite.

* * *

Vaughn Cupido tape sur le premier lien figurant sur le courriel de John Cloete. C'est une information du site *Netwerk24* :

Une application pour devenir coquin

Stellenbosch – « Soyez libertin sans stress », telle est la devise et la promesse d'une nouvelle application sur Smartphone et sur le Net qui va pousser les Sud-Africains à devenir coquins – tout en leur permettant de s'en sortir.

Les amants qui ont besoin d'un alibi en béton pour un week-end en douce ou qui cherchent simplement une excuse solide pour un cinq-à-sept rapide peuvent désormais faire appel à Alibi.co.za pour les aider à mentir. Mais bien sûr, ce n'est pas gratuit.

Moyennant une adhésion à 62,50 rands par mois, les libertins auront accès à tout un menu d'options malhonnêtes : un SMS qui convoque à une réunion vous coûtera 25 rands, un coup de téléphone du « bureau » reviendra à 125 rands, tandis que de faux documents d'inscription à une conférence de travail ou une note d'hôtel fictive pourront se monter à 1 800 rands.

« Les clients décident eux-mêmes de la nature de leur alibi », a déclaré hier M. Ernst Richter, le fondateur et le directeur exécutif d'Alibi.co.za lors d'une conférence de presse dans notre ville. « Notre tâche, c'est d'offrir de la crédibilité et de la ponctualité. »

– Ça me troue la paillasse, marmonne Vaughn Cupido. Pas étonnant que Cloete craigne que l'affaire explose.

Il poursuit sa lecture.

Cette application ne va-t-elle pas encourager l'adultère ? À cette question, Richter a répondu que d'autres sites, tels AshleyMadison. com ou Maritalaffairs.co.za, fournissent déjà aux Sud-Africains matière à des relations extraconjugales. « Les statistiques indiquent plusieurs centaines de milliers d'inscriptions sur ces sites. Alibi. co.za cherche simplement à leur éviter des ennuis et des procédures en divorce. »

C'est précisément le succès d'AshleyMadison en Afrique du Sud qui lui a donné l'idée de sa nouvelle entreprise. Des services fournissant des alibis existent depuis des années à l'étranger, notre pays était en retard dans ce domaine.

« Il faut de sérieuses connaissances locales pour monter un alibi solide. Par-dessus le marché, en raison du taux de change, il est coûteux pour les Sud-Africains de faire appel à des services d'alibi outre-mer. Nos prix permettent au Sud-Africain moyen de vivre sa vie amoureuse sans stress et sans se ruiner.

« Nous invitons nos clients à fournir le plus de renseignements possible quand ils s'inscrivent sur l'application afin que leur alibi soit le plus crédible. Par exemple, si vous nous indiquez que vous travaillez dans une banque, nos systèmes sophistiqués assurent que vous ne recevrez jamais de faux appels de votre bureau en dehors des heures de travail. »

Richter affirme que les systèmes de sécurité d'Alibi.co.za sont particulièrement efficaces, il n'y a aucun risque que les informations données par les utilisateurs tombent entre de mauvaises mains. « La discrétion est notre maître mot. Les employés eux-mêmes n'ont pas accès au profil complet du client. Nous offrons aussi la possibilité de prendre un pseudonyme, dans la plupart des cas nous ne savons pas qui sont vraiment nos clients. »

En plus de la longue liste des options proposées aux clients, les utilisateurs peuvent aussi monter leur propre alibi. « Nous envoyons immédiatement un devis détaillant le coût de sa mise en œuvre », explique Richter.

La société table sur un profil d'utilisateur semblable à celui

des autres sites libertins – 48 % de femmes et 52 % d'hommes.
« Nous estimons que pour des raisons socio-économiques nos clients
seront âgés de plus de trente-cinq ans. L'âge moyen pour songer
à une aventure extraconjugale est de trente-neuf ans pour les
femmes. Quarante-deux ans pour les hommes. »

* * *

Cupido tape l'adresse d'Alibi dans son moteur de recherche
Google Chrome.

En cette période de la nuit, l'Internet des Hawks est plus
rapide que d'habitude, la page d'accueil se télécharge vite.

Apparaît une grande photo d'un beau couple sur fond
de mer tropicale turquoise. Les visages sont tout proches,
amoureux et satisfaits. Dans l'azur du ciel, ces mots :

Alibi.co.za
Rien que du plaisir. Aucun stress.

Le logo de la société représente une colombe en plein vol,
un petit cœur dans le bec. Sous la photo : *Inscrivez-vous dès*
maintenant. Fini les liaisons « dangereuses », vive le sexe, pas
les ex. Mettez de la sérénité dans vos aventures. Satisfaction
garantie, sinon vous serez remboursé !

Avec des cases pour taper son nom et son adresse courriel.

11

Sur les murs de son bureau, maître Susan Peires a accroché plusieurs photos d'elle. François Du Toit les a remarquées en arrivant. L'une d'elles remonte à la cérémonie de sa remise de diplôme, il y a quelques décennies. Elle fait partie de ces femmes, songe Du Toit, qui deviennent attirantes avec l'âge. Les années ont assoupli son allure, elle a désormais la maturité séduisante. Solide et digne.

Tandis qu'il dévide son histoire, il a vaguement l'impression qu'elle lui transmet une certaine paix. Elle a l'air d'être le bras de la justice. Cela vient peut-être de son calme, de sa force intérieure qui rayonne. Ou du fait qu'elle ne se teint pas les cheveux, les nuances de gris dans sa chevelure sombre lui confèrent une touche sophistiquée, un signe de sagesse. La vigueur se lit dans les lignes sobres de son visage, le nez aquilin, la bouche ni mince ni pleine s'approche d'une perfection neutre, objective, qui ne condamne ni ne s'enflamme.

Il parle avec plus de facilité. Il est porté par son histoire, son enthousiasme s'accroît à l'idée qu'elle pourrait bien atténuer ses péchés. Il se sent par conséquent suffisamment libre pour quitter sa chaise tout en parlant – il pose les mains sur le cuir du dossier, puis commence lentement à tourner en rond dans le grand bureau.

Il lui raconte l'histoire de la femme mise enceinte par le grand-père Jean.

Sa grand-mère Hettie était une Malherbe de Calitzdorp, de parents modestes. Son père tenait une petite boutique, il ramait, il a sué sang et eau pour l'envoyer à l'université. Sa grossesse fut une chose affreuse pour ses parents, un scandale énorme, car leur fille était leur passeport vers la respectabilité, la sortie de la misère. En ce temps-là, 1951, c'était gravissime... Mais Hettie a toujours claironné que c'était une petite bénédiction – *klein zegen* – d'être tombée enceinte en septembre de sa dernière année de fac. Elle a pu passer son diplôme d'enseignante. Et, bien sûr, le fait que le fauteur de trouble soit un viticulteur, un demi de mêlée de la Western Province, a contribué à adoucir les choses.

– Ma grand-mère était une femme incroyable. Je pense que c'est son humour qui l'a sauvée... Ça, le domaine et mon père. L'humour et les pieds sur terre...

« *Oupa** Jean... il était magnétique, racontait *ouma*. Ses yeux, son sourire, son attitude laissant entendre que le monde entier lui appartenait. Elle, elle était très sage, convenable, elle avait rarement embrassé un homme avant grand-père Jean. Mais ce soir-là quand il l'a invitée à danser – et il savait danser –, il lui a permis de briller sur le parquet. Elle sentait son odeur, son visage contre le sien, et quand il lui souffla "Tu es la plus belle fille de tout Stellenbosch" elle en oublia tous ses principes.

« Elle était belle. Très belle. Le grand-père Jean a commis beaucoup d'erreurs, mais pas celle de se tromper dans le choix des femmes...

« Mon père a été conçu cette nuit-là, à la ferme. C'est probablement la dernière bonne chose faite par grand-père Jean, à part épouser *ouma* Hettie, mais à dire vrai, en ce temps-là, il n'avait pas vraiment le choix.

12

Cupido a du mal à rester assis. Il voudrait agir, mais la chemise jaune pâle que Stellenbosch lui a transmise est à peine plus épaisse qu'un dossier de disparition classique.

C'est pourquoi il reste assis, la prend et l'ouvre. Une photo est agrafée à l'intérieur, la partie A comprend trois procès-verbaux, la partie B deux rapports légistes. Il est impressionné par les minutes exhaustives de l'enquête figurant dans la partie C. Il sait que Stellenbosch a reçu beaucoup d'attention médiatique, ce qui a incité le commandant et ses enquêteurs à produire un travail sérieux.

Tout au fond se trouve, dûment signé, un formulaire SAPS 55 (A), qui protège la police des renseignements mensongers et lui donne le droit de faire circuler et de publier la photo et la description d'une personne disparue.

Il étudie la photo. Elle colle avec le visage qu'il a vu à la morgue. On y voit Ernst Richter en jean, T-shirt bleu avec les lettres *HTML*, et en dessous *(expert in) How To Meet Ladies*. Il a l'air jeune : le début de la trentaine dirait-on, il rit, ses mains indiquant quelque chose au moment où le photographe l'a capté. Rasé de frais, des cheveux épais et sombres qui lui arrivent presque aux épaules, un corps mince. Il a le long nez de sa mère Bernadette, mais des joues plus creuses et une bouche proéminente.

Ce n'est pas comme ça que je voyais le patron d'un site qui propose des alibis, pense Cupido. Richter a l'air honnête. Normal. Du genre voisin d'à côté, si on habite un quartier classe moyenne pour Blancos. Mais lui, le métis, il l'a appris au fil des ans : avec les Blancos, faut pas se fier au look. Très trompeur.

Il déchiffre la première main courante, notée par un agent à l'écriture quasi illisible du Service des Plaintes. Elle date du 27 novembre et provient d'une certaine Cindy Senekal, qualifiée d'« amie de la personne disparue ».

Selon ses dires elle a parlé plusieurs fois au téléphone avec Richter le mercredi 26 novembre. Il était en bonne forme, parfaitement « normal ». Le dernier appel se situait à 16 heures. Ils avaient rendez-vous pour dîner le soir même à 19 heures au Dorpstraat Deli, à Stellenbosch. Après l'avoir attendu quinze minutes, elle l'a appelé, mais elle est tombée sur sa boîte vocale. Senekal lui a téléphoné plusieurs fois et laissé deux messages. Elle a attendu au restaurant jusqu'à 19 h 45, puis elle est repartie chez elle, une maison en colocation. Au cours de la nuit elle a essayé de le joindre, sans succès. Senekal affirme que le portable de Richter n'a plus sonné aux alentours de 20 h 30, il a basculé directement sur la boîte vocale. Elle a essayé encore à 0 h 24. « Je l'ai rappelé ce matin à 6 h 50. Toujours la boîte vocale. J'ai pris la voiture pour aller chez lui. Les portes étaient fermées. Personne n'a répondu à mon coup de sonnette. Ernst arrivait parfois en retard à ses rendez-vous, mais il n'avait jamais disparu de la sorte », indique-t-elle dans sa déposition.

Sont aussi mentionnés le numéro du portable et une description de la voiture, une Audi TT grise.

Juste après 8 heures, Cindy Senekal est arrivée en voiture aux bureaux d'Alibi.co.za à Stellenbosch. Le véhicule de Richter ne se trouvait pas sur le parking. Elle est entrée pour s'enquérir. Le personnel ne savait pas où était passé Richter. Après une conversation avec la directrice des opérations d'Alibi, une certaine Desiree Coetzee, Senekal est partie à son travail. Les deux femmes ont communiqué plusieurs fois durant la journée du jeudi 27 novembre, aucune d'elles n'a réussi à entrer en contact avec Richter. Elles sont convenues que sans nouvelles de lui à 17 heures, Senekal irait à la police, ce qu'elle a fait.

La deuxième déclaration date du vendredi 28 novembre, prise par un enquêteur du poste de Stellenbosch dans les locaux d'Alibi, à la suite d'un entretien avec Desiree Coetzee, directrice des opérations. Elle apporte quelques compléments d'information : la dernière fois qu'on a vu Richter, c'était le 26 novembre à 17 h 15 environ quand il a quitté son bureau. Il portait un jean, un T-shirt noir avec les mots *Je refuse de jouer au plus fin avec une personne désarmée* en lettres blanches, et des « chaussures de sport blanches ». Il était, comme d'habitude, de bonne humeur. L'agenda de son ordinateur ne mentionnait pas d'obligations pour le reste de la soirée. L'Audi TT grise est son seul véhicule. Ses collègues ne lui connaissent pas d'ennemis véritables, mais l'entreprise reçoit en permanence des menaces, généralement de la part de fanatiques religieux. Dans le lot, quelques menaces de mort, visant directement Richter, mais elles étaient, sans exception, anonymes et envoyées par des serveurs de courriels masqués.

Cupido soupire. C'est ce qu'il craignait. Il va falloir retracer chacune des menaces.

La déclaration de Coetzee indique que Richter ne faisait pas montre d'absentéisme à proprement parler, mais qu'il arrivait parfois en retard aux rendez-vous, « jamais plus d'une heure, remarquez ».

La troisième pièce, c'est la déclaration de Bernadette Richter, la mère de la victime. Mais Cupido hésite avant de la lire. Quelque chose ne colle pas. Il repousse le dossier sur son bureau.

Quelque chose que Senekal et Coetzee ont déclaré ?

Non, ce n'est pas là que se situe le problème.

Cupido se lève. Il a horreur de rester assis, il n'arrive pas à réfléchir dans cette position. Il quitte son bureau et va arpenter le couloir.

Ce connard de Benny qui est parti se saouler, où est son collègue maintenant qu'il a besoin de lui ?

Il voudrait parler à Griessel de cette affaire. Ils forment une équipe, le yin et le yang chez les Hawks, Batman et Robin. Il songe souvent qu'ils coopèrent bien ensemble parce que lui, Cupido, est le danseur du duo : les pirouettes, *pappie,* les manœuvres éclairs, c'est l'artiste de l'investigation, avec tout ce qui va avec – créatif, excentrique, ombrageux par moments. Benny, c'est le philosophe, le penseur, un gars méthodique. Solide de surcroît, sauf avec ses problèmes de boisson, mais c'est parce que Benny réfléchit trop. Trop profondément. C'est dangereux dans notre job.

Habituellement les choses se passent ainsi : lui, Cupido, lance les idées, dix mille à la minute, et Benny joue l'écran, le filtre, la sentinelle. Son comité de réflexion.

À présent son comité de réflexion est ivre mort, il faut qu'il se débrouille tout seul.

Eh bien ! il y a quelque chose qui cloche.

Ce ne sont pas les déclarations.

Cela vient de cet après-midi, à la morgue.

Il s'arrête un instant dans le couloir mal éclairé.

C'est une histoire de dates.

Il se retourne et court vers son bureau, ses Nike Pegasus Plus ne font aucun bruit. Il clique sur l'écran de son ordinateur, ouvre son agenda Outlook et compte les jours depuis la disparition de Richter le 26 novembre.

Vingt et un jours jusqu'à ce matin quand on a retrouvé Richter dans les dunes de Blouberg.

Le problème, c'est que le corps qu'il a vu à la morgue ne pouvait en aucun cas avoir été enterré pendant vingt jours. Pas assez décomposé. Il n'était mort que depuis une semaine environ.

Où donc était fourré Ernst Richter pendant les quatorze jours qui ont suivi sa disparition ?

Le mystère s'épaissit.

Il voudrait téléphoner à Cindy Senekal et lui parler sur-le-champ.

Il réprime cette pulsion et reprend le dossier. Il déplace sa chaise, pose ses Nike sur son bureau et s'étire en arrière. Il place le document en équilibre sur son ventre et lit.

La troisième déclaration a été transcrite par le même enquêteur au cours de son entretien avec Bernadette Richter. Cela ne donne pas d'autres informations, sauf qu'elle exprime sa profonde inquiétude, car son fils « ne s'est jamais sauvé ».

Cupido feuillette les minutes de l'enquête de la partie C.

Elle indique que deux enquêteurs de Stellenbosch se sont pointés le matin du 28 novembre à 11 h 25 au domicile de Richter, résidence Mont-Blanc, à Paradyskloof. Ils ont forcé la porte et fouillé l'endroit. Aucune trace de lutte, aucun indice permettant de savoir ce qu'était devenu le disparu.

L'enquête de voisinage n'a rien donné.

L'Audi TT grise de Richter a été retrouvée le même jour à 16 h 42 dans la rue Stoffel Smith dans le quartier Plankenbrug à Stellenbosch, bien garée et verrouillée.

Les enquêteurs ont visité les bureaux des entreprises des environs. Personne ne connaissait Ernst Richter.

On a fait appel au concessionnaire Audi de Somerset-West pour ouvrir la voiture. Le véhicule a été analysé. Un enquêteur a demandé le même jour un rapport d'expert concernant le numéro de portable de Richter et distribué un avis de disparition, comprenant une déclaration pour les médias.

La semaine suivante, on note quelques tentatives infructueuses pour enquêter sur les menaces contre Alibi et Richter. Les numéros provenant du téléphone portable de Richter ont été repérés mais n'ont rien donné.

Vaughn lit les deux comptes-rendus inclus dans la partie C. Le premier concerne l'analyse du coupé Audi TT. Les empreintes sont celles de Richter, relevées dans son bureau, et celles de Cindy Senekal. On a trouvé deux autres empreintes, mais sans écho à la base de données de la SAPS. Cela signifie que ces deux personnes n'ont pas de passé criminel. Des traces de sperme sur la banquette arrière, remontant à quatorze jours tout au plus, d'après le rapport. Aucune trace de sang. Le portefeuille en cuir de Richter était dans la boîte à gants. Il contenait trois cartes bancaires Premier, son permis de conduire, une carte rechargeable pour le Gautrain*, une carte des supermarchés Makro, sa carte d'assurance-maladie, dix-neuf cartes de visite à son nom, 786,75 rands et sept tickets de caisse d'achats courants. Dans la boîte à gants se trouvaient aussi un joint et un sachet en plastique renfermant environ quatre-vingt-dix grammes de *dagga**, du papier à cigarette, deux boîtes d'allumettes, un Bic, un paquet de chewing-gum aux trois quarts plein et le manuel de la voiture.

Le second concerne le portable de Richter. Le soir de sa disparition, il était connecté avec les relais de Papegaaiberg et du Golf jusqu'à 20 h 17, plus aucun contact après. Dans la liste des appels reçus ou envoyés, la dernière conversation de Richter remonte à 16 h 08, avec Cindy Senekal.

Ce jour-là, Richter a aussi appelé deux de ses collègues et sa mère.

Cupido ôte ses pieds du bureau et repose le dossier.

Il cherche le numéro de Cindy Senekal et l'appelle.

« *Hello, c'est Cindy. Après le bip, vous savez ce qu'il faut faire.* »

Il laisse un message, juste son nom et son numéro, car il ne sait pas si la mère de Richter l'a mise au courant. Il cherche le numéro de la directrice opérationnelle d'Alibi. co.za, Desiree Coetzee.

Il ne figure pas dans le dossier.

Vaughn jure en sourdine, même s'il sait que ça arrive :

l'enquêteur doit avoir noté le numéro dans son calepin ou sur son portable. Il n'a pas songé que ce dossier pourrait être transféré aux Hawks.

Il se tourne vers son ordinateur et clique sur la fenêtre *Contact Us* du site d'Alibi.co.za. D'autres cases s'affichent, questions générales, enquêtes d'opinion et service clientèle. Cette dernière donne trois adresses courriel et un numéro d'appel gratuit.

Aucune adresse physique.

Il appelle le numéro gratuit. Cela sonne longtemps.

– Alibi point co point za, Ashley à l'appareil. J'adorerais vous forger un alibi.

Une voix de femme, légèrement tentatrice.

Il se présente, il donne le nom officiel des Hawks, car il n'a pas envie d'entrer dans les détails avec la donzelle, et dit :

– J'enquête sur un des membres de votre staff. J'ai besoin de l'adresse physique de votre entreprise.

– Je n'ai pas le droit de vous donner cette information, monsieur.

– Je suis un enquêteur des Hawks.

– Je comprends bien, monsieur, dit-elle très poliment, mais nous recevons de nombreux appels de gens qui se prétendent de la police. J'ai comme consigne de ne jamais communiquer notre adresse.

– Vous pouvez me rappeler. Allez sur le site de la direction et appelez le numéro du bureau du Cap…

– Monsieur, je suis désolée, il vous faudra contacter nos bureaux demain matin après 8 heures et demie.

– Quel est votre numéro ?

Elle le lui dicte, une ligne fixe commençant par 880 à Stellenbosch. Cupido note.

– Puis-je vous aider pour autre chose ?

– Je voudrais parler à votre directrice opérationnelle, Desiree Coetzee. Pouvez-vous lui demander de me contacter ?

– Je n'ai pas son numéro, monsieur.

– Vous avez bien un supérieur, un manager, quelqu'un au-dessus de vous ?

– Je vais voir ce que je peux faire, monsieur.

Il perçoit qu'elle n'en a pas envie.

– Autre chose ?

Il répond non, merci et raccroche.

13

Transcription d'entretien :
Maître Susan Peires avec M. François Du Toit
Mercredi 24 décembre, Huguenot Chambers 1604
40 Queen Victoria Street, Le Cap

FdT : Je pense que grand-père Jean contredit Shakespeare. « La faute, cher Brutus, se nichait en lui et dans son étoile. »
SP : Shakespeare n'a pas tranché. Dans *Le Roi Lear*, Kent dit : « Au-dessus de nous, les étoiles régissent notre destinée… » Et *quid* de « la roue infidèle et furieuse de l'inconstante fortune »[1] ?
FdT : Votre Shakespeare est meilleur que le mien.
SP : Un viticulteur qui cite Shakespeare, c'est une agréable surprise.
FdT : Grand-mère Hettie me l'a fait lire. Nous étions les lecteurs de la famille… Ma mère aussi… J'ai déjà dû vous le dire. Excusez-moi, c'est le stress… *Ouma* Hettie était futée, elle sortait des citations de Shakespeare, des extraits intéressants. Je lui ai posé des questions, elle m'a apporté le livre et m'a enjoint de le lire. Cet auteur éclaire mieux nos vies que la vie elle-même. Je l'ai donc lu. Ma pièce favorite,

---

1. *Jules César*, acte I, scène II ; *Le Roi Lear*, acte IV, scène III ; *Henry V*, acte III, scène VI.

c'était *Jules César*, c'est pourquoi je m'en souviens le mieux. Et parce que cette citation me fait penser à mon grand-père Jean. Car il ne contrôlait pas tout. S'il ne s'était pas cassé la jambe, ou s'il se l'était cassée plus tard… Tout le monde dit qu'il serait devenu Springbok, même les gens qui ne le portaient pas aux nues. Trois mois avant son mariage… Si on regarde attentivement on voit dépasser la béquille sur l'une de leurs photos de mariage. Et le plâtre sur le tibia. Peut-être les choses se seraient arrangées s'il avait pu se rétablir à temps. Mais il ne l'était pas encore au moment de la sélection pour la tournée en Angleterre fin 1951. Les sélectionneurs ont choisi Fonnie Du Toit qui avait presque trente ans et Hansie Oelofse comme demi de mêlée remplaçant…

S'il avait eu un autre caractère… S'il avait su gérer ce revers. Il s'agissait peut-être d'un enchaînement de bonnes choses, car un paquet de changements lui tombaient dessus. D'un coup le voilà marié, un héritier en route, on ne le sélectionne pas parmi les Springboks, il est coincé à la ferme avec la jambe cassée, lui qui n'arrêtait pas de bouger… Quatre mois après le mariage arrive mon père, un enfant souffrant de coliques. *Oupa* Jean a fait front à l'adversité, cela faisait partie de la culture du rugby en ce temps-là. Mais il s'est mis à forcer sur la bouteille. Ma grand-mère racontait qu'à cette époque ce n'était plus un type sympathique.

Il n'est plus redevenu le même joueur. Certains disent que sa jambe a continué à le faire souffrir, qu'elle ne s'est jamais totalement bien réparée. Grand-mère Hettie dit que c'était une réaction d'orgueil. Auparavant, tout lui était venu facilement avec son talent naturel. Il a cru qu'il était largement supérieur à n'importe quel joueur. Ces années-là, il n'a pas voulu s'entraîner dur pour retrouver son poste. Quand en 1955 il s'est réveillé, il était trop tard. Car un petit gars qui lui venait à l'épaule, mais qui mettait deux fois plus de cœur à l'ouvrage, s'est imposé dans l'équipe de la Western Province puis chez les Springboks. Tommy Gentles.

14

Vaughn Cupido continue sur un autre lien du site Netwerk24 que John Cloete lui a envoyé.

Un papier extrait de *Rapport*. Le titre : *Isabeau s'entretient avec Ernst Richter. Le patron d'Alibi n'utilise jamais son produit.*

Il commence à lire.

Sur son T-shirt noir est inscrit « Je suis sorti une fois. Le décor n'était pas génial. »

Et voilà qu'il sort une seconde fois, sur la terrasse du café Häzz dans la Ryneveld Street à Stellenbosch (« car ils ont la wi-fi », m'a-t-il dit en fixant le rendez-vous). Je lui demande si le décor est mieux. Il me regarde. « Bien mieux depuis que vous êtes là... »

Ernst Richter, trente ans, rit de façon contagieuse, en levant les mains, sur la défensive : « C'est trop facile, vous allez écrire que je suis un artiste dragueur... »

« Et c'est ce que vous êtes ? »

« Non ! Mais j'ai le sens de l'humour. Et vous m'avez tendu la perche. »

« Vous saisissez toujours la perche ? »

« Pas tout le temps. »

S'il y a une perche qu'il a bien saisie, c'est celle des Sud-Africains qui se sont inscrits en masse sur des sites facilitant l'adultère : Richter a fait la une des journaux ces dernières semaines avec Alibi.co.za, une application sur Internet ou sur Smartphone qui vend des mensonges pour le compte des époux infidèles.

« Sjoe* ! Présenter les choses ainsi, ce n'est pas très cool »,
dit-il, mais le grand sourire ne vacille pas une seconde. Parce
que quinze mille personnes ont déjà téléchargé son application ?

« L'appui du public est un grand soulagement, enchaîne-t-il
aussitôt, comme si un consultant médias le lui avait soufflé
à l'oreille. Nous ne savions pas à quoi nous attendre. Et ça
démontre que rien ne vaut une publicité négative. »

Celle-là ne lui a pas été comptée, de tous les côtés : pasteurs,
associations de défense des ménages chrétiens, même la ministre
des Femmes rattachée à la présidence. Un porte-parole du
ministère de la Justice a insinué que le produit proposé par
ce site n'était « peut-être pas légal ».

« On a bien fait nos devoirs. Il n'y a pas un secteur d'Alibi
qui ne soit pas totalement légal. Ils peuvent venir contrôler. »

Il ne ressemble pas au cerveau d'une arnaque, cet homme bronzé
au visage ouvert, fils unique, issu des banlieues Nord du Cap
qui a jadis rêvé d'être artiste. Comment diable est-il arrivé ici ?

« Aag*, ma belle, la vie est merveilleuse… »

La lecture de Cupido est interrompue par la sonnerie du
téléphone. Numéro inconnu. Il regarde l'heure sur l'écran
– il est presque 22 heures.

– Cupido.

– Cindy Senekal à l'appareil.

Voix prudente, légèrement inquiète.

Il a horreur d'annoncer un décès. En outre il ne connaît
pas bien le degré de proximité entre Cindy Senekal et
Ernst Richter. Le dossier indique simplement « amie de
la personne disparue », mais à la lecture de sa déclaration,
elle semble plutôt sa petite amie. C'est ici qu'il aurait eu
besoin de Benny et de son tact.

– Merci de me rappeler. Je suis désolé, mais je n'ai pas
une bonne nouvelle à…

Silence total à l'autre bout.

— Est-ce qu'il y a quelqu'un à côté de vous qui puisse vous soutenir ?

Pas de réaction. Il demande :

— Vous êtes toujours là ?

— Ernst est mort ?

— J'en suis vraiment désolé. On a trouvé son corps ce matin.

Elle n'a aucune réaction. Cupido ne sait pas quoi dire.

— Je m'en doutais, finit-elle par murmurer.

* * *

Un peu curieux, le salon de Cindy Senekal.

Elle fait poupée blonde : longiligne, cheveux raides, corps souple, de grands yeux marron tirant sur le miel. Vingt-cinq ans environ, très belle.

Il est 22 h 50, une maison blanche à toit vert dans le quartier de Kleingeluk, à Stellenbosch, Cindy est assise face à Cupido. Ses deux colocataires l'encadrent comme des serre-livres, chacune lui tient une main. Après avoir bien pleuré toutes les trois, elles se sont calmées.

Cindy est la plus sexy. À gauche, la petite boulotte, à droite, celle qui aspire à être aussi belle que Cindy – même coiffure blonde, même maquillage. Cupido l'a souvent remarqué : les belles filles sont toujours flanquées de ce genre de doublure.

Un peu bizarre, l'attitude de ces trois petites Blanches. Ce n'est pas la première fois qu'il constate ça. On la retrouve chez ces jeunes qui n'ont pas encore éprouvé la perte d'un être cher, ils pensent savoir à quoi cela ressemble, alors ils font un peu semblant. Comme s'ils singeaient une réaction vue dans une série policière. Pas vraiment convaincants parce que la victime n'était qu'une connaissance.

— La relation a commencé à devenir sérieuse, raconte Senekal. On n'est plus sortis avec d'autres personnes.

– Vous étiez ensemble depuis combien de temps ?

– On s'est rencontrés en octobre par Tinder. Mais ce n'est que début novembre qu'on a vraiment commencé… vous savez…

La Boulotte et l'Aspirante opinent avec componction.

En fait il ne sait pas. Il a déjà entendu parler de Tinder, une application sur Smartphone pour faire des rencontres. On dit que la façon de repousser une avance est parfois brutale.

– Vous avez commencé à vous voir en novembre ?

– Oui. Vous savez… On a d'abord chatté un moment sur Tinder. Il faut faire attention, il y a beaucoup de dingos…

La Boulotte et l'Aspirante confirment d'un hochement de tête.

– Vous saviez qui il était ?

– Évidemment. On s'inscrit sur Tinder avec son profil Facebook.

– Et son profil Facebook indiquait qu'il était le patron d'Alibi ?

– Évidemment.

– De quand date votre intimité ?

– Le 20 novembre.

La réponse fuse avec certitude, comme une date clé.

– Une semaine avant sa disparition ?

– Oui.

Ils se sont à peine connus, songe-t-il. Oui, mais nous vivons dans le meilleur des mondes.

– Bon, parlez-moi de votre relation. Vous avez chatté sur Tinder jusqu'à fin octobre. Vous commencez à vous voir début novembre.

– Oui. Notre premier déjeuner, c'était chez Liza. Vous savez, sur Dorp Street. Leur cheesecake au beurre de cacahouète est génial. Je lui ai dit que c'était mon plat favori, là-dessus il m'a fait une surprise. Ernst adorait les surprises. Il m'a emmenée faire le tour de Table Mountain en héli-

coptère. On est partis du Waterfront. « Amène-toi, Cin »,
m'a-t-il dit, et voilà qu'on s'envole...

— Il était pilote ?

— Non, non, il avait loué un hélico.

— Après cette première rencontre, vous vous êtes vus
régulièrement ?

— Les deux dernières semaines avant... sa disparition...

Son beau visage se rétracte à nouveau, les deux amies
lui serrent les mains et lui frottent les bras.

— Désolée, je n'arrive pas à croire qu'il est mort, il avait
tellement... d'allant. Presque tous les jours au cours des
deux dernières semaines. Je suis ambassadrice du Wine
Club à Mooigelegen, je travaille beaucoup le soir quand
nous organisons des dégustations, mais Ernst était si... Il
comprenait, il me disait, t'inquiète donc pas, Cin, je suis
mon propre patron...

Elle n'arrive pas à en dire plus, pique du nez et se met
à sangloter.

La Boulotte et l'Aspirante la consolent et pleurent un
petit coup avec elle.

L'Aspirante tend un mouchoir. Cindy Senekal se mouche.

— Il me disait, je suis mon propre patron, je me glisse
dans ton agenda...

— Il parlait de son travail ?

Elle hoche la tête, se mouche.

— Évidemment. Son boulot, sa start-up, c'était sa vie. Il
ne parlait pratiquement que de ça.

— Il a fait part de difficultés ? Quelqu'un qui lui en
voudrait ?

— Vous ne l'avez pas connu...

Évidemment, pense Cupido.

— Tout le monde l'adorait. Tout le monde. Il n'était
jamais de mauvaise humeur, il était en mouvement, tout
le temps. Il disait : « Cin, je suis *high* en permanence, la
vie est une aventure, regarde où elle me mène. »

– J'ai pourtant lu que des gens l'avaient menacé de mort.
Grands yeux :
– Vraiment ?
– Il n'a jamais rien dit là-dessus ?
– Non ! Qui l'a menacé ?
– Alibi a reçu des courriels. Anonymes.
– Je ne suis pas au courant. Il… n'a jamais parlé de ça.
– Il n'a jamais évoqué de problèmes, un peu de tension
au bureau ? Ou dans sa vie privée ?
– Non, je vous assure, c'était l'homme le plus positif
de la terre…
– OK. Dans votre déclaration à la police, vous indi-
quez que vous aviez rendez-vous pour dîner le soir de sa
disparition.
– Oui.
– D'après ses communications téléphoniques, vous êtes
la dernière personne qu'il a appelée. Vers 16 heures. Vous
avez parlé de quoi ?
– Du rendez-vous du soir.
– Juste le lieu et l'heure ?
– Oui.
– Vous deviez le retrouver au restaurant ?
– Oui.
– Il ne venait jamais vous chercher ici ?
– Si. Tout le temps.
– Pourquoi pas ce soir-là ?
– Ah ! Oui… Il m'a demandé de le retrouver au Deli.
– Pourquoi ? Il s'est expliqué ?
Elle fronce les sourcils. Les deux copines froncent les
sourcils avec empathie.
– Non. C'est curieux, maintenant que j'y pense… Pour
notre premier rendez-vous, je l'ai rencontré chez Liza. Vous
savez, je voulais être certaine qu'il était réglo… Mais depuis
ce jour-là, il est toujours venu me prendre. Au boulot, ou
ici. Jusqu'à ce soir-là.

15

FdT : Mon père a hérité d'un prénom familial. Guillaume. C'est malheureusement la seule chose qu'il ait reçue côté Du Toit. Il penchait nettement du côté de la famille de grand-mère Hettie. Il n'a pas du tout hérité des gènes sportifs du grand-père Jean. Ce n'est certainement pas…

La naissance de mon fils il y a six semaines a été pour moi une sorte de révélation. On regarde son enfant et on se cherche en lui. On aimerait assez qu'il nous ressemble. Dieu sait pourquoi, car j'ai beaucoup de défauts, c'est probablement une histoire d'ego, ou peut-être sommes-nous faits ainsi, comme disent les types favorables à l'évolution – plus on se reconnaît dans nos enfants, mieux on s'en occupe… On regarde son fils et on remarque des détails qui viennent du père, des traits qui viennent de la mère, mais c'est risible, car les enfants… les gens sont aussi complexes qu'un assemblage de cépages, il y a des traits des grands-pères, des grands-mères, des parents, une vraie salade de fruits. Mais en fait les enfants sont totalement nouveaux. Uniques. Ils sont eux-mêmes.

Quand j'ai compris ça, j'ai repensé à mon père, précisément

parce qu'il a tellement souffert avec grand-père Jean. Papa était doux, mais pas faible. Papa était sensible. Je ne sais pas d'où ça vient, car en fait grand-mère Hettie ne l'était pas. Elle avait un tempérament fort… peut-être ne pouvait-elle pas se permettre d'être sensible… Je ne sais pas…

Maintenant il faut considérer l'alignement des étoiles pour papa. Au fond de lui, grand-père Jean n'était pas un agriculteur. Il n'avait pas l'amour de son vignoble, ni de la fabrication du vin. Le vin, sa mystique et ses mystères lui ont échappé. Mais il aimait être considéré comme un œnologue, comme le patron d'un vignoble historique, il se parait de l'aura du viticulteur quand il allait boire avec ses copains du Stellenbosch Club.

Il tenait à son quota à la KWV… Tant qu'on avait un quota, on recevait chaque année des caisses de Roodeberg et d'autres vins de la KWV, on était ami avec tout le monde. Il tenait à cette… considération. Il s'est agrippé au prestige d'un quasi-Springbok, d'un type qui aurait joué pour son pays, s'il ne s'était pas fracturé la jambe.

Il tenait à cet ensemble qui forge une réputation, à cette image dont il se parait auprès des femmes. C'était son autre dada, à part les beuveries à s'en péter la vessie avec ses copains du club. Plein de liaisons. Une maladie chronique, comme s'il ne pouvait pas faire la paix avec l'idée que sa jeunesse libre et dorée lui avait été dérobée par la grossesse de grand-mère Hettie. Il tenait à rester le grand joueur, celui qui avait tous les droits.

Grand-père Jean fut absent les six, sept années qui suivirent la naissance de mon père. À l'école, vers sept ou huit ans, Guillaume a joué pour la première fois au rugby. Le grand-père a cru soudain que son fils allait rétablir l'honneur des Du Toit, il allait atteindre les sommets dont on l'avait privé.

Grand-mère Hettie racontait qu'elle plaignait à parts égales son fils, son entraîneur et les arbitres, car le grand-père ne décollait pas des terrains de rugby, aux entraînements comme aux matchs, et invectivait tout le monde. Subitement il s'est mis à entraîner son fils à la propriété. Lancer de ballon, tirs entre les poteaux, mais sans patience aucune. Il voulait que son fils ait hérité de ses talents naturels, et plus il comprenait que ce n'était pas le cas, plus il criait, plus il se fâchait.

Cela a duré trois saisons. La grand-mère s'est dit qu'elle aurait dû y mettre le holà avant, mais elle était enceinte de leur troisième enfant, il lui fallait tenir sa maison et le domaine, et puis, au moins y avait-il un peu d'interaction entre père et fils, même si les résultats n'étaient pas là.

Elle est finalement intervenue quand papa avait onze ou douze ans déjà, elle a dit à son mari d'arrêter. Accepte une bonne fois pour toutes que ton enfant n'ait pas ton talent. Encourage-le, laisse-le profiter du sport à sa manière.

Le grand-père est parti à son club en claquant la porte. À partir de ce moment, il ne s'est plus vraiment intéressé à son fils.

16

C'est seulement quand elle l'accompagne à sa voiture que Cupido parvient à parler en tête à tête avec Cindy Senekal.

Il faut qu'il l'interroge sur la *dagga* trouvée dans l'Audi de Richter. Et sur les séances torrides dans la voiture, car les experts indiquent que le sperme prélevé sur le siège datait de moins de deux semaines. Sujets délicats, même aujourd'hui avec une génération libérée, ça ne se fait pas de demander de but en blanc : « Dis-moi, tu as baisé avec Richter dans sa voiture ? », même si les manifestations de chagrin semblent un peu exagérées. Si ce n'est pas avec elle qu'il a fait l'amour, elle va péter un câble. Mais il s'agit d'un élément important de l'enquête, il lui faut poser la question.

Si Benny était là...

— Mademoiselle, dit-il reconnaissant envers la semi-obscurité de la rue, il faut que j'essaie d'éclaircir un paquet de résultats d'analyse. Certains sont un peu embarrassants...

Elle le fixe, interrogative. Ça ne l'aide pas.

— On a trouvé de la *dagga* dans sa boîte à gants...

— De la *dagga* ?

Sa question fuse trop vite et le raidissement de son corps la trahit.

— Je ne suis pas ici pour chercher des drogues douces. Je me moque de ce qu'il a fumé, et avec qui. Il faut que vous le compreniez bien. Mais je me dois de vérifier s'il n'y a pas un dealer dans cette affaire...

— Je ne sais rien concernant la *dagga,* dit-elle.

Il sait qu'elle ment. Bon, d'accord. Si elle prend cette posture, cela rend la question suivante un peu plus facile...

— Je dois aussi vous demander si vous avez eu des rapports dans sa voiture en novembre ?

— Des rapports ? répète-t-elle à moitié offensée.

— Exactement.

— Dans sa voiture ?

— Oui. Dans l'Audi.

— Pourquoi voulez-vous le savoir ?

Son attitude montre que ses questions frisent le harcèlement. Elle réagit de la sorte, il le suppose un instant, parce qu'il est un flic métis qui cherche à se montrer arrogant avec une Blanche. Il est peut-être trop susceptible, et Benny n'est pas là pour le sauver. Jusqu'à présent elle n'a pas fait preuve de racisme, il lui laisse le bénéfice du doute.

Il cesse d'être poli :

— Pensez-vous que je poserais la question si ce n'était pas important pour l'enquête ?

Ses yeux s'écarquillent un peu, puis elle se ressaisit.

— Des rapports comme échanger un baiser ?

— On parle d'une chose qui va plus loin que ça.

— Non. On n'en a pas eu.

Le ton est glacial à présent.

* * *

À minuit, il s'arrête au feu rouge de Dorp Street. Il en profite pour envoyer un SMS à Griessel.

Vous êtes encore éveillés ?

Quatre minutes plus tard, alors qu'il quitte Stellenbosch, arrive la réponse :

Moi oui – Alexa.

Il s'enfonce son kit mains libres dans l'oreille et appelle.

— Bonsoir, Vaughn. Bennie dort, répond Alexa, apparemment calme.

— Et toi, tu vas bien ?

— Oui. Doc Barkhuizen est passé. C'est le parrain de Bennie aux AA. Il m'a aidée à le mettre au lit. Il n'y a rien d'autre à faire ce soir.

— En effet. Je pense que ce serait mieux pour Benny qu'il arrive au travail à l'heure habituelle demain matin. Juste au cas où les lièvres de chez Fireman's Arms lui chercheraient noise.

— Je vais faire de mon mieux...

— Je vais dire que Benny était avec moi ce soir sur l'enquête. Personne ne pourra affirmer qu'il était brisé au point de ne plus pouvoir bosser, si tu vois où je veux en venir.

— Merci, Vaughn.

— De rien. Il faut que je te fasse un petit topo maintenant, pour que tu puisses mettre Bennie au parfum.

— Je le ferai.

— OK. Tu as un papier et un stylo ?

* * *

Il prend par Bottelary, car il faut à tout prix éviter Polkadraai qui est congestionné par les travaux de voirie.

Il songe à Benny et à Alexa.

Des gens bien.

Parce qu'ils en ont bavé. Il n'y a qu'à voir, un Blanco qui n'a pas souffert, c'est forcément un connard. Il faut d'abord en baver avant de réaliser que nous sommes tous des humains, quelle que soit la race, la couleur ou la croyance.

Alexa, la célèbre chanteuse qui a sévèrement décliné à cause de l'alcool. Son mari s'est fait descendre de surcroît. Mais elle cherche à se relever.

Et Benny. Il aurait dû devenir le chef du Groupe Criminalité violente. Il devrait l'être depuis des années, bon sang, il aurait dû passer colonel, mais son problème c'est qu'il ne s'y voit pas. Sur ses épaules pèse une roche de la taille de Table Mountain, Cupido n'arrive pas à comprendre pourquoi.

Simplement parce qu'il picole ? Ça n'a pas de sens, plusieurs officiers supérieurs boivent comme des trous, mais ils n'ont pas cette autodépréciation qu'il note parfois chez Benny. D'où lui vient-elle ? Tous savent qu'il est, à sa façon, un remarquable enquêteur.

Benny sait travailler avec les autres. Avec Mbali, avec lui, Vaughn, avec les témoins, avec les suspects. C'est comme s'il se branchait instantanément, comme s'il avait un sixième sens avec les gens, il respecte tout le monde, il sait sur quel bouton appuyer.

Mais il ne s'aime pas...

Ce ne sont pas mes oignons, se dit Cupido. Même si Benny a pris les bonnes décisions, même s'il a un peu fait jouer les réseaux, même s'il a cru à la nouvelle donne dans le pays, même s'il a léché quelques bottes, il reste un Blanc dans un monde de discrimination positive. Foutu dès le départ. Même la Cour constitutionnelle l'affirme, la discrimination positive est une bonne chose.

Il pense à Alexa, toujours éveillée au chevet de Bennie. Pas simple, elle doit avoir envie d'un godet, mais il faut qu'elle garde un œil sur sa moitié qui cuve son vin.

Étrange couple d'alcoolos.

Mais ils forment un couple, au moins. Lui, Cupido, n'est engagé dans aucune relation.

Il ne se sent pas d'attaque pour utiliser des moyens comme Tinder. D'abord il y a vingt gars pour une fille. Ensuite, si on veut sortir du lot, il faut mentir comme un arracheur de dents. Toute cette histoire de rencontres sur le Net est une énorme arnaque – même si on pèse deux cents kilos et qu'on ressemble à la grand-mère de Dracula, on peut transformer son portrait avec Photoshop, voler celui d'une star, écrire plein de belles choses dans son profil, et voilà. Il n'y a aucune crédibilité. Lui, Vaughn Cupido, il a de la personnalité. Comment rend-on compte de sa personnalité sur un site de rencontres ?

La meilleure chose, c'est de sortir, se faire des amies. Il a beaucoup à offrir.

Mais un super-enquêteur des Hawks a-t-il encore le temps de sortir pour faire des rencontres ?

* * *

De retour au bureau il rédige ses observations sur l'interrogatoire de Cindy Senekal. Il ment : il indique noir sur blanc que Bennie Griessel l'assistait.

Il se tourne vers l'écran de son ordinateur et poursuit l'article d'Isabeau Bekker dans *Rapport*.

Il ne ressemble pas au cerveau d'une arnaque, cet homme bronzé au visage ouvert, fils unique, issu des banlieues Nord du Cap, qui a jadis rêvé d'être artiste. Mais comment diable est-il arrivé ici ?

« Aag, ma belle, la vie est merveilleuse… »

Merveilleuse comment ?

« Se voir offrir ces occasions-là. J'avais quatorze ans quand mon père est mort. Ma mère était femme au foyer. Il a fallu assurer, ce ne fut pas facile. Mon père gérait une société de courtage, des assurances à court terme, ce n'était pas le genre de boulot qu'elle pouvait reprendre. Il a fallu tout vendre, il ne restait plus grand-chose, elle a dû travailler, avec un fils au lycée. Souvent nous avons connu des périodes difficiles, mais elle répétait que nous avions un toit et de quoi manger, beaucoup de gens dans ce pays ne pouvaient pas en dire autant. On se débrouillait… »

La façon dont il se débrouille avec Alibi, qu'en pense sa mère ? Le sourire se fait hésitant pour la première fois.

« *Elle m'a demandé si c'était vraiment ce que je voulais faire.* »
Et c'est le cas ?

« *Je suis un entrepreneur. Les entrepreneurs voient se présenter des occasions et les exploitent. Ce n'est pas ma première société, ce ne sera pas ma dernière. Alibi est un tremplin… Ma mère comprend ça.* » Le grand sourire revient.

À l'école, il excellait en dessin, il a remporté des concours. Il pensait devenir un jour artiste peintre. Sa mère a sué sang et eau pour lui payer des cours particuliers « chez l'oom Werner Van Heerden », l'artiste en vue dans les quartiers Nord. « Mais quand on est seul à la maison l'après-midi et qu'on a un ordinateur, on découvre le jeu. Et l'Internet. Cela devient le cœur de la vie. On admire l'art dans les jeux électroniques, l'esthétique des sites et on s'aperçoit que le monde vient à notre rencontre sur un écran – écran de PC, d'iPad, de téléphone portable –, certains designs sont de l'art pur, d'autres de pures… conneries. »

Sous le soleil de Stellenbosch, à la terrasse de Häzz, Ernst Richter, le Grand Pêcheur d'Alibi.co.za, raconte sa conversion à l'infographie. « Ça m'est tombé dessus comme un coup de tonnerre pendant les vacances de juillet quand j'étais en première : c'est ça que je veux faire. Je veux créer des jeux. Je veux rendre ce world wide web *plus beau. L'infographie, voilà l'avenir. À l'image de nos vies de plus en plus numériques, de plus en plus* online, *tout est affaire d'infographie.* »

Il s'inscrit à l'Université de technologie de la péninsule du Cap pour décrocher un diplôme d'infographiste. « C'était dur pour ma mère et pour moi. On avait à peine de quoi payer les cours. Je prenais le train pour me rendre en ville. Le week-end et les vacances je faisais serveur dans les cafés, ma mère s'appuyait des heures sup' pour m'acheter les livres et tout le toutim.

« Dès la seconde année, deux étudiants et moi avons lancé une petite entreprise de graphisme pour sites web. Nous avons utilisé les ordinateurs de la fac pendant les six premiers mois, nous proposions des devis moins chers que tous les autres, notre design était plus cool. J'ai compris que je savais vendre, je pouvais *m'asseoir en face d'un type et lui expliquer que l'accessibilité et l'esthétique sont les deux faces d'une seule pièce d'or, leur combinaison est un avantage compétitif.*

« J'ai pu cesser de servir dans les cafés. On s'est fait pas mal d'argent.

« Le diplôme en poche, nous avons continué à faire marcher l'entreprise. C'était rude, parce que nous n'étions plus étudiants, il nous fallait louer un bureau, acheter notre hardware et notre software, nos devis sont devenus plus chers. Mais on a continué à y croire. On avait collé sur le mur un grand poster avec la phrase de Steve Jobs : "Si vous vous braquez sur le profit, vous allez rogner sur la qualité du produit. Mais si vous vous concentrez pour faire de grands produits, alors les profits suivront."

« L'iPhone et l'iPad sont arrivés sur le marché, et comme on était accros, on a vite deviné que la prochaine vague porterait sur le design des applications. On est devenus proactifs. On est allés parler à tous les journaux. La moitié des applications des journaux que vous trouvez sur un iPad, c'est nous qui les avons conçues. On a bien bossé… Mais il y a deux ans je me suis posé des questions. Je sentais que j'avais besoin d'un nouveau challenge. J'ai vendu mes parts, et j'ai passé en revue ce qui n'avait jamais été fait. C'est comme ça qu'est né Alibi. »

Et le design des jeux électroniques ?

Il se remet à rire. Il a lui-même élaboré le site d'Alibi.co.za. Très beau et fonctionnel à la fois. « Combien de sites dans l'industrie des rencontres en ligne peuvent en dire autant ? »

L'élaboration de jeux demeure un rêve, car les opportunités sont faibles ici, à la pointe du continent noir.

Mais apparemment l'adultère offre de belles opportunités.

Il prend un air sérieux :

« Votre temps est limité, ne le gâchez pas à vivre la vie d'un autre. Ne restez pas prisonniers d'un dogme – à savoir vivre en fonction de ce que pensent les gens. Que le bruit de l'opinion des autres ne supplante pas votre voix intérieure. Plus important encore, ayez le courage de suivre l'inclination de votre cœur et votre intuition. »

« *Steve Jobs ?* » *je demande.*

« *Oui.* »

« *Vous vous sentez des affinités avec lui ?* »

« *Absolument.* »

Et la question de l'argent ? Quinze mille clients à soixante-deux rands cinquante par mois, cela fait presque un million rien qu'en revenu de base. Et ce n'est qu'un début. Beaucoup d'argent pour un homme jeune.

Le sourire s'estompe. « *On est loin de faire des bénéfices. On a énormément de travail en perspective. Je ne deviendrai jamais aussi riche que Steve Jobs. Mais je suivrai toujours l'inclination de mon cœur.* »

17

FdT : Mon père demeure pour moi une énigme.

Il n'a jamais parlé de tout ça. *Ouma* Hettie si, mais on ne sait pas ce qui s'est dit pour de vrai. On sait juste ce qu'elle a vu et ce qu'elle a vécu, et seulement de son point de vue à elle. Voilà encore une chose que j'ai apprise ces dernières années : on ne peut jamais voir les choses avec les yeux d'un autre. Et même si l'on essaie, c'est toujours de travers et flou. *Ouma* Hettie a considéré les choses comme une femme... en colère, très certainement. Je ne sais pas s'il s'agit de toute la vérité.

Ma mère m'a dit deux ou trois trucs, mais elle vient aussi d'une famille de viticulteurs, un milieu fermé, on ne parle pas franchement, on garde ses pensées pour soi. L'*oom* Dietrich... C'est notre voisin, la ferme d'à côté. Blue Valley, Dietrich Venske. Papa et lui ont jadis travaillé ensemble, je lui parle souvent de mon père. Il dit qu'il avait été pas mal abîmé. Papa lui a raconté des choses...

En tout cas, mon père a grandi au domaine dans les années 1960. J'ai cette image en tête : papa voyait bien les souffrances endurées par ma grand-mère. Il devait entendre ses disputes avec le grand-père au sujet de ses liaisons, il s'est senti rejeté par son père. Il observait sa mère qui essayait d'élever ses deux sœurs, dirigeait les ouvriers agricoles pour assurer le fonctionnement du vignoble.

Parce qu'il était sensible, parce qu'il avait du cœur, il a voulu aider sa mère. À l'âge de quinze ans, un soir qu'il les entendait se disputer, il n'a plus pu le supporter. Il est entré dans la pièce et a dit à son père d'arrêter. D'arrêter tout : de courir les filles, de boire, de harceler *ouma* Hettie, de négliger l'exploitation.

Le grand-père l'a traité de morveux, que savait-il de la vie ? Qu'il file avant de recevoir une paire de gifles. Vas-y, a dit papa, frappe-moi ! Et le grand-père l'a giflé. Papa n'a pas bougé et lui a lancé : C'est tout ce que tu sais faire ? Tabasser les femmes et les enfants ? Grand-père lui a balancé un coup de poing. Grand-mère a crié, pleuré, car papa avait le nez en sang. Mais il disait, vas-y, frappe donc, je me relèverai à tous les coups.

Le grand-père Jean est sorti, furibard. On ne l'a pas vu pendant une semaine – personne n'a su où il s'était rendu. *Ouma* Hettie a glissé que c'était la plus belle semaine de leur mariage. Quand le grand-père est rentré, il a occupé la chambre d'amis, et c'est ainsi qu'ils ont continué jusqu'à la fin de ses jours. Une sorte de cessez-le-feu pour tout le monde, jamais proclamé, mais qui a tenu. Le grand-père allait et venait à sa guise, parlant de moins en moins avec sa femme et ses enfants, passant de moins en moins de temps à la maison. *Ouma* et papa ont pris petit à petit la gestion du vignoble en main.

Mais le grand-père Jean avait toujours le dernier mot. Le pouvoir du chéquier.

L'activité agricole fut une sorte d'évasion pour mon père, je crois. Il a d'abord travaillé avec les ouvriers – il faut comprendre que dans un vignoble, l'exploitation va de pair avec des générations entières d'ouvriers agricoles. Ils connaissent le métier, la bonne façon et le meilleur moment pour tailler, arroser, vendanger. Lentement, avec méthode, il a appris auprès d'eux.

Et du même coup il a appris à aimer la vigne, le raisin. Les ouvriers agricoles ont une relation organique avec tout ça. Je pense qu'ils ont un sens poussé de la lente évolution des saisons, de l'influence du vent, de la pluie, de la chaleur, du froid et de la terre. Du terroir. Nous les Blancs, on veut que tout se conforme aux petites cases dans le calendrier accroché au mur. Si la KWV exige de vendanger, on vendange. Nous n'avons pas un millénaire de viticulture derrière nous comme les Français. À cette époque, on n'avait pas la patience ou la volonté de produire un vin exceptionnel. Nous n'avions pas ce sens du long terme, de la nature, des cycles, de la vinification.

Mon père a appris cela avec les ouvriers. Il a constaté que les raisins ne se ressemblaient pas d'une année sur l'autre, et ça l'a interpellé. Il était encore en terminale quand il a lui-même convoyé le raisin à la KWV, car il voulait voir ce qu'on en faisait exactement. Ce que devenait le produit de notre vignoble. Il a observé qu'on déversait toutes les récoltes ensemble, notre raisin perdait son identité dans la masse, et il en était contrarié.

C'est à ce moment-là, je pense, qu'il a mesuré le potentiel du vignoble, car Klein Zegen est incroyablement bien situé. C'est curieux mais, depuis des générations, aucun Du Toit ne l'avait mis en valeur. C'était juste un moyen de vivre. Un bon moyen de vivre…

Le domaine se trouve tout au bout de la vallée de Blauwklippen, à flanc de colline. En été il y fait plus frais qu'en plaine, les vignes sont bien protégées du vent de sud-est, le raisin mûrit donc plus lentement et sa teneur en sucre reste modérée. Le sol est rocailleux et dur, un moyen terme entre la région du Chianti en Italie et les croupes de Bordeaux. C'est un endroit unique pour la viticulture si on choisit les bons cépages.

Papa n'avait pas cette vision. Du moins pas à l'époque. Mais il avait une intuition. Comme si, en son for intérieur, il savait qu'on pouvait tirer beaucoup mieux de ce coin de terre. L'amour est une chose étrange. La passion. Elle fait réfléchir, elle libère la créativité, elle permet d'entrevoir d'autres possibilités, d'autres ambitions.

Papa a décidé de faire des études d'agronomie. De viticulture. Maintenant, quand j'y songe, je me demande si ça n'a pas contribué à lui briser le cœur.

18

Comme s'il sentait le regard intense qui le fixe, Bennie Griessel ouvre les yeux. Il sort immédiatement du sommeil, Alexa est assise sur le lit, le visage tendu, elle est profondément inquiète.

— Bennie, lâche-t-elle, et ce seul mot semble si chargé d'émotion que sa voix se brise.

Coïncidant avec un mal de crâne qui cogne à chaque battement de cœur, reviennent les souvenirs de la veille au soir. Il retrouve le goût du whisky et ses effets, l'anesthésie, l'euphorie. Il en salive encore dans sa bouche amère et sèche. Il se rappelle, submergé par le soulagement et la joie, qu'il avait une bonne raison de boire, une excuse valable. Non, pas une excuse, il n'a plus besoin de fournir d'excuses, plus jamais. Il peut l'expliquer, le démontrer à tout le monde.

Il a le droit de boire.

— Alexa, souffle-t-il.

Sa voix est rauque

— Bennie, pourquoi ?

Il voudrait tout lui raconter. Les mots s'amassent sur sa langue, mais ils s'emmêlent dans l'obscurité de son crâne. « Pour vous protéger », c'est tout ce qu'il arrive à prononcer.

À la crainte lisible sur le visage d'Alexa il perçoit qu'elle ne le comprend pas. Il se relève lentement. Il prend sa main et dit :

— Tu n'as pas à avoir peur.

– J'ai peur, Bennie. Je ne suis pas assez forte. Je l'ai compris hier soir. J'ai toujours pensé que je serais à tes côtés le jour où tu aurais besoin de moi. Comme tu m'avais aidée au moment où je m'étais remise à boire. Mais je n'y arrive pas, Bennie. Je...

Une larme glisse doucement sur sa joue.

Griessel tend la main et l'efface de l'index.

– Je suis fort à présent, dit-il.

– Dieu merci !

Elle l'embrasse.

– Je voudrais que tu comprennes bien, articule-t-il. Je suis suffisamment fort pour me remettre à boire.

* * *

Il pénètre à 7 h 23 dans le bureau de Cupido.

– Je sais que tu m'as sauvé les miches, dit-il.

– *Jissis,* Benny...

– Merci, Vaughn.

– C'est la faute du major Mbali, grogne Cupido. Elle n'aurait jamais dû t'envoyer chez Vollie Vis. T'es en forme ? Alexa t'a briefé ?

Griessel secoue la tête.

– Elle... ce fut un réveil difficile.

– Tu ne sais donc rien sur Ernst Richter ?

– Non.

– Tu as quand même vu, dans la rue, les titres des journaux ?

– Non.

Cupido jette un coup d'œil à sa montre et se lève.

– Faut qu'on aille au rapport. Benny, on va devoir improviser. Tu dis simplement que tu étais avec moi quand on est allés interroger la petite amie de Richter. Elle s'appelle Cindy Senekal...

– Pourquoi je dois dire ça ?

— Tu sais que tu as essayé de casser la gueule à un mec au Fireman's Arms ?

— Mais je ne l'ai pas fait.

— Ce n'est pas ce que dit le type. *Jissis,* Benny, t'étais vraiment saoul ?

— Assez...

Le capitaine Frankie Fillander entre dans le bureau et dit :

— J'ai entendu qu'on t'avait confié le commandement opérationnel dans l'affaire Richter ?

— C'est vrai, *oom* Frankie, répond Cupido. Vous, les vieilles badernes, vous allez voir à présent comment il faut que ça tourne.

— Que le ciel nous vienne en aide, sourit Fillander, le vétéran qui porte la cicatrice d'un coup de couteau depuis une oreille jusqu'au sommet du crâne.

— Salut, Bennie.

Quand il aperçoit l'hématome sur la joue de Griessel, il s'exclame :

— Qui t'a boxé ?

— C'est ma faute, intervient Cupido. Hier soir dans la voiture mon portable est tombé, Benny et moi nous nous sommes penchés au même moment pour le ramasser...

* * *

Ils sont tous assis dans le nouveau bureau de Mbali Kaleni, celui qu'occupait feu le colonel Zola Nyathi. Autour de la table se trouvent John Cloete, l'officier de liaison, Cupido, Griessel, Fillander, le beau Willem Liebenberg et le petit lieutenant bien mis, Vusumuzi « Vusi » Ndabeni.

Griessel a du mal à se concentrer.

Seigneur, son corps et sa tête ne sont plus habitués à l'alcool, mais ça va changer, il le sait. Bientôt apte à la boisson.

Mbali explique qu'ils sont tous affectés à l'affaire Richter,

« car le patron considère qu'il s'agit de la priorité des priorités. Il a reçu ce matin des appels des délégués nationaux et provinciaux. Ils mettent la pression. La PCSI et l'IMC* ont été alertés, ils passent en revue tous les enregistrements. Capitaine (elle s'adresse à Cupido), si vous avez besoin de quoi que ce soit, dites-le-moi. »

Griessel se demande qui diable était ce Richter pour recevoir tant d'attention.

– J'y viendrai au moment de mon rapport, dit Cupido.

Mbali engage John Cloete à faire le point. Il explique que l'assassinat de Richter a droit aux grands titres, dans chaque journal, sur tous les sites sud-africains, sans exception. Les radios bourdonnent sur tous les fronts, depuis les bulletins d'actualités jusqu'aux appels des auditeurs.

– Sur Twitter, l'affaire enfle et pourrait dépasser l'affaire Pistorius. Soyez minutieux dans vos recherches et merci de me transmettre les informations sans délai.

Cupido commence son compte-rendu. Il retrace le contexte général autour de Richter et d'Alibi.co.za. On peut exclure le vol comme motif du meurtre, car le portefeuille de la victime était encore dans sa voiture et on a retrouvé son téléphone portable dans le sable.

Vaughn décrit le déplacement que Griessel et lui ont fait la veille au soir à Stellenbosch. En entendant ce mensonge, les pensées de Bennie s'égarent. A-t-il vraiment essayé de casser la figure à un mec la nuit dernière ? Depuis quarante-six ans qu'il est sur terre, il n'a jamais été agressif après avoir picolé. Jadis, ça le rendait gai et décontracté, il était le plaisantin du Groupe Criminalité violente.

Mais il ne se souvient pas bien de ce qui s'est passé.

Il se concentre sur Cupido qui affirme :

– Bennie et moi sommes convaincus que la petite amie ment à propos de la *dagga*. En ce qui concerne les ébats dans la voiture, nous sommes moins certains. Il nous faut une analyse toxicologique du corps, et il nous la faut vite.

– Je vais faire de mon mieux, intervient Mbali.

Mais ils savent que les tests toxicologiques sont un des cauchemars des Hawks. Les diagnostics moléculaires sont réalisés par le labo de la police, mais toutes les autres analyses dépendent du ministère de la Santé, qui dispose de trois laboratoires capables de les traiter dans l'ensemble du pays. Il faut de six à douze mois avant qu'un enquêteur ne reçoive le résultat.

– Nous avons aussi d'urgence besoin des conclusions de l'autopsie. Richter a disparu il y a vingt-deux jours, mais d'après le corps que j'ai vu hier soir, j'en suis quasi certain, il est mort depuis une semaine environ.

– *Jissis,* grogne le capitaine Fillander qui s'excuse aussitôt : Désolé, major, car Mbali ne tolère qu'un langage châtié.

– Ça, c'est une chose qu'il ne faut surtout pas communiquer aux médias, s'il vous plaît, supplie Cloete. Il ne faut pas en toucher un mot à quiconque en dehors de notre groupe. Sinon, on va nous bombarder de questions.

– Oui. C'est un ordre, tranche Mbali.

– Des traces de torture sur le corps ? demande Vusi Ndabeni.

– Rien de clair, mais je n'ai vu que la partie supérieure, et seulement de face. Il est évident qu'on l'a étranglé avec quelque chose.

– Je vais parler au labo de Salt River, dit Mbali. Vous aurez le rapport d'autopsie en fin de soirée.

Un aplomb calme.

– OK, merci, répond Cupido. Nous avons un paquet de travail à faire, alors ne perdons pas de temps. J'ai imprimé tous les articles sur Richter que John m'a envoyés. Merci de les lire.

Le major Kaleni approuve de la tête. Cupido se domine pour ne pas s'en agacer. Le prend-elle pour un imbécile ?

– Willem, dit-il en se tournant vers le capitaine Liebenberg, si vous pouviez interroger la mère, Bernadette Richter. *Oom* Frankie, j'aimerais que Vusi et vous alliez porter tous les relevés des experts à la PCSI, et toutes les données du téléphone portable à Philip. Nous avons besoin de comparer tout ça.

Le capitaine Philip Van Wyk et son équipe de l'IMC, le centre d'information des Hawks, utilisent la programmation informatique pour établir des connexions entre tous les appels ou les SMS à partir d'un numéro central.

— C'est bon, dit Fillander.

— On a trouvé un téléphone portable à côté du corps de Richter. Le rapport du poste de Table View indique qu'il est complètement hors d'usage. L'appareil est à présent entre les mains des experts de Plattekloof. Est-ce que vous pourriez l'apporter à Zézaie pour qu'il le fasse parler ? S'il s'agit du portable de Richter, il faudrait que Zézaie passe en revue son compte Tinder.

— Qu'est-ce que Tinder ? demande Mbali Kaleni.

— Une application de rencontres pour les téléphones portables.

— Une application de rencontres ?

— Oui, major. Pour rencontrer des gens. Se trouver un petit ami. Ou une petite amie.

— *Hayi* !* fait le major avec horreur.

— Richter a rencontré sa petite amie Cindy Senekal via Tinder. Mais peut-être d'autres femmes aussi...

Il se retourne vers Fillander et Ndabeni :

— Demandez à Zézaie de regarder ses comptes Facebook, Twitter, Instagram, les suspects habituels. Richter travaillait dans la technologie de la communication, il devait être connecté à tout ça. À présent, Bennie et moi filons aux bureaux d'Alibi...

* * *

En route vers Stellenbosch et les locaux d'Alibi.co.za, Griessel dit :

– Ce n'était pas la faute de Mbali, Vaughn. En réalité, elle m'a fait une fleur.

Cupido conduit. Il jette un regard sceptique à son collègue, un sourcil relevé.

– Vollie a… si Vollie buvait, il n'aurait pas…

Cupido émet un grognement d'incrédulité.

Griessel fait un geste de la main, indiquant qu'il ne s'attend pas à ce qu'on le croie.

À son grand étonnement, Cupido ne réagit pas. Ils roulent en silence, jusqu'à ce que Vaughn dise :

– Si tu veux bien lire les articles sur Richter…

Il lui montre le dossier sur le siège arrière.

Griessel se demande ce qui a changé chez Vaughn. Mais il acquiesce, prend la chemise et commence à lire.

* * *

L'adresse donnée par Cindy Senekal à Cupido se trouve à Distillery Street dans le quartier de Bosman's Crossing, en face du cimetière de Stellenbosch. Ils repèrent le bâtiment – une ancienne fabrique joliment rénovée – en apercevant un troupeau de journalistes devant l'entrée. Trois agents de sécurité, dos à la porte et bras croisés, tiennent à distance les reporters, des photographes et un cameraman de la télévision. Rien d'autre n'indique explicitement qu'il s'agit des bureaux d'Alibi.

– Le cirque est déjà arrivé, dit Cupido. Faites entrer les clowns.

Les enquêteurs se garent devant le restaurant Pane e Vino, de l'autre côté de la rue, sortent leur badge et s'avancent en essayant de contourner les médias. Les questions fusent immédiatement. *Vous faites partie des Hawks ? Vous avez un suspect ? C'est quelqu'un de chez Alibi ?* Et inévitablement :

Est-ce qu'ils ont tous un alibi ? Rires et crépitement des appareils photo.

Ils marchent tête baissée, sans mot dire, et montrent leur carte aux agents de sécurité. C'est seulement en franchissant la porte de verre qu'ils remarquent la petite plaque en cuivre : *Alibi.co.za. Siège social.*

À l'intérieur, un grand *open space,* mélange de murs anciens et plus récents, beaucoup de verre et, sur des toiles blanches, des éclaboussures brillantes et colorées – d'audacieuses œuvres d'art abstrait.

À part le léger brouhaha venant de l'extérieur, un silence sépulcral règne. Ils observent des employés par petits groupes – des jeunes pour la plupart – qui parlent bas, l'air abattu. Certains pleurent.

À l'accueil, une longue table en pin d'Oregon vieilli. La femme qui s'y tient ressemble à une lycéenne. Visage morose. Cupido montre sa carte de police et demande à parler à Desiree Coetzee. La réceptionniste murmure quelques mots au téléphone, leur demande d'attendre un instant et leur indique deux élégants fauteuils de cuir. Cupido la remercie. Ils vont s'asseoir, conscients que le personnel les fixe avec insistance.

– Drôle de code vestimentaire, note Vaughn. Où que l'on regarde, ce sont des T-shirts, des jeans et même quelques shorts. Un cauchemar pour le major Mbali.

– Tu devrais te sentir à l'aise, dit Griessel.

– Elle n'a encore rien dit sur mes vêtements. Et puis elle me bombarde commandant opérationnel. Elle a une idée derrière la tête, je le jurerais. Laquelle ? Je ne sais pas, mais je te le dis, ça va foirer.

La métisse qui descend l'escalier est splendide. Elle porte un short qui s'arrête au genou, un T-shirt blanc et des sandales. Jambes longues et souples. Ses cheveux noirs de jais lui tombent sur les épaules. Mais ce sont ses yeux qui captivent Cupido – des nuances d'or et de cuivre, comme ceux d'un lion.

104

– Je suis Desiree Coetzee.

Elle tend la main d'abord à Griessel.

C'est toujours la même chose, songe Cupido. Tout le monde croit que c'est le flic blanc qui commande. Il a du mal à cacher sa stupéfaction face à Desiree Coetzee. Il s'attendait à voir une Blanche. Style vieille fille d'âge mûr, look de manager. Coetzee n'est pas un nom très commun chez les métis. Et voilà que surgit cette beauté de bronze...

Il attend son tour, lui serre la main, remarque la texture parfaite de sa peau et dit :

– Je suis désolé pour le décès de votre patron. Je suis le responsable opérationnel des Hawks dans cette affaire. J'ai essayé d'appeler hier soir, je ne voulais pas que vous l'appreniez par les journaux.

– J'ai reçu le message ce matin, mais le temps de...

– Je comprends, madame. Où peut-on se parler ?

Desiree Coetzee jette un coup d'œil à la mêlée qui s'agite dehors. Elle soupire.

– Montez dans mon bureau.

Cupido s'efforce de ne pas regarder ses jambes tandis qu'elle les précède dans l'escalier. Comment une fille aussi classieuse a-t-elle pu aboutir dans une boîte comme celle-ci ? Dieu merci, il a choisi de cocooner Benny ce matin, il n'est pas venu avec le beau Liebenberg. Voilà ce qu'il pense, juste avant 9 heures en ce jeudi 18 décembre.

19

Maître Susan Peires a déjà observé ce genre de comportement. Habituellement adopté par les délinquants en col blanc, il va de pair avec l'érudition, les biens et le statut social. Des pères de famille qui vont tout perdre à la suite d'un crime, commis parfois en un instant de faiblesse, d'avarice, de jalousie ou de colère – ou parfois après un inexplicable délai.

En détention, ou bien ici dans son bureau, ce sont eux qui répètent sans cesse la phrase « il faut bien comprendre ». Ceux qui racontent de longues histoires. Qui font nombre de digressions, infatués, cherchant à comprendre leurs imprudences. Ils s'entraînent déjà à rationaliser, à justifier, à excuser leur conduite pour répondre à la grande question que posera une épouse, un enfant ou un membre de la famille : Comment as-tu pu ?

Ce n'est pas bon signe. De fait, ces interminables histoires constituent sans exception le refuge des coupables.

Mais cela signifie très probablement qu'il dit la vérité.

C'est pourquoi elle écoute avec attention, adopte un langage corporel réceptif, montre un visage compréhensif.

20

Le portable de Bennie Griessel vibre dans sa poche.

Il sait que c'est Doc Barkhuizen qui n'a cessé de l'appeler depuis ce matin, à peu près toutes les demi-heures. C'est pourquoi il a coupé la sonnerie. Il ne se sent pas d'attaque pour parler avec le médecin. Plus tard, en fin de soirée, quand il aura avalé un verre ou deux.

Ils se trouvent dans le bureau de Desiree Coetzee. Tous les meubles sont en pin de l'Oregon artificiellement vieilli dans un ensemble moderne. Elle les prie de s'asseoir, leur offre à boire. Ils demandent du café. D'une voix douce, Coetzee passe la commande au téléphone.

– Je sais que c'est une période très difficile, madame, dit Cupido, mais nous avons beaucoup de pain sur la planche.

– Cela va continuer longtemps ? soupire-t-elle en indiquant la porte d'entrée.

– Avec les médias ? demande Cupido.

Elle hoche la tête.

– Notre agence de relations publiques a publié un communiqué. Je ne vois pas ce que nous pouvons faire de plus.

– Je vais demander à notre officier de liaison de vous appeler. Il connaît tous les trucs.

– Merci beaucoup.

Cupido griffonne une note dans son calepin.

– Madame, je sais que les enquêteurs de Stellenbosch sont venus ici. Nous avons lu les comptes-rendus. Mais il nous faut reprendre tout depuis le début, car ce qui était une disparition est devenu un meurtre, nous voyons les choses sous un autre angle. Il va nous falloir emporter le PC de Richter, on va faire venir nos petits gars de la technique, on va devoir parler à tous ceux qui travaillent ici. Cela fait combien de personnes ?

— Nous n'avons plus l'ordinateur portable d'Ernst. La police l'a saisi.

— Les enquêteurs de Stellenbosch ?

— Oui.

Il prend note.

— Très bien. Combien de personnes travaillent ici ?

Elle réfléchit un instant.

— Soixante-sept personnes au total. En comptant le personnel d'entretien et l'équipe de nuit.

— Très bien. Commençons par la direction. Pouvez-vous nous dire comment fonctionne l'entreprise ?

* * *

Âgé de quarante et un ans, le capitaine Mooiwillem Liebenberg est considéré par ses collègues comme le George Clooney des Hawks. La ressemblance avec le célèbre acteur n'est pas tellement dans l'apparence — même si les tempes et la barbe toujours bien taillée de Liebenberg grisonnent un peu prématurément. Cela tient plus à son charme, aux réactions chancelantes des femmes, à la tranquille confiance en lui qui en découle et au fait que tous les six mois il a une nouvelle amie, très séduisante.

Il sait que c'est pour cette raison qu'on l'a dépêché auprès de Bernadette Richter, la mère de la victime. La légende court qu'il soutire facilement des aveux féminins lors des interrogatoires. Des manières de plouc, selon Vaughn Cupido : une politesse d'un autre temps, une voix profonde empreinte de compassion, un sourire compatissant avec des dents parfaitement blanches et, bien entendu, du charme.

Quand il frappe à la porte de la maison, située dans le quartier de Schoongezicht à Durbanville, il est invité à entrer par une foule de sexagénaires. Ces dames lui offrent du thé et une part de tarte, elles gloussent autour de lui, elles l'installent dans le salon en attendant Mme Richter, le laissent seul avec elle ; tout en menant l'entretien, il entend en sourdine dans la cuisine leurs voix respectueuses.

Bernadette Richter est très affectée par la mort de son fils. Des cernes sombres sous ses yeux rougis, elle s'est recroquevillée. Elle répète à plusieurs reprises qu'elle avait de l'espoir après la disparition, mais que tout s'est effondré. Elle pleure amèrement.

Willem Liebenberg se lève et va s'asseoir à côté d'elle sur le canapé. Il lui prend la main, lui propose un mouchoir immaculé d'une voix douce pleine d'empathie.

Il lui soutire lentement les informations. Une kyrielle de reproches. Elle s'en veut de ne pas avoir averti Ernst de son embarras à l'égard de sa société. Ces objectifs contraires à ses principes. Rien à voir avec les valeurs qu'elle lui a inculquées. Le travail, oui. Le travail dur. Mais pas pour pareille chose. Elle aurait dû le lui dire. Elle aurait dû le faire renoncer. Maintenant c'est trop tard. Mais il était tellement… tellement enthousiaste. Tout ce bazar l'a tué.

Quel bazar ?

Elle indique, de la main crispée sur le mouchoir, la direction de Stellenbosch, hoche la tête et répète, ce bazar. Ce genre de travail. Cette société, les utilisateurs de ces services.

Soupçonne-t-elle quelqu'un en particulier ?

Non.

Pense-t-elle qu'il s'agit des gens qui travaillaient avec lui ?

Non, non, il ne la comprend pas. Elle ne sait pas qui a fait le coup, mais elle sait que cela tient à son entreprise, car si on traite d'affaires pareilles… Elle laisse sa phrase en suspens, porteuse de vagues suggestions. Elle reprend le fil de ses reproches. Pourquoi Ernst ne lui a-t-il rien dit ? Pourquoi n'a-t-il pas eu de père pendant les années cruciales ? Pourquoi le Seigneur lui impose-t-il toutes ces épreuves, lui enlevant son mari, puis son fils, et ces journaux qui l'ont appelée cent fois ce matin, que doit-elle dire, hein, que doit-elle dire ?

Liebenberg la laisse se calmer, et reprend depuis le début.

Elle raconte sa belle époque, du temps où Ernst faisait du « web design ». Elle prononce ces mots comme s'il s'agissait d'une noble profession. Ça, c'était le vrai Ernst. L'enfant qui depuis son plus jeune âge dessinait de belles choses. Qui pouvait des heures durant copier des tableaux dénichés dans un livre. Elle montre une bibliothèque – tous ces livres d'art, elle les a achetés pour lui. Ils s'asseyaient sur ce canapé et ils les feuilletaient ensemble, Ernst absorbait tout comme une éponge. Il avait tellement de talent, il copiait les peintures à la perfection.

Il adorait les belles choses. Un sens esthétique. Depuis l'enfance.

Et puis il était futé. Plus intelligent qu'elle ou son défunt mari. Plus que ses condisciples. Et comme il était futé, il fallait le stimuler. Tant qu'il était à l'école, elle y parvenait avec des livres, des cours privés. Mais avec sa boîte de « web design », il s'est lassé. Il a atteint tout ce qu'il souhaitait, ses partenaires et lui ont gagné plein d'argent, Ernst a fini par s'ennuyer ; il vend soudain ses parts, il voyage pendant un an, et le voilà qui revient avec son histoire d'Alibi, elle aurait dû lui parler à l'époque, maintenant c'est trop tard. Bien trop tard.

Il l'interroge sur la vie privée de son fils.

Elle sait peu de choses. Ces dernières années, Ernst n'a jamais amené de « fiancée » à la maison. Un dimanche sur deux, ou sur trois, il venait manger chez elle, du *bobotie**, des gâteaux à la citrouille, du poulet aux abricots, c'étaient ses plats favoris, pour qui va-t-elle cuisiner à présent ?

Il y a trois ans, il avait une copine régulière, quand il travaillait encore dans le web design. Nicola Gey, de Pittius. Une belle fille, une physiothérapeute, ils s'aimaient beaucoup. Nicola a commencé à prendre les choses au sérieux, mais Ernst n'était pas prêt pour le mariage. Parce qu'il n'avait pas eu de jeunesse, il avait travaillé pendant ses études, travaillé encore plus dans son business. Quand il a vendu ses parts, quand il est parti voyager, il a quitté Nicola. Alors, explique Bernadette Richter, elle est venue, ici, dans ce salon, elle lui a demandé ce qu'elle devait faire. Donne-lui sa chance, laisse-lui du champ, a répondu Bernadette.

Ils ne sont plus jamais revus.

Elle sait qu'il est sorti avec des filles l'année dernière. Mais il n'en a amené aucune à déjeuner le dimanche.

* * *

Bennie Griessel a du mal à se concentrer.

C'est l'effet du poison lent de la gueule de bois, de la perspective du prochain verre de whisky, de la discussion perturbante avec Alexa au petit matin, de la prochaine confrontation avec Doc Barkhuizen qui veut lui dicter sa conduite.

Mais s'il veut boire, il faut qu'il montre à tous qu'il reste un policier efficace. Mieux encore, il va leur montrer qu'il est au top, que la boisson c'est son rempart contre les dangers du métier. C'est pourquoi il rejette ses envahisseurs dans sa tête et écoute du mieux qu'il peut. Il se rend compte lentement d'une chose qui ne l'avait pas frappé dans la voiture : Cupido est différent. Depuis ce matin.

Vaughn est-il furieux parce qu'il s'est remis au whisky ? Ce serait curieux, car chacun sait qu'il est alcoolique. Cupido est-il mécontent parce qu'il ne s'est pas montré assez reconnaissant pour hier soir ? C'est possible, son collègue est parfois très susceptible. Le problème, c'est qu'il n'arrive pas à se souvenir d'avoir commis une bêtise. D'accord, c'est une image brumeuse, mais ce n'est pas lui qui a frappé.

Et puis boire, ce n'est pas illégal. Il n'était pas en service. Sa vie privée n'a rien à voir avec les Hawks.

Ou alors, serait-ce la responsabilité de commandant opérationnel qui rend Vaughn si sérieux ?

Mais quand Cupido donne pour la sixième fois du « madame » à la directrice, une autre vérité se fait jour : avec elle aussi, Vaughn est devenu différent. Il la traite avec une certaine... prudence que Bennie ne lui connaît pas.

Habituellement, quand ils interrogent des métis, Cupido essaie de gagner leur confiance et de créer un lien en leur adressant du « ma sœur » ou du « mon frère ». Il leur parle l'afrikaans des Cape Flats, il se montre beaucoup plus décontracté.

Pas aujourd'hui. Il pense que Vaughn est intimidé par la beauté de Coetzee. Du jamais vu.

* * *

Mooiwillem Liebenberg connaît l'art de la subtilité.

Il veut demander à Bernadette Richter si Ernst fumait de la *dagga,* mais il sait qu'il ne faut pas le faire de but en blanc. Pas avec une mère de Durbanville qui vient de perdre son fils unique.

C'est pourquoi il demande d'abord s'il prenait des médicaments.

Des médicaments ? Cette question la perturbe légèrement.

Il explique qu'il leur faut déterminer si les méchants – il sait qu'avec elle, c'est le mot qu'il faut employer – ont pu empoisonner ou droguer Ernst. À cet effet, ils vont faire des analyses de sang. Les médicaments peuvent influer sur les analyses.

Elle comprend. Elle répond, non, Ernst était en parfaite santé.

Voit-elle autre chose qui puisse interférer avec les analyses de sang ?

Non, vraiment rien.

C'est ce à quoi s'attendait Liebenberg.

* * *

Desiree Coetzee explique à Griessel et à Cupido qu'Alibi.
co.za comporte cinq départements. L'*Administration* gère
les finances générales de la société, l'inscription et les versements des clients. Le secteur *Technologie de l'information*
pilote les systèmes des ordinateurs et des réseaux. L'équipe
Conception graphique est responsable de la présentation
du site, des bandeaux publicitaires et de la fabrication des
pièces nécessaires aux alibis, comme des billets d'avion ou
des notes de restaurant. Le *Service clientèle* compte le plus
grand nombre d'employés. Ils répondent au téléphone ou
par courriel vingt-quatre heures sur vingt-quatre. La publicité
et la connexion avec l'agence de relations publiques sont
du ressort du *Marketing*.

Chaque département a son responsable, ils siègent à la
direction exécutive sous les ordres de Coetzee.

– S'ils en réfèrent à vous, que faisait donc Richter ?
demande Cupido.

– Il était le directeur général.

– Mais que dirigeait-il ?

– Tout. Mais il disait que son travail consistait à avoir
une vue d'ensemble. Il ne voulait pas s'impliquer dans les
activités au jour le jour. Sinon, on passe ses journées en
réunion et on perd de vue la perspective générale.

– C'est donc vous qui pilotiez l'entreprise ?

– Oui.

– À quoi ressemblaient ses journées ?

– Cela changeait tout le temps.

– Mais plus ou moins ?

– Difficile à dire… Le mardi il participait à la réunion de direction, car nous passons en revue les chiffres chaque mardi. Le nombre d'inscriptions nouvelles, de résiliations, de demandes spéciales, de travaux graphiques, la comptabilité…

– Qu'est-ce qu'une demande spéciale ?

– C'est un SMS, un appel téléphonique ou un courriel bien précis servant d'alibi pour un client.

– Et les travaux graphiques ?

– Ce sont des éléments d'alibi spéciaux pour lesquels les clients paient un supplément. Billet d'avion, invitation à des conférences, facture d'hôtel, tout ce qu'il faut concevoir et reproduire.

– C'est sur ce genre d'affaires qu'il leur faut beaucoup casquer ?

– Ce n'est pas si cher. Tout dépend du service rendu. La plupart du temps, il faut compter autour de mille rands.

– Mais tout ça, c'est de la contrefaçon, madame. De faux documents. Est-ce bien légal ?

Elle hausse ses belles épaules.

– Notre avocat nous l'affirme. C'est un peu comme pour vous… Si par exemple vous êtes un romantique et que sur Photoshop vous fabriquez un certificat indiquant que votre petite amie a reçu le prix Nobel de… beauté. Si le document n'est que pour un usage privé, c'est parfaitement légal.

– Je n'ai pas de petite amie, dit Cupido.

21

François Du Toit raconte à l'avocate Susan Peires ce jour de 1969 où son père Guillaume a annoncé qu'il voulait étudier la viticulture.

Cela a provoqué une petite explosion.

Le grand-père Jean a quarante-trois ans. Vis-à-vis de l'extérieur il reste un viticulteur, avec le statut social lié à la propriété de Klein Zegen. À la maison, il est marginalisé, son rôle principal consiste à signer les chèques. En ville, son passé semi-prestigieux est largement oublié. Ses beuveries ont affecté l'élégance de l'homme d'âge mûr, mais il peut toujours continuer à parader à Stellenbosch comme un grand baron, l'homme qui a un quota à la KWV.

À ses yeux, les études de Guillaume représentent une sérieuse menace. Car Jean sait bien au fond de lui que sa terre a un fort potentiel. Il entend parfois son fils parler de grands crus, d'autres cépages, de posséder ses propres fûts, de vinification. Il a ses doutes là-dessus, mais si son fils met en valeur le vignoble, il va être démasqué, il apparaîtra dès lors comme une coquille vide.

C'est pourquoi il refuse en un premier temps de payer des études de viticulture à Guillaume. Il crie à sa femme et à son fils qu'il ne cédera pas la propriété avant de passer l'arme à gauche. Guillaume n'a qu'à chercher du travail d'ici là. Car Jean n'a pas l'intention de se laisser mourir. De toute façon, on n'a pas besoin d'être érudit pour travailler la terre.

Dans sa vie, *ouma* Hettie n'a posé que deux ultimatums. Le premier date de ce jour-là. Soit son mari paie les frais universitaires, lance-t-elle, soit elle s'en va avec les enfants.

Jean crie, jure et menace, mais sa femme tient bon, calme et inflexible.

Hettie laisse Guillaume s'inscrire en fac l'année suivante, et elle présente la note à Jean. Elle s'assied dans son bureau et attend qu'il remplisse le chèque. Il le fait avec réticence, mais il le signe. Conscient que si sa femme s'en va, tout s'écroulera. Mais il ne règle que le strict minimum. En catimini, Hettie met de l'argent de côté en rognant sur les dépenses pour pourvoir à l'argent de poche de Guillaume.

Jean punit son fils d'une autre façon. Il parle encore moins avec lui, il n'assiste pas à la remise des diplômes. (Onze ans plus tard, lorsque Guillaume épousera Helena Cronjé, Jean voudra boycotter la cérémonie. C'est la seconde fois que *ouma* Hettie fera usage d'un ultimatum.)

L'ultime vengeance du grand-père Jean, c'est qu'il tient sa promesse. Il s'accroche au vignoble, pendant vingt ans encore.

22

Desiree Coetzee dit qu'Ernst Richter allait et venait à sa guise.

— Il tenait à connaître précisément l'état des comptes. Il gardait un œil sur les chiffres mais répétait qu'il ne voulait pas se faire coincer dans la moulinette de la gestion. C'est comme ça qu'on perd de vue les grandes perspectives, disait-il. Son emploi du temps était très ouvert. Parfois il arrivait tôt le matin, allait s'asseoir au service clientèle et répondait lui-même au téléphone pour les demandes d'alibi. Il se présentait au client comme le directeur exécutif et il procédait lui-même à la fabrication de l'alibi. Ou bien il restait assis à écouter les réponses qu'on donnait aux clients et prodiguait des conseils par la suite. Ou bien il arrivait tard, vers les 10 heures, avec une nouvelle idée et il filait en parler avec le département compétent. Mais son chouchou, c'était l'équipe de la Conception graphique, il lui consacrait le plus de temps. Il soutenait notamment le groupe des Acquisitions, il déboulait souvent chez eux pour leur dire qu'il avait pensé à un nouveau truc…

— Qui sont ces gens des Acquisitions ? demande Cupido.

— Ils sont quatre, au département de la Conception graphique, en permanence en chasse de documents authentiques. Si par exemple l'alibi d'un client est qu'il a passé la nuit au Hilton de Sandton, il leur faut produire un reçu qui ressemble à un vrai. Les collègues des Acquisitions téléphonent alors au Hilton et demandent un numéro de chambre au hasard. À la personne qui décroche, ils proposent cent rands pour qu'elle photographie sa facture avec son portable et leur envoie la photo par courriel. Ils surfent toujours sur Internet à la recherche des logos, des polices de caractères idoines. Ernst était très fier de ce travail, de la qualité de ces alibis. Il restait longtemps avec les designers pour élaborer un document parfait. Il excellait dans ce domaine. Tous disaient qu'il était le roi de Photoshop.

— Qui était sa secrétaire ?

— Il n'en avait plus. Au début, pendant trois mois à peu près, il en a eu une. Mais la première fois qu'il a fallu réduire les dépenses, il s'en est séparé. De toute façon, il répondait en personne à ses courriels et à ses appels, affirmait-il.

— Qui est le mieux informé de ce qui se passait dans sa vie ?

Elle réfléchit.

— C'est moi, certainement.

Cupido opine. Elle est détendue à présent. C'est le moment de passer à la vitesse supérieure.

— Merci, madame, nous comprenons mieux. Mais il nous faut maintenant poser des questions délicates.

— C'est bon. Allez-y.

— Y a-t-il des gens dans la société qui étaient fâchés avec Ernst Richter ?

— Vous voulez dire… au point de le tuer ?

— Il nous faut tout envisager, madame.

— Non. Personne.

— Vous semblez bien sûre de vous.

— Je le suis.

— Pourquoi ?

— Parce que tout le monde l'aimait bien. Alibi, c'était lui. Sans lui… Je ne sais pas ce que nous allons devenir.

— Il était le seul propriétaire ?

– Non, il avait cinquante et un pour cent des actions, mais c'était lui l'élément moteur. Et le cerveau.

– Qui possède les quarante-neuf pour cent restants ?

– Je ne peux pas le communiquer. Il y a une clause de confidentialité.

– Madame, avec tout mon respect, il s'agit d'un meurtre. Il faudrait que vous nous le disiez.

– Je dois d'abord en parler à nos avocats.

– Pouvez-vous les appeler immédiatement ?

Elle n'hésite qu'un court instant, puis saisit son téléphone.

Bennie Griessel se demande pourquoi elle demeure calme, se contrôlant si bien en ces circonstances.

* * *

Le sergent Reginald « Zézaie » Davids est le petit génie de la technologie au sein du Centre d'information des Hawks. Il est court sur pattes, mince, avec un visage de lycéen et une énorme coiffure afro.

– *Cappie,* vous envahissez mon espace, dit-il tandis qu'il farfouille dans une boîte pleine de câbles.

Le capitaine Frankie Fillander, anxieusement penché sur le bureau de Davids, recule légèrement.

– Où est le temps, Zézaie…

– *Cappie ?*

– Où est le temps où nous ne pouvions pas te comprendre. Je te le dis, un de ces jours on va te sanctionner pour insubordination.

Il y a trois mois, Davids avait encore un sérieux problème de zézaiement. Grâce à de la chirurgie réparatrice, sa mâchoire a été rectifiée à hôpital de Tygerberg et il parle désormais normalement. Son surnom lui est resté.

– On ne le fera pas, *cappie.* Vous avez trop besoin de moi.

– Vantardise, dit Frankie Fillander. Je te ferai boucler pour vantardise.

Davids rit. Il va essayer de ressusciter l'iPhone 5 que les experts ont déterré dans le sable à deux pas du corps d'Ernst Richter.

— L'iPhone 5 S est presque aussi étanche que l'iPhone 6 ou le Samsung S, mais le sable est un grand déshumidificateur, *cappie*. Savez-vous que si vous laissez tomber votre portable dans l'eau, il faut le mettre dans du riz ?

— Dans du riz ?

— C'est bien ça. On le recouvre de riz. Le riz absorbe l'eau. Eh bien, le sable fait le même boulot. Ce téléphone ne me semble pas mouillé.

Davids tire un câble de recharge, l'enfonce dans la prise USB de son ordinateur portable et puis dans le téléphone.

— Je vois. Il y a une chance ?

— Patience, *cappie,* patience...

Fillander ne peut pas s'en empêcher, il se penche en avant pour voir l'écran du téléphone qui s'illumine d'un coup. Le logo d'Apple apparaît.

— Il marche, dit Fillander.

— Trop tôt pour le dire. Il faut d'abord qu'il se charge...

Ils attendent. L'icône disparaît, l'écran d'accueil apparaît.

— Alléluia, soupire Fillander.

— Merci, Zézaie, murmure Davids d'un ton de reproche.

— Merci, dit Fillander, mais en fait, tu n'as fait que brancher un câble.

— Il ne suffit pas de brancher un câble. Encore faut-il trouver le bon...

Il indique le bouton de verrouillage de l'écran.

— Il nous reste un souci. Il est verrouillé.

— Tu peux le déverrouiller ?

— Il s'agit d'un iPhone 5 S et son propriétaire utilise ses empreintes digitales pour le débloquer.

— Ses empreintes digitales ?

— La touche ID d'Apple. Très cool.

— On a donc besoin de son doigt ?

– Vous êtes un génie, *cappie*.

– Des doigts, on en a dix à Soutrivier...

– Je n'ai aucune envie d'aller dans cette morgue, *cappie*. Cela me fait flipper.

– Vantard, et trouillard en plus. Donne-moi l'iPhone et dis-moi comment faire.

* * *

Desiree Coetzee pose son téléphone et annonce :

– Les deux autres actionnaires sont Marlin Investments et Cape Capital, vingt-quatre et demi pour cent chacun.

– Qui sont-ils ? demande Cupido.

– Deux sociétés de capital-risque. Ils ont fourni presque la moitié du capital de départ d'Alibi.

– Et l'autre moitié ?

– C'est Ernst qui l'a apportée.

– Ça représente combien ?

– Le total du capital de départ ?

– Oui.

– Je n'en suis pas certaine, mais cela tourne autour de trois millions.

Le portable de Cupido vibre dans sa poche.

– Excusez-moi, dit-il en le prenant.

C'est un SMS de Vusi Ndabeni. Il veut savoir où se trouve l'ordinateur d'Ernst Richter.

– Madame, de quel ordinateur se servait Richter ?

– De son portable. Un MacBook Pro.

– C'est la police de Stellenbosch qui l'a embarqué ?

– Oui.

– Quand ça ?

– Le jour où Ernst a été signalé disparu. Il y a trois semaines. Plus tard, on nous a appelés pour savoir si nous connaissions le mot de passe. Nous n'avons pas pu les renseigner.

– OK...

Il tape un SMS en réponse à Ndabeni.

Comme Cupido est occupé, Griessel pose sa première question :

– Madame, vous avez dit que tout le personnel appréciait Ernst Richter ?

– Oui. Il était vraiment sympa avec eux.

– Et avec vous ?

– Aussi.

La réponse manque un brin d'enthousiasme, pense Griessel. Il poursuit sur le mode flic sympa :

– Ce doit être difficile ce matin de garder son sang-froid ?

– En effet. Les gens sont anéantis. Mais le spectacle doit continuer.

– Vous encaissez bien le choc.

– Je n'ai pas le choix. Maintenant je suis la seule qui...

Elle se tait, le mécontentement plisse la belle peau lisse de son front.

– Que vouliez-vous dire ?

Cupido glisse son téléphone dans sa poche et contemple avec intérêt Griessel qui ne fait que hausser les épaules. Il sait que cela suffit.

Coetzee croise les bras, visiblement offensée.

– Si vous insinuez que je ne suis pas...

Elle ouvre les bras, se penche sur le bureau, ses yeux furieux braqués sur Griessel.

– Il a disparu pendant trois semaines. Parti, comme ça. On a retrouvé sa voiture à Plankenbrug. Par ici, près du township. On est à Stellenbosch. Vous connaissez les chiffres de la criminalité ? Les agressions sur le campus, les bandes cagoulées dans les fermes, le prof de fac assassiné à Strand, qu'auriez-vous pensé à ma place ? Combien de temps auriez-vous mis à imaginer le pire ? Une semaine après sa disparition, en privé, chez moi, j'ai eu un moment de déprime. J'ai compris que quelque chose de grave s'était passé. Mais je ne pouvais me payer le luxe de montrer mon chagrin en public. Car il me fallait travailler et gérer soixante-sept personnes dans une passe difficile. Alors, excusez-moi si je ne m'effondre pas en larmes ce matin, monsieur, et si je ne réagis pas selon vos beaux critères émotionnels.

23

FdT : Pendant que papa étudiait, puis pendant son service militaire, *ouma* Hettie a subtilement manipulé les comptes de l'exploitation. À la fin des classes, elle lui a offert un beau cadeau – un billet d'avion pour l'Europe, et de l'argent de poche...

J'aurais aimé connaître papa dans sa jeunesse. Simplement en savoir plus...

Dans les albums de photos à la maison, il n'y a pratiquement rien de ses années d'université. Il n'en parlait jamais, comme si l'étudiant Guillaume Du Toit n'avait jamais existé, hormis son diplôme qu'il a fini par accrocher dans son bureau deux décennies après l'avoir obtenu. Il avait alors quarante-deux ans.

Je me demande si papa était un étudiant heureux. Je me demande s'il rigolait, s'il racontait des conneries, s'il avait des copains, s'il sortait avec des filles, s'il s'amusait. Comment peut-on s'amuser quand on est haï et rejeté par son père, quand on sait qu'il a fallu un terrible ultimatum de sa mère pour aller à l'université ? À quoi ressemble la vie d'étudiant quand on a la viticulture pour passion, qu'on l'étudie sans savoir si on pourra la pratiquer un jour à cause d'un père qui s'accroche à mort au vignoble ?

Quand j'étais enfant, j'étais trop bête pour essayer de connaître mon père. Il était comme ça, un point c'est tout. Mon père. À cette époque il travaillait dans les bureaux de la KWV. Il voyageait beaucoup, il était donc souvent absent. C'était difficile de se faire une idée précise de son caractère. Mais une fois adulte, j'ai commencé à mieux le percevoir quand il a enfin hérité du vignoble... C'était un homme silencieux. Responsable, juste, calme. Presque trop calme. Mais insaisissable. Pas d'un tempérament sombre, il avait un côté pince-sans-rire, mais je crois que je ne l'ai jamais entendu rire aux éclats.

Je me suis interrogé : Avait-il toujours été ainsi ? Était-ce sa nature ? Ou bien était-ce la vie qui l'avait rendu ainsi ? Je pense encore que les circonstances l'ont marqué. Quand il souriait, il y avait une sorte de... nostalgie, comme s'il songeait à cet instant-là que les choses auraient pu être différentes. Lui-même, il aurait pu être différent.

Mais la vie a été cruelle avec papa.

D'abord à cause de grand-père Jean. Ensuite à cause de son fils aîné, Paul.

24

En quelques minutes, Cupido comprend que Bennie et lui ont inversé les rôles. Pour la première fois depuis qu'ils travaillent ensemble, d'aussi loin qu'il s'en souvienne.

D'habitude il joue le méchant et Bennie le bon flic. Il adore ça, car il excelle dans ce rôle. Il sait comment se glisser dans la peau des suspects, comment les déstabiliser. Les mettre en colère si bien qu'ils commettent une erreur, ou cherchent l'appui du sympathique Griessel, qui n'en parviendra que mieux à leur tirer les vers du nez.

Mais il sait aussi jouer au bon flic. Surtout avec Desiree Coetzee.

– Capitaine Griessel, dit-il, c'est un peu brutal. Mme Coetzee a beaucoup de choses à régler ce matin.

Elle lui jette un regard reconnaissant.

– Mais vous ne l'aimiez pas autant que les autres, insiste Griessel.

Elle regarde Cupido en quête d'aide.

Il intervient :

– Ce doit être différent quand il faut diriger ensemble une entreprise.

– Oui, répond-elle en s'affaissant lentement sur sa chaise. Nous avons eu des désaccords. J'aurais aimé qu'il mette davantage les mains dans le cambouis. Je le lui ai dit. Certaines fois…

Ils ne réagissent pas, ils attendent qu'elle se livre. Elle hausse à nouveau les épaules.

— Les chefs des départements vous diront qu'Ernst et moi avons eu de sacrées disputes en réunions de direction. C'est vrai. Le problème, c'est qu'il voulait que je gère la société, tout en se réservant les décisions... il ne me...

Elle regarde par la fenêtre. Elle respire profondément, avec lenteur, et souffle tout d'un coup, comme un soulagement, une délivrance.

— On aurait parfois dit un gamin. Sans vouloir offenser le défunt, honnêtement, il... Je pense qu'il s'agissait pour lui plutôt d'un jeu. Tout le projet. La société, les alibis, les faux documents, ça l'amusait beaucoup. Ce n'était pas un homme d'affaires. Non, ce n'était pas un manager. Quand il allait s'asseoir avec les équipes, il racontait des blagues, il voulait qu'ils soient tous copains, il voulait qu'on l'aime. Mais ça ne se fait pas quand on est directeur exécutif. Il y a six mois, quand il a fallu mettre au point le plan de restructuration, il n'a pas voulu s'y coller. Il avait trop peur que les employés... ne l'aiment plus. C'est le problème quand on copine avec le personnel. Les apparences, voilà ce qui comptait pour lui. Il fallait donner l'impression que tout fonctionnait...

Elle s'arrête.

— Mais tout n'allait pas bien ? demande Griessel.

— Non, tout n'allait pas bien.

— Qu'est-ce qui clochait ? demande Cupido.

— Ernst a trafiqué les comptes.

* * *

Zézaie Davids a donné des instructions très claires au capitaine Frank Fillander : brancher l'iPhone de Richter sur le chargeur de la voiture, car il ne s'agit pas que la batterie lâche au moment crucial de la prise d'empreinte. S'assurer que le pouce de la main droite est bien propre. « Appelez-moi ensuite, *cappie,* et je vous guiderai. »

Fillander se trouve à présent à la morgue de Soutrivier,

devant la dépouille de Richter étendue sur une table d'acier immaculée, raide face aux pathologistes prêts à l'autopsier. Le corps est recouvert d'un drap vert, seul le bras droit est dénudé. Le pouce a été nettoyé à l'alcool. Une forte odeur de décomposition.

Fillander porte des gants en caoutchouc. Il sort son portable, tape le numéro de Zézaie et maintient l'appareil entre épaule et menton.

Zézaie salue :

– *Cappie !*

– OK, je suis prêt, répond Fillander.

– Respirez un bon coup, *cappie*.

– Ne te fous pas de moi, Zézaie.

Davids lui dit d'activer l'écran en appuyant sur le bouton en haut à droite sur l'iPhone de Richter.

– C'est fait, dit Fillander.

Il lui demande de presser doucement le pouce droit de Richter sur le bouton rond en bas de l'écran.

Fillander se penche pour mieux voir, se saisit du portable de Richter et suit les instructions de Davids.

Rien ne se passe.

– Merde, dit Fillander.

– Qu'est-ce qu'il y a ? demande Davids.

– Ça ne marche pas.

– Restez cool, conseille Davids.

– Pourquoi ça ne marche pas ?

– *Cappie,* vous avez pressé le pouce trop légèrement. Ou pas au bon endroit. Mais faites bien attention, on n'a droit qu'à trois essais, sinon l'appareil se bloque.

– Que veux-tu dire ?

– Cet iPhone 5 marche ainsi : si on presse trois fois une mauvaise empreinte digitale, il demande le code d'accès, que nous n'avons pas. On peut éteindre l'appareil, puis le rallumer, mais là on n'aura plus qu'une seule occasion de poser l'empreinte digitale avant qu'il ne réclame le code.

– Putain, dit Frank Fillander.

– Détendez-vous. Essayez encore une fois. Assurez-vous de prendre la partie charnue du pouce et appuyez un chouïa plus fort.

– OK. Ne quitte pas...

Fillander se penche un peu plus. L'odeur douceâtre le submerge, il avale sa salive pour réprimer un haut-le-cœur.

Il active à nouveau l'écran. De sa main droite, il tient le pouce de Richter et l'approche du portable. Il ajuste et presse, il s'est tourné afin de voir ce qui apparaissait à l'écran.

– Putain, répète-t-il.

– Quoi ? fait Davids.

– Le truc bouge la tête.

Zézaie rit.

– Eh ! Oui, c'est comme ça chez l'iPhone, *cappie*.

– Que fait-on maintenant ?

– Il y a une autre possibilité.

– Oui ?

– Richter était gaucher ou droitier ?

– Comment le saurais-je ?

– *Cappie,* je croyais que vous étiez le Grand Enquêteur métis des Hawks.

– Ça, c'est Vaughn Cupido.

– Admettons. Faut qu'on trouve. Il utilisait peut-être son pouce gauche.

* * *

Desiree Coetzee explique aux enquêteurs qu'Alibi.co.za n'est pas une gigantesque réussite financière.

Étonné, Cupido cite l'article de *Rapport* indiquant un revenu de près d'un million de rands par mois, à l'époque de l'interview avec Richter.

– Depuis lors, dit Coetzee, les recettes des abonnements

ont presque doublé. Le problème c'est que le business plan était fondé sur une croissance supérieure et sur un redressement plus rapide de l'économie sud-africaine. Comme l'augmentation des recettes est plus lente que prévu, les dépenses, c'était le ver dans le fruit.

« La seule masse salariale d'Alibi se monte à un million six de rands par mois. S'ajoutent les frais de marketing et de publicité, le loyer du bâtiment, l'électricité, les lignes ADSL, le numéro de téléphone gratuit. Les recettes des options coûteuses parmi les alibis ne rapportent pas autant qu'on l'avait estimé au départ. Plus de quatre-vingts pour cent des clients fondent leurs alibis sur des SMS ou des appels téléphoniques.

« En juillet 2013 nous avons lancé le site et l'application. Nous savions qu'il faudrait du temps avant d'arriver à l'équilibre, nous avions donc signé un accord avec la banque : le découvert serait de cinq cent mille rands jusqu'à décembre 2013, passant à trois cent mille en juillet 2014, puis deux cent mille maintenant, ce mois-ci précisément.

« Il y a neuf mois, notre découvert s'élevait à six cent dix mille rands. La banque nous a signalé qu'on ne pouvait pas continuer ainsi, et les deux sociétés de capital-risque étaient mécontentes. Elles voulaient qu'on mette en place un plan de redressement. Il nous a fallu réduire le personnel, vingt pour cent de l'équipe sont partis. Mais, en juin dernier, Ernst a constaté que cela ne suffisait toujours pas. Il me semble qu'en Afrique du Sud on fasse un peu moins de galipettes l'hiver, car nos revenus sont restés insuffisants.

– C'est alors qu'il s'est mis à trafiquer les comptes ? demande Cupido.

– Oui.

– Comment ? demande Bennie Griessel.

– Il a injecté de l'argent personnel en me disant de l'inscrire dans les ventes.

— Des ventes d'alibis ?

— Oui. Des clients fictifs.

— Combien ?

— Juste assez pour sortir du rouge. Entre trente mille et cinquante mille rands par mois, depuis juin jusqu'à ce qu'il...

— Et cela vous chagrinait ? demande Griessel.

— Bien sûr que cela me chagrinait.

Coetzee ne le regarde toujours pas, elle fixe Cupido.

— Ce n'est franchement pas une stratégie intelligente. On ne peut pas gonfler les comptes, même si on injecte son propre argent. Ce qu'il fallait faire, c'était continuer à licencier. Mais Ernst ne s'y résolvait pas. Cet homme voulait tellement faire plaisir.

— Mais pourquoi ? demande Cupido.

— Pourquoi quoi ?

— Pourquoi n'a-t-il pas versé ouvertement des fonds... Comment dit-on... ?

— Augmenté le capital ?

— Oui. Pourquoi mentait-il ?

— Parce que les sociétés de capital-risque sont implacables. Si les choses ne marchent pas bien, elles disent très vite : licenciez encore. Ces sociétés investissent énormément d'argent. Vingt millions, trente millions d'un coup. Notre entreprise n'est que du menu fretin à leurs yeux. Au cours des réunions, il m'a semblé qu'Alibi n'était qu'un jeu pour elles. Leur sale petit secret, leur barbotage dans le business légèrement minable des rencontres en ligne. Mais elles ont mis les points sur les *i* : personne ne devait savoir qu'elles étaient impliquées dans Alibi. Alors mettez vos finances à niveau, sinon vous fermez boutique.

— Qui était au courant de la falsification des comptes ? demande Cupido.

— Ernst, le directeur financier Vernon Visser et moi. Ils connaissaient mon sentiment sur ces écarts, mais Ernst répétait : C'est temporaire, c'est juste pour nous refaire, les choses vont s'améliorer.

— Elles se sont améliorées ?

— Oui, mais pas suffisamment.

— Pas assez pour qui ?

— Pas assez pour la banque. En octobre, notre découvert s'élevait encore à un demi-million. C'était mieux qu'en mai, mais trop loin des trois cent mille sur lesquels on s'était engagés. La banque nous a donné jusqu'à la fin du mois.

— Ce mois-ci ?

— Oui. Le 31 décembre. Et je ne vois vraiment pas comment on va y arriver.

25

Maître Peires demande à François Du Toit de cesser un instant de parler.

– Je veux simplement arrêter le magnétophone. Il vaut mieux que les dossiers enregistrés ne soient pas trop longs.

Il se lève, s'appuie contre la bibliothèque en s'excusant d'un geste de la main.

– Je suis désolé. Je m'étale un peu…

Il rappelle à l'avocate un médecin qui lui faisait la cour voilà six ou sept ans, un généraliste, divorcé, à la recherche d'une compagne de voyage et de conversation. En homme mûr, ses préoccupations étaient plus pragmatiques que romantiques. « J'adore ton intelligence », lui avait-il dit plus d'une fois. Ils sortaient dîner deux ou trois fois par semaine, le médecin racontait des anecdotes amusantes. De longues histoires, mais passionnantes.

Elle apprécia quelques mois durant. Jusqu'à ce qu'il se montre pressant. Elle lui fit comprendre avec diplomatie qu'elle n'était pas intéressée. Elle avait avancé des raisons professionnelles, mais la vérité, c'est qu'elle désirait de l'amour. Et de la passion. De l'attraction intellectuelle, émotionnelle et sexuelle. Pas de la camaraderie. Elle n'était pas femme à vivre de compromis. Elle n'était pas à ce point prête à tout.

– Ne vous excusez pas. J'ai besoin de vous écouter jusqu'au bout, dit-elle à Du Toit, en actionnant les boutons du magnétophone.

Elle lui fait signe de continuer. Elle le regarde, pantalon gris, chemise blanche, veste anthracite, bien bronzé, avec des yeux intelligents et de grandes mains. Une bouche sensuelle d'où sort un récit plein d'enthousiasme brûlant. Il voudrait tellement qu'elle le comprenne. Qu'elle le croie.

Si elle avait trente ans de moins. S'il était célibataire. S'il n'était pas mêlé de près ou de loin à une affaire de meurtre. Il l'aurait troublée, à tous égards.

Il reprend le fil de sa narration, elle réprime un sourire. À cinquante-quatre ans, rien n'a changé au fond d'elle-même.

26

Le capitaine Frank Fillander a essuyé ses gants de caout-chouc sur le suaire vert, il a caressé la cicatrice derrière son oreille du bout des doigts, tic qu'il a parfois quand il est nerveux. Il a reposé le pouce d'Ernst Richter et appelé son collègue Mooiwillem Liebenberg.

Liebenberg était déjà en route vers les bureaux d'Alibi. co.za pour donner un coup de main à Cupido et Griessel. Il a dû téléphoner à Bernadette Richter pour savoir si son fils était droitier ou gaucher.

Il a communiqué la réponse à Fillander qui en a été très soulagé.

Il appelle le sergent Zézaie Davids :

— Il était gaucher.

— Voilà qui explique bien des choses, *cappie*. Vous savez ce qu'il vous reste à faire. Mais allez-y avec précaution.

Fillander demande à l'un des pathologistes de nettoyer le pouce gauche. Il reprend le rituel. Il contourne le cadavre, se place de son côté gauche. Il active l'écran de l'iPhone d'une main qui tremble un peu et saisit le pouce de Richter. Il sait que la rigidité provoquée par la *rigor mortis* dispa-raît du corps environ dix-huit heures après le décès. C'est pourquoi il lui est facile de soulever le bras et de tourner le pouce de façon à ce qu'il s'ajuste bien sur le capteur.

Il se penche plus près pour scruter, puis approche le pouce du téléphone.

L'écran change, une icône apparaît.

– Alléluia, soupire le capitaine Frank Fillander.

– Je suppose que c'est gagné, *cappie* ?

– Pile poil.

– Laissez le téléphone activé, *cappie*. Ou bien coupez le pouce et rapportez-le.

– *Jirre**, Zézaie…

* * *

Vaughn Cupido ne sait pas encore qu'il est amoureux. Il en prendra conscience plus tard.

Mais l'alchimie du processus est en route. Son cerveau et ses glandes surrénales ont commencé à libérer de la dopamine. Son cœur bat un peu plus vite, il sue légèrement, il observe Desiree avec plus d'acuité. Son inconscient est en train de la soupeser – ses courbes, sa peau, sa beauté, son maintien, toutes ces mesures involontaires que l'évolution a déposées dans les synapses de l'homme. Une femme comme elle sera-t-elle intéressée par un homme comme lui ?

Il entrevoit des signaux positifs. L'afrikaans du Cap a refait surface dans le vocabulaire et l'accent métis de Desiree quand elle s'est fâchée tout rouge contre Bennie Griessel. Cela signifie qu'elle n'est peut-être pas trop sophistiquée pour un enquêteur des Hawks issu du township de Mitchells Plain. Elle ne regarde pratiquement plus que lui, même si au début elle a pris Bennie pour le chef du duo.

En arrière-fond reste la question nébuleuse et lancinante : Pourquoi cette personne sensationnelle s'est-elle liée à une entreprise un peu sordide comme Alibi.co.za ? Et comment peut-il trouver la réponse à cette question ?

– Je voudrais vous faire confiance, madame, dit-il.

– Desiree. S'il vous plaît.

Cupido approuve, il dissimule sa sympathie pour elle.

– Desiree, je vais vous dire des choses qui restent encore confidentielles, je vous demande de les garder pour vous.

– Cela va de soi.

– Nous attendons le rapport d'autopsie, mais il semble que Richter est resté en vie une semaine ou plus après sa disparition.

Elle ouvre de grands yeux.

– Donc il y a une possibilité d'enlèvement. Il n'est pas exclu que quelqu'un l'ait enfermé pendant plus d'une semaine. Je vous demande de bien réfléchir. Qui aurait pu faire cela ?

Elle prend un moment pour digérer ces informations.

– Je n'en ai pas la moindre idée.

On perçoit clairement de la confusion dans sa voix.

– Vous n'avez pas à répondre sur-le-champ. Prenez le temps de bien réfléchir.

Elle opine.

– Je vois dans le rapport envoyé par Stellenbosch que vous avez reçu beaucoup de courriels haineux. Surtout Richter, dit Cupido.

– Tous les jours, répond-elle. Et pas seulement des courriels. Le centre d'appels aussi. Des gens au téléphone.

– Que disaient-ils ?

– C'étaient en général des fanatiques religieux. « Dieu va vous châtier. » Nous étions voués à brûler en enfer. Comme Ernst était la figure de proue de la société, ils l'interpellaient nommément. Mais les imprécations religieuses ne nous faisaient pas trop peur. Ce qui nous inquiétait, c'étaient les menaces de mort venant de maris qui croyaient que leur femme les trompait grâce à nos alibis. Ce sont eux qui disaient qu'ils allaient tuer Ernst. De façon explicite et très violente.

– Certains ont-ils dit qu'ils voulaient l'étrangler ?

– C'est comme ça qu'il est mort ?

Cupido hoche la tête.

Elle a un mouvement de dénégation, comme si elle voulait se débarrasser de cette image.

— Je ne vois pas tous les messages qu'on reçoit ici. Mais de toute manière, il est impossible de les tracer. Je l'ai dit aux autres enquêteurs.

— Vous en êtes certaine ?

— Vous pouvez demander à l'équipe TI, Technologie de l'information. Elle étudie ce genre de chose. Tout se trouve dans la base de données.

— J'apprécierais de les rencontrer.

Elle se lève, ils font de même. Elle se dirige vers la porte, s'arrête.

— Je ne sais rien pour cette histoire d'enlèvement. Je l'apprends juste. Mais quand j'ai soupçonné qu'Ernst... Qu'il s'était passé quelque chose, je me suis posé des questions. Je suppose qu'il ne s'agit pas d'un mari jaloux ou d'un fanatique religieux. Je pense que c'est une affaire de *dagga*.

— Nous savons qu'il aimait la fumette, dit Cupido. Comment en êtes-vous arrivée à penser ça ?

— Je sais qu'il fumait, car il m'a proposé un joint. Deux fois. Mais j'évite les drogues. Je me suis dit : Sa voiture a été retrouvée à Plankenbrug. Si un Blanc veut se procurer de la *dagga* à Stellenbosch, c'est l'endroit idoine. Il devait y rencontrer son dealer.

* * *

De tous les enquêteurs de la Direction des Enquêtes prioritaires, le lieutenant Vusumuzi « Vusi » Ndabeni est celui qui est le moins tarabusté par l'injonction de porter des vêtements stricts lancée par leur chef, le major Mbali Kaleni.

Car les cent soixante-douze centimètres de Vusi sont toujours vêtus d'un costume sombre aux larges revers, d'une chemise blanche comme neige, d'une cravate discrète et d'une pochette assortie. (Qu'il se soit inspiré du style de Nelson Mandela dans sa jeunesse, il n'en a fait part à personne.) Il est très à cheval sur sa barbe et sa moustache, à la Van Dyck, qu'il taille avec minutie tous les matins au rasoir électrique.

Aucun de ses collègues chez les Hawks ne se moque de son allure. Car Ndabeni est apprécié de tous grâce à sa personnalité flegmatique et au fait que chacun sait qu'il habite une petite maison dans un ensemble de logements sociaux à Guguletu, afin d'envoyer une grande partie de son salaire à sa mère. Elle habite un township à l'extérieur de Knysna.

En revanche, le laboratoire scientifique de la police à Plattekloof ne se gêne pas pour le railler. Surtout deux membres de la PCSI – l'unité d'élite de la province chargée d'analyser les scènes de crimes : Arnold, le petit gros, et Jimmy, le grand maigre. On les appelle le Gros et le Maigre, à cause du bon mot ressassé qu'ils ressortent eux-mêmes : la PCSI vous soutient en gros et en détail.

– Nous avons de très mauvaises nouvelles, dit Jimmy en montrant le rouleau de plastique noir sur la table.

– Quoi ?

– Tu ne vas pas être content, Vusi, grogne le gros Arnold.

– Tu vois cet objet ?

– Oui.

– C'est du plastique.

– Je le vois bien.

– Rien qu'en le regardant ? demande Arnold feignant l'étonnement.

Ndabeni les connaît bien. Il sourit avec affabilité.

– Prêt pour la mauvaise nouvelle ?

– Oui.

– Nous sommes vraiment désolés, mais il n'y en a pas assez pour tailler un costume.

– Un costume ?

— Oui, tu sais. Pour toi. Je veux dire, c'est la couleur habituelle de tes costumes.

— OK, les gars, elle est bien bonne.

— On pourra peut-être en tirer une cravate...

— Ou un mouchoir.

— Ou les deux.

— Merci, les gars.

— Mais pas assez pour un costume. Pour les revers à la rigueur.

— OK, dit Vusi.

— Nous avons cependant quelques bonnes nouvelles... dit Jimmy, le maigre.

— Parce que nous sommes des scientifiques de haut vol, explique Arnold.

— Et des enquêteurs géniaux.

— Des aigles face aux Hawks.

— Sympa, les gars, dit Vusi.

— Tu vois cette corde rouge ?

— Ça s'appelle de la ficelle botteleuse. Les fermiers s'en servent pour lier les bottes de foin.

— D'où le nom. Botteleuse.

— Élémentaire, mon cher Watson.

— Il s'agit d'une ficelle synthétique, probablement fabriquée par ici, on peut aussi la trouver en orange vif. C'est vendu par l'industrie agricole.

— Nous allons procéder à une spectrophotométrie de la ficelle, mais nous t'avons déjà grandement facilité la tâche.

— Comment ça ?

— Tout ce qu'il te reste à faire, c'est de dénicher un fermier qui fasse du foin et qui trompe sa femme.

— Ou bien tu trouves la femme.

— Qui cherchait un alibi.

— Qui s'est disloqué.

— Et ton affaire sera résolue.

— C'est pas la peine de nous remercier.

— C'est inclus dans notre prestation.

— C'est comme ça qu'on roule.

— Dans le foin.

— Mais seulement avec nos légitimes.

— Les gars, vous êtes très drôles, dit Vusi Ndabeni.

— Et futés, ajoute Jimmy.

— Je pars chercher les habits de Richter à Salt River. Vous pourrez nous les analyser aussi, s'il vous plaît ?

27

– En janvier 1975, Guillaume, mon père, est parti sac au dos pour la France, raconte François Du Toit.

Grâce aux contacts de ses professeurs d'université, il s'est arrangé pour se loger et travailler pendant deux ans à Bordeaux. L'hiver en ville, comme serveur, l'été dans les vignobles. Il a fait les vendanges chez Lafite.

– Lafite ! Château Lafite Rothschild. Le saint Graal, le plus célèbre des domaines au monde, clame Du Toit. Ce ne fut pas le meilleur des crus, le millésime 1982 fut nettement supérieur, mais peu importait pour papa.

Le jeune Guillaume respire tout à pleins poumons – la culture, les traditions, la fierté, l'incroyable concentration des Français pour arriver année après année à produire un vin exceptionnel qui exprime la spécificité du terroir, de la région, du vignoble.

– Tout cela l'a profondément influencé, j'en suis convaincu. Je pense que ce furent les années les plus heureuses de sa vie.

« Il ne l'a pas exprimé explicitement. Mais c'est une chose que nous avons vécue en parallèle, lui et moi. Je suis aussi parti pour Bordeaux, en 2009 et 2010. J'aurais tant souhaité m'asseoir avec lui pour parler de cette époque, savoir s'il avait éprouvé les mêmes sensations. Car pour moi ce fut une révélation, une expérience immense, enrichissante… qui m'a ouvert des horizons. Nous partagions cette passion pour le vin, lui et moi. Un fanatique du vin ne peut pas passer deux ans en Gironde sans l'aimer. C'est la Mecque du vin... Je sais qu'il a ressenti la même chose, c'est pourquoi je pense qu'il était heureux à Bordeaux.

« J'avais tant de questions à lui poser, j'avais hâte de rentrer et de lui... Je n'ai jamais eu la chance de...

La voix de Du Toit se brise sous l'émotion, l'avocate lui jette un regard préoccupé.

— C'était juste avant... dit-il, mais il n'arrive pas à terminer sa phrase.

— Ça va aller ? demande-t-elle.

— Oui. Excusez-moi. Cela fait deux ans que mon père... Cela me bouleverse toujours autant...

— C'est peut-être l'heure de se commander du thé ou du café. Que préférez-vous ?

— Du café... Non, du thé, s'il vous plaît.

* * *

Transcription d'entretien :
Maître Susan Peires avec M. François Du Toit.
Mercredi 24 décembre, Huguenot Chambers 1604
40 Queen Victoria Street, Le Cap

Dossier audio 3

FdT : En 1976, un événement a secoué le marché international du vin. C'est ce qu'on a appelé plus tard le « Jugement de Paris ». Il s'agissait d'une dégustation organisée par le négociant anglais Steven Spurrier. Il avait convié à Paris neuf des œnologues français les plus influents pour une dégustation à l'aveugle – les meilleurs chardonnay français contre les meilleurs chardonnay américains, les meilleurs rouges de Bordeaux contre les meilleurs cabernet sauvignon de Californie.

Le résultat époustouflant, c'est qu'un vin californien l'a emporté dans chacune des catégories.

Un seul journaliste assistait à cette dégustation. Mais il s'agissait d'un écrivain influent, lui aussi – George Taber du magazine *Time*. Quand son article est sorti, le monde du vin en a été bouleversé.

Mais le plus important, c'est que ça se passait pendant le séjour de mon père en France. Il a vécu cet événement, et plus que jamais il s'est dit : si la Californie peut le faire, si elle parvient à produire un vin de renommée mondiale, on peut y arriver au Cap également. Notre climat et notre terre sont meilleurs, nous avons une tradition viticole plus ancienne, tout ce dont nous avons besoin, c'est de volonté et d'une vision à long terme.

Quelques mois avant son retour, papa écrivit à *ouma* Hettie une lettre sur toutes les possibilités qu'il avait entrevues en France. Sur tout ce qu'on pourrait faire à Klein Zegen. Sur ses rêves. Dans sa lettre, a raconté ma grand-mère, il lui demandait si le grand-père Jean s'était adouci. S'il y avait la moindre chance que son père l'accepte à nouveau au domaine. Il était prêt à tout faire. Ouvrier agricole, contremaître. Ou viticulteur, ou…

Elle lui a répondu qu'il valait mieux qu'il rentre à la maison pour s'expliquer de vive voix avec son père. Elle a tâté le terrain, glissé les mots de réconciliation et de pardon.

Papa est revenu au début de 1977. La discussion s'est déroulée à huis clos, selon *ouma*. Elle n'a jamais su ce qui s'était dit. Ils ont parlé deux heures durant. Quand papa est sorti, il pleurait.

28

Griessel cherche un petit remontant. Ce n'est pas tant qu'il manque de concentration, mais cela devient plus difficile à mesure que la matinée avance.

Il se trouve à côté de l'ordinateur du responsable du département IT, flanqué de Cupido et de Liebenberg qui vient d'arriver. Ils lisent les dizaines de menaces, d'insultes, d'admonestations, de malédictions et d'appels à la conversion truffés de citations bibliques que la société a reçus depuis dix-huit mois. Griessel déchiffre, écoute, mais ses pensées filent vers le restaurant Pane e Vino de l'autre côté de la rue. Il devrait être ouvert. Quand ils sont arrivés, il a repéré à l'intérieur des bouteilles de vin sur les rayonnages. Le restaurant a donc la licence pour vendre de l'alcool.

Il ne boit pas de vin. Une perte de temps.

Il se met à penser à feu le gros sergent Tony « Nougat » O'Grady. Mort en service voilà plus de dix ans. Ils travaillaient jadis ensemble à la section Meurtres et Vols. O'Grady devait son surnom au fait qu'il mâchait sans cesse un bâtonnet de nougat.

O'Grady était un buveur de vin, un amateur de steak-frites, qui affirmait qu'il y avait une bonne raison de boire du vin aux repas. Car le brandy rend ivre avant qu'on soit rassasié, la bière rassasie avant que d'enivrer. Tandis que le vin enivre en même temps qu'il rassasie. Griessel n'a jamais été porté sur le vin, il préfère être saoul avant que d'être rassasié. Il n'a pas envie de s'enivrer précisément maintenant. Il a juste envie d'apaiser son corps qui proteste de plus en plus face au manque d'alcool.

Le restaurant d'à côté doit servir des boissons fortes.

Ce soir il ne boira pas comme hier soir. Cela n'apporte que des ennuis. Juste un, deux, voire trois whiskys après le travail. Tous les soirs. Il n'a pas besoin de plus. Pour fonctionner, pour se concentrer, pour éloigner de chez lui le monstre, pour ne plus se souvenir de Nougat O'Grady. Car ce genre de pensées lui rappelle les collègues décédés. Comme Vollie Vis.

Et les raisons de la mort de Vollie Vis.

Il a besoin d'un petit réconfortant dans son corps pour chasser ces idées.

Son problème, c'est qu'il n'a rien pour l'haleine. Ce matin, il n'a pas eu le temps d'acheter des pastilles Fisherman's Friend. C'est la seule chose qui marche pour dissimuler l'odeur de l'alcool. Prétendre qu'il faut avaler de la vodka ou du gin pour que l'entourage ne renifle rien n'est qu'histoire de bonnes femmes. Il l'a appris à ses dépens. Toutes les boissons alcoolisées font puer du bec. Il s'agit de le camoufler.

Mais où donc peut-il trouver un paquet de Fisherman's Friend ?

— On ne peut tracer aucun de ces courriels ? demande Cupido.

— Si, pratiquement tous les envois religieux, dit le responsable IT. Mais les menaces de mort proviennent toutes de serveurs anonymes. Toutes. On le vérifie dès qu'elles arrivent.

— Et les appels téléphoniques ?

— On ne peut pas savoir qui appelle. Cela fait partie de notre garantie de confidentialité.

— Cela ne nous sert donc à rien, dit Mooiwillem Liebenberg.

– Parmi les menaces de mort, y a-t-il des gens qui menacent d'étrangler Richter ?

Réaction prévisible :

– C'est comme ça qu'on l'a… ?

– C'est une information confidentielle. Alors ?

– Rien dont je me souvienne. La plupart des gens voulaient le descendre ou le battre à mort.

– Vous pouvez vérifier ?

– Oui.

Griessel suit l'échange, mais il pense qu'ils perdent leur temps. Vaughn, Mooiwillem et lui savent bien qu'ils ne recherchent les menaces de mort que pour couvrir leurs arrières. C'est absolument exceptionnel qu'un coupable passe un coup de fil anonyme avant de tuer quelqu'un. Ceux qui menacent sont des lâches. Ils n'ont jamais le courage d'assassiner.

Il regarde Desiree Coetzee, les bras croisés en haut de l'escalier. Elle fixe d'un œil inquiet les enquêteurs et les techniciens qui délibèrent.

Ils feraient mieux de parler à nouveau avec elle, songe Griessel. Car elle en sait plus que ce qu'elle vient de leur dire. Il en est certain.

Mais lâchons-lui la bride. Laissons-la mariner un peu dans son jus. Ça ne lui fera pas de mal.

* * *

Juste avant 14 heures le jeudi 18 décembre, le capitaine John Cloete, officier de liaison des Hawks, est assis devant son ordinateur. Sur son écran il a ouvert Tweetdeck et suit @PoliceService – ainsi que tous les journalistes et médias importants. Et depuis ce matin #ErnstRichter. Et #QuiatueErnst. Et #NoAlibi.

Depuis 8 heures, la nouvelle de la mort de Richter suscite une grande attention sur Twitter. Arrivent ensuite les protestations habituelles contre le taux de criminalité et l'incapacité du gouvernement, les spéculations sur le responsable du meurtre et quelques blagues prudentes qui jouent avec le concept d'« alibi ». Vers midi, deux camps se dessinent – ceux qui critiquent Richter et tout ce qu'il représente et ceux qui le défendent.

Pour l'instant, les médias ont peu réagi. Quelques journalistes qui se sont rendus devant les bureaux d'Alibi.co.za à Stellenbosch ont tweeté sur l'arrivée des Hawks – avec une photo de Vaughn Cupido et Bennie Griessel qui franchissent tête baissée la porte d'entrée.

Rien encore qui perturbe Cloete.

Mais son portable sonne.

Il reconnaît le numéro, son courage fond. C'est le représentant du tabloïd *Son,* le plus grand quotidien du pays avec plus de un million de lecteurs. Un homme qui, hélas, a trop de contacts à plusieurs échelons de la police. Un écrivaillon dont l'appel est en général source de difficultés.

– Allô, Maahir, dit Cloete en s'allumant une cigarette réconfortante.

On n'a pas le droit de fumer au bureau, mais il est le seul membre de la DPCI qui échappe à la règle pourvu que sa porte soit fermée et sa fenêtre ouverte. Car chacun sait qu'il a un boulot impossible.

– Salut, John. Comment vont les affaires ?

– Les affaires, c'est l'enfer.

– John, cette affaire Richter…

Il s'en doutait, il s'agit de l'affaire Richter.

– Oui ?

– Cela fait trois semaines qu'il a disparu. Mais un petit oiseau m'a soufflé à l'oreille qu'il n'est décédé que depuis une semaine. Tu me connais, je n'écoute les petits oiseaux que s'ils chantent sur un ton fiable, John. Et le problème, c'est qu'il s'agit là d'un oiseau très fiable.

Cloete soupire *in petto,* tire sur sa cigarette pour prendre des forces :

– Maahir, l'autopsie n'aura lieu qu'aujourd'hui. Je doute que ton oiseau soit un médecin légiste.

– C'est un démenti, John ?

– La Direction des Enquêtes criminelles prioritaires ne peut pas donner d'information sur l'heure de la mort avant que l'autopsie ne soit bouclée.

– Donc, tu ne démens pas ?

– Je ne vais pas jouer à ce petit jeu-là avec toi, Maahir. Je ne peux ni confirmer ni démentir l'heure du décès d'Ernst Richter avant la conclusion de l'autopsie.

– Elle aura lieu dans la journée ?

– Jusqu'à présent l'autopsie est planifiée pour aujourd'hui. Comme tu le sais, la communication du rapport peut prendre un jour, voire plus.

– C'est mon scoop ça, John. Je veux être le premier informé.

– OK.

* * *

John Cloete se dirige vers le bureau du major Mbali Kaleni. La porte est ouverte. Il entend sa voix. Elle parlemente au téléphone avec une personne du ministère de la Santé. Il frappe au chambranle et entre.

Le bureau est désespérément bien rangé. La bannette des dossiers entrants est chargée, mais ils sont empilés avec soin. Le tas est moins haut dans la bannette des dossiers sortants. La pièce sent le chou-fleur.

Cloete attend qu'elle raccroche avec un soupir.

– Je ne veux pas ajouter à vos soucis, major, mais il y a une fuite, annonce-t-il.

– Quel genre de fuite ?

Il lui donne les détails.

Elle fait un geste de dénégation.

– Ce n'est pas quelqu'un de notre équipe. Cela peut venir de la morgue ou des légistes.

– Je voulais juste vous en informer.

* * *

Bennie Griessel aperçoit un programmateur qui mâche du chewing-gum. Il s'approche du jeune homme et lui demande s'il peut lui donner deux tablettes. Le programmateur opine, sort son paquet et le lui tend. Puis il demande :

– Vous savez qui a fait le coup ?

– Non, mais on sait que c'est l'un d'entre vous. Du département Information et Technologie.

– Vraiment ?

– Merci pour le chewing-gum, dit Griessel.

Il s'éloigne en songeant qu'il était comme ça, jadis. Primesautier. Plaisantin et légèrement taquin. Parce qu'il buvait de façon contrôlée. Il a une relation particulière avec l'alcool. Elle lui permet de donner le meilleur de lui-même. Hier, s'il avait pris un whisky chez Ocean Basket, il aurait facilement pu gérer Vincent Van Eck, le nouveau copain de Carla. Avec sagacité, même.

Il s'approche de Vaughn Cupido et dit qu'il va leur chercher de quoi manger au restaurant en face.

– Merci, Benny, j'ai une petite faim.

Et le voilà qui sort et trace son chemin à travers les gens des médias. Ignorant leurs questions, il traverse en hâte et entre chez Pane e Vino. Il demande la liste des plats à emporter, inquiet à l'idée que les journalistes puissent l'apercevoir par la fenêtre. Il bouge pour ne pas être vu. Il demande un double Jack Daniel's tout en étudiant le menu.

Il passe commande et sèche son verre d'un trait.

En attendant, il sort son portable et regarde l'écran.

Neuf appels manqués.

Quatre SMS.

Six appels de Doc Barkhuizen, trois d'Alexandra.

Il déchiffre les messages.

Je t'aime, Bennie. Peu importe ce que tu fais, je t'aime.

Cela vient d'Alexa.

S'il te plaît, Bennie, parle à Doc avant de te remettre à boire.

Encore Alexa.

Peux-tu s'il te plaît m'appeler quand tu auras un moment ?
S'IL TE PLAÎT, Bennie.

Toujours Alexa.

Le seul texto de Doc Barkhuizen : *Un jour ou l'autre il faudra bien que tu me parles.*

Il sent que l'alcool commence à lui rendre la forme. Il hésite à commander un autre double Jack. Deux risques. Le premier, c'est que plus l'on boit, plus les chances augmentent d'être flairé. Le second, c'est qu'un de ces journalistes de tabloïds peut très bien se pointer au restaurant pour demander ce que le policier a commandé. Ils peuvent publier des histoires insensées avec des titres comme « Les policiers chargés de l'enquête Alibi ne mangent que des hamburgers ». Ce dont il n'a vraiment pas besoin, ce serait « Les policiers chargés de l'enquête Alibi boivent pendant le service ».

Il sort le paquet de chewing-gum de sa poche, l'ouvre et se fourre une tablette dans la bouche.

Quand il regagne les bureaux d'Alibi, la nourriture dans des sacs en papier brun à la main, deux photographes sortent du groupe et le mitraillent.

29

Au milieu des années 1970, Guillaume Du Toit cherche du travail dans le secteur vinicole ; mais les dieux se moquent de lui.

Car ils ne lui offrent qu'une seule possibilité – un poste d'inspecteur des quotas à la KWV, la coopérative noyautée par le Broederbond*, étroite d'esprit, stricte, conservatrice, croulant sous les règlements. À l'époque elle n'était qu'une prolongation du régime d'apartheid.

Elle permet toutefois à Guillaume Du Toit d'observer un mouvement nouveau qui est en train de bouleverser le monde vinicole sud-africain en profondeur, une révolution qui représente tout ce en quoi il croit passionnément. Mais en demeurant coincé dans un emploi qu'il déteste au sein de l'establishment répressif.

– Ce devait être infernal pour papa, dit François Du Toit à l'avocate Susan Peires.

Il lui explique qu'il en avait eu un aperçu par *oom* Dietrich Venske, viticulteur de la ferme voisine Blue Valley, qui travaillait à l'époque à la KWV avec Guillaume. Depuis deux ans, Venske est devenu l'ami de François, son mentor en viticulture et, le week-end autour d'un *braai**, une mine d'informations sur cette période où son père rongeait son frein.

Il y avait dans les années 1970 deux grandes sources de frustrations dans l'industrie du vin au Cap, lui a raconté Venske.

La première, c'était le système des quotas de la KWV. Cela partait d'une bonne intention : essayer de contenir la surproduction dans le pays. Mais comme souvent dans les initiatives gouvernementales, le système comportait de gros désavantages. Le quota d'une exploitation était défini par rapport à sa production passée. Sur des bases très anciennes. En d'autres mots, il ne prenait aucunement en considération la qualité du terroir ni du raisin. Ni le viticulteur qui cherchait à développer son vignoble. La KWV prescrivait une fois pour toutes la quantité à produire.

Certaines exploitations bénéficiaient d'un large quota, il était si petit pour d'autres que les viticulteurs devaient faire du mouton, de la luzerne ou du lait pour survivre. Il n'y avait pas d'échappatoire. Ton quota, c'est ton quota. À jamais.

On ne pouvait pas non plus vendre son quota à un autre viticulteur, il était indissolublement lié à l'exploitation.

Du coup, ce système de quotas encourageait la quantité au détriment de la qualité.

Le second problème, c'est que l'État et la KWV contrôlaient l'importation de nouvelles variétés. Un viticulteur ne pouvait pas de lui-même importer un nouveau cépage, ni le tester, il fallait suivre la voie officielle. Et même en respectant ces procédures, même si par miracle il obtenait l'autorisation, les pieds restaient indéfiniment en quarantaine. Il fallait souvent attendre une décennie avant de réussir à planter un cépage importé.

En revanche, les viticulteurs californiens se développaient avec un succès phénoménal parce qu'ils pouvaient sans délai planter du cabernet, du pinot noir et du chardonnay. Ici, l'omnipotente KWV avait décrété que la peau du pinot noir était trop fine pour le climat de l'Afrique du Sud, et par ailleurs la procédure archi-longue et archi-pesante pour l'importation du chardonnay faisait capoter tout progrès.

Et voilà que débarquèrent les rebelles du vin.

Ils se sont dressés contre ces réglementations qui empêchaient l'importation de cépages nobles, contre les quotas, l'interdiction de vendre du vin à la propriété, et bien sûr, la qualité inférieure des vins sud-africains. Frans Malan, du domaine Simonsig, créa la première Route du vin en 1971 pour attirer les touristes dans leurs domaines. En 1972, le gouvernement fit passer une loi sur les appellations d'origine. Ce même Frans Malan et un groupe de viticulteurs inspirés y virent l'occasion de produire un vin de qualité pour les vrais connaisseurs. Un vin d'un terroir unique.

Même s'il ne s'agissait que d'une niche dans le marché viticole, ils pensaient, en jouant sur la nouvelle législation, pouvoir sortir du lot, développer leur propre marque et ouvrir le marché. Outre Frans Malan, les pionniers étaient Neil Joubert du domaine Spier, Spatz Sperling du domaine Delheim – venu d'Allemagne – et deux juifs, les frères Back de Backsberg et de Fairview. À l'encontre des vœux et des pressions de la KWV.

La contrebande commença.

– De plus en plus de viticulteurs ont importé clandestinement des cépages nobles, raconte François Du Toit avec enthousiasme. Beaucoup de chardonnay. Du pinot noir. On a fait venir par avion des ceps européens au Swaziland, qui furent ensuite acheminés dans des camionnettes ou des camions vers le Boland*. D'autres types les ont fait venir par la poste. Ils avaient perdu patience, leur envie d'aller de l'avant rejoignant celle de mon père. Nous parlons là des grands viticulteurs comme Danie de Wet du domaine de De Wetshof, Nico Myburgh du domaine de Meerlust, Jan « Boland » Coetzee…

Le succès ne tarda pas. Un succès considérable.

« Le plus grand, le plus connu, le plus charismatique de ces rebelles du vin s'appelait Tim Hamilton-Russell. Il dirigeait une grande agence publicitaire. Il était de surcroît un fanatique du bon vin. Il a commencé sur un lopin de terre non loin de Johannesburg, tant sa motivation était forte. Mais il rêvait de plus vastes horizons. Il voulait faire un vin égalant les vins français et californiens, il s'est mis en quête de terres où le climat serait un peu plus frais...

« C'est important... Notre grand défi en Afrique du Sud, c'est la chaleur. Plus la température s'élève quand les raisins mûrissent, plus le taux de sucre augmente. C'est pourquoi, par exemple, nos vins rouges sont beaucoup plus robustes que les rouges de France, d'Amérique ou d'Australie.

« Certaines des variétés nobles comme le chardonnay ou le pinot noir n'aiment pas la chaleur, ils ont du mal à s'adapter à nos vignobles. Et puis tout le monde apprécie les vins subtils de Bordeaux ou de Bourgogne, les meilleurs étant à base de chardonnay ou de pinot noir. Alors, si l'on veut se lancer dans l'exportation, si on veut se mesurer, si l'on ne vise pas simplement le marché local...

« En tout cas, Tim Hamilton-Russell est allé acheter des terres dans la vallée Hemel-en-Aarde près d'Hermanus, une des régions viticoles les plus fraîches du pays. Il a fait venir en douce des plants de chardonnay, implanté aussi du pinot noir. Mais la KWV lui a refusé le droit de produire du vin, car il n'avait pas de quota.

« Du coup, Hamilton-Russell a racheté un vignoble avec un quota, il a berné les inspecteurs de la KWV et s'est mis à produire un excellent vin. La KWV a fini par revoir ses règles.

« Tout ça s'est passé dans les années 1970. Mon père était au courant. Au fond de son cœur, de tout son être, c'était un rebelle du vin, un contrebandier de ceps, il partageait les rêves et les aspirations de tous ces gars, il les admirait. Mais il lui fallait travailler comme inspecteur des quotas à la KWV. C'est tout ce qu'il avait pu trouver.

« Vous allez comprendre pourquoi les étoiles étaient contre lui.

30

Dans les locaux du Centre d'information des Hawks, le sergent Reginald « Zézaie » Davids s'affaire sur le téléphone portable d'Ernst Richter.

Tout en travaillant, il lance à Frank Fillander :

– Eh bien, *cappie,* ce Richter était un sacré luron !

– Que veux-tu dire ?

– Il taquinait les filles sur Tinder. À tout-va.

– Fais-moi voir.

– Attendez, *cappie,* que je capte d'abord les infos. Ce téléphone se bloque s'il n'est pas utilisé en permanence.

– OK.

Zézaie lâche un petit rire et hoche la tête.

– Quoi ? demande Fillander.

– Je pense juste à une histoire que m'a racontée un pote… Draguer sur le Net, c'est difficile, *cappie,* vous n'imaginez pas.

– Toute drague, si tu veux mon avis.

– C'est vrai. Un copain me parle d'un type qu'il connaît à Mitchells Plain. Il y a un an environ, le type en question s'inscrit sur un site de flirt par SMS et il se met à baratiner les meufs à tout-va. Mais ça reste anonyme, on ne donne des infos personnelles que si on le veut, vous comprenez, *cappie* ?

– Je suis vieux, mais je ne suis pas stupide.

– C'était juste un rappel. Donc le gars se met à chatter

à fond la caisse, puis il choisit les minettes spirituelles et futées, car il est du genre difficile. Il essaie d'éliminer les cageots et les nunuches. Ça ne lui déplairait pas de conclure, mais ses motivations sont plutôt nobles, il cherche une relation sérieuse...

— Sur un site de flirt par SMS ?

— À chacun son truc, *cappie*. Bref, au bout de deux semaines il trouve une nénette, elle l'excite, si vous voyez ce que je veux dire. Elle rit à ses blagues, les siennes sont pimentées, un bon climat se crée, une sorte d'alchimie...

— Pigé, dit Fillander.

— Désormais il se concentre sur la meuf, ils chattent longtemps, et il en arrive petit à petit aux zones érogènes, mais avec précaution, comme à la chasse. Rappelez-vous, *cappie,* il vise le long terme. La quête d'une relation sérieuse. Il sonde les eaux troubles, et chaque fois qu'il donne dans le sexy, elle le suit, ça devient chaud. Il lui écrit : « Tu veux voir mon zizi », elle lui répond : « Oui, envoie la photo ». Il l'expédie, elle répond : « Ouais, bel engin, tu veux voir le mien ? » Bien sûr, qu'il dit. Mais tout reste anonyme, *cappie,* et voilà les photos salées qui s'enchaînent, mais sans le visage, c'est comme un jeu. Ils évitent les photos du visage, terrifiés à l'idée d'aboutir à une putain de déception. Les discussions deviennent chaud-bouillantes, les photos les excitent tellement qu'ils n'en peuvent plus, et finalement au bout de quelques semaines de teasing, elle lui écrit « Viens faire un tour par ici », il répond « Un tour coquin », elle dit « Yes ». Il lui demande son adresse, elle l'envoie, et soudain il s'aperçoit que c'est l'adresse de sa sœur.

— *Jirre,* grince Fillander.

— Exactement, *cappie.* Il a la trouille de sa vie, il croit qu'on cherche à le piéger. Alors il pense, OK, faut jouer cartes sur table, il demande quels sont ton nom et ton prénom ? Et ce sont bien ceux de sa sœur.

— Putain, Zézaie, c'est dingue !

– Je vous dis pas, *cappie*. Le mec se désabonne du site, il efface toutes les photos de son téléphone, et pendant six semaines il ne touche mot à personne de cette affaire. Puis il déballe tout à mon copain. Mon copain dit que le gars n'a plus revu sa sœur, il n'y arrive pas, tout simplement. Une célibataire par ailleurs.

– Pourquoi me racontes-tu cette histoire, Zézaie ? Comment je vais pouvoir effacer ces images de ma tête ?

– Morale, *cappie* : Tenez-vous à l'écart des rencontres sur le Net.

– Et en quoi ça me concerne ? Je suis marié depuis trente et un ans sans nuages et tu veux me faire une leçon de morale au sujet des rencontres Internet ?

– Pour faire passer le message à vos enfants et petits-enfants.

– *Jirre*. Toi alors. Pourquoi tu glandes avec ce téléphone ?

– Plein de captures d'écran. Des conversations sur Tinder, des courriels, des textos, des messages Facebook, des messages sur Twitter, des photos Instagram, en veux-tu en voilà. Je vais envoyer les captures d'écran sur ma boîte mail, puis je les ferai parvenir à toute l'équipe. Ça prendra du temps.

– Combien ?

– Donnez-moi encore une heure ou deux.

– Les gars de Stellenbosch ont-ils envoyé l'ordinateur de Richter ?

– Son MacBook, *cappie*.

– C'est quoi la différence ?

Zézaie Davids frissonne comme si on avait marché sur sa tombe.

– Je travaille avec des barbares de l'âge de pierre, soupire-t-il.

– Ça, c'est de l'insubordination, coupe Frank Fillander. Je suis capitaine, tu n'es qu'un petit sergent.

– Mais un génie de petit sergent, indispensable, la

voilà la vérité. Non, *cappie,* je n'ai encore rien reçu de Stellenbosch.

– Je vais les appeler. Philip me dira comment leurs recoupements avancent.

– Cool, *cappie,* cool.

* * *

Le jeune programmateur à qui Bennie Griessel a demandé du chewing-gum se nomme Vaughn Stroebel. Il regarde avec inquiétude les trois spécialistes passer d'un ordinateur à l'autre. Comme des fauves, songe-t-il. Trois lions dans la savane africaine devant un troupeau de springboks nerveux. Les deux policiers blancs ressemblent à de vrais enquêteurs, avec leur veston et leur cravate. Le flic métis paraît vouloir rester jeune et cool à tout prix, avec son T-shirt et ses tennis. Certainement en pleine crise de la quarantaine.

À moins que ce ne soit une stratégie d'investigation : il joue l'idiot afin qu'on le sous-estime.

Chacun des enquêteurs parle avec un membre de l'équipe IT. Le métis est occupé sur un ordinateur à l'autre coin de la pièce.

Que va-t-il faire ?

Ce sont des Hawks.

Putain.

Les Hawks sont une unité d'élite, il le sait bien. Quand la presse signale leur intervention, c'en est fini des enquêtes d'opérette. On ne ruse pas avec les Hawks.

Et puis ce flic avec ses yeux slaves un peu rougis, ses cheveux ébouriffés et un hématome sur la joue, celui qui lui a demandé du chewing-gum. Est-ce qu'il voulait vraiment une tablette ou était-ce une ruse de policier ? Il a souvent vu ça à la télévision : l'enquêteur vient vous emprunter un truc, mais c'est pour récupérer en douce des empreintes digitales ou de l'ADN. Sans qu'on le sache.

Pourquoi ont-ils besoin de ses empreintes ? Se doutent-ils de quelque chose ?

Nous savons que c'est l'un d'entre vous. Du département IT. L'attitude de l'enquêteur signifiait on n'est pas pressés, on te trouvera de toute façon.

Il essuie ses paumes moites sur son jean.

Voici qu'arrive le flic aux tennis fluo.

— *Jis,* mon pote, quel est ton nom ?

— Vaughn Stroebel ?

Il entend le point d'interrogation dans cette affirmation et se dit, merde, contrôle-toi.

— Vaughn Stroebel ! fait le métis, méfiant.

— Je vous le jure, dit Vaughn Stroebel, en coulant un regard en direction de la porte.

— Pourquoi as-tu l'air si méfiant ?

— Ce n'est pas moi, souffle Vaughn Stroebel.

Dans le fond de sa tête il s'étonne de si mal gérer la situation. Il pensait que ça se passerait bien. Mais un flic est venu lui demander du chewing-gum, et...

— Si Vaughn est ton prénom, tu dois faire partie des braves types, dit l'enquêteur métis avec un petit sourire.

Qu'est-ce que ça signifie ? Est-il sarcastique ? Ou bien sait-il déjà tout ? Il s'amuse à le titiller ?

— Comment ?

— Ce n'est pas toi qui as fait quoi ?

Il sait donc. Vaughn Stroebel le voit clairement dans les yeux de l'enquêteur.

Le courage lui fait soudain défaut.

— Je n'ai fait que fournir la dope, s'entend-il dire, et la déception le submerge.

Il n'est vraiment qu'un imbécile. Mais Seigneur, c'est aussi un soulagement de se libérer de ce poids.

— Je le jure. C'est tout ce que j'ai fait.

Il parle à voix basse, car il ne veut pas que le reste de l'équipe IT voie comme il est lâche.

— Ernst est venu me demander si j'avais de la dope. Je ne sais pas pourquoi il m'a demandé ça, à moi. Je me suis interrogé, en avait-il demandé à tout le monde, comment le savoir ? Je lui en ai filé. Il m'a payé. Je ne voulais pas d'argent, mais il m'a dit : « Prends-le s'il te plaît. » Il m'a raconté qu'en raison de son profil médiatique il lui était très difficile de se procurer de l'herbe. Est-ce que je pouvais lui en fournir ? Je n'avais qu'à augmenter un peu le prix. Je ne voulais pas, je le jure, cela me déplaisait, je ne voulais pas devenir dealer, mais c'est mon directeur exécutif, c'est mon patron… Pardon, c'était mon patron. Mais c'est tout, je l'ai simplement alimenté en dope. Rien que lui. Personne d'autre. Je ne suis pas un dealer. Je n'ai pas de dope sur moi. J'avais deux joints dans mon sac à dos ce matin. Mais je les ai jetés dans les toilettes. Après votre arrivée.

Il se tait, l'enquêteur le fixe. Il y a de l'incrédulité dans son regard.

Ce type pense aussi qu'il est un imbécile.

— Vaughn Stroebel, déclare le policier. Qui l'eût cru ?

* * *

— Qui l'eût cru ? demande Frank Fillander.

— On va le retrouver, dit l'agent du poste de Stellenbosch à l'autre bout du fil.

— Un instant, j'ai besoin de comprendre. L'ordinateur portable était bien enregistré chez vous comme pièce à conviction ?

— C'est exact, capitaine. Le vendredi 28 novembre à 16 h 48. C'est clair et net.

— Clair et net ?

— C'est exact, capitaine.

— Et il était dans votre casier ?

— C'est exact, capitaine.

— Comment le savez-vous ?

– C'est inscrit sur la main courante.

– Et à présent il n'est plus là.

– On va le retrouver, capitaine. Il doit bien être quelque part.

– C'est ce qu'indique aussi la main courante ?

– Non, capitaine.

– Vous savez parfaitement que cet ordinateur portable a été volé.

– Non, capitaine, il doit être par ici.

– Écoutez-moi bien. Si je n'ai pas l'officier responsable dans les dix minutes au téléphone, s'il ne me dit pas que vous avez retrouvé l'ordinateur, ça va fumer de tous les diables.

– Oui, capitaine.

– Clair et net, mon cul.

– Oui, capitaine.

31

Dietrich Venske et Guillaume Du Toit ont commencé à travailler en janvier 1977 à la KWV – Venske à la section comptabilité, Guillaume comme inspecteur des quotas. Ils étaient tous deux jeunes, libres et partageaient le rêve d'élaborer un jour leur vin. Ils étaient obligés de travailler ensemble. Car Guillaume devait inspecter les quotas de vin et de raisin dans les vignobles et Dietrich réglait les vignerons en conséquence.

Trente ans plus tard, le jeune François Du Toit a demandé à Venske de lui parler de son père à cette époque. Venske se souvient d'une amitié qui s'était lentement développée, de Guillaume qui donnait l'impression d'un « homme tout d'un bloc », silencieux, en retrait, très réservé.

Il faisait son travail d'inspecteur avec une résignation déterminée. Il endurait stoïquement les réticences que sa fonction provoquait chez beaucoup de viticulteurs, il contemplait l'horizon quand on lui demandait s'il était le fils de Jean, de Klein Zegen.

Comme s'il ne cherchait pas à se faire connaître, se rappelle Venske. Pas encore. Comme s'il s'était imposé un exil pour faire passer un message à son père Jean : « Je ferai ce travail pour lequel tu n'as pas le moindre respect et je montrerai par ce biais que je te respecte peu. »

Ou peut-être : « J'endurerai tout, en attendant mon héritage. Je suis capable d'attendre aussi longtemps qu'il faudra. »

« Ou quelque chose du même genre, dit Venske. Peut-être était-ce sa façon d'ôter le masque de Jean, de dévoiler le vieil homme aigri et envieux qu'il était devenu. Peut-être aussi Guillaume voulait-il affirmer qu'il ne ferait du vin qu'à sa manière, selon ses objectifs à lui. S'il avait vraiment voulu, il aurait pu travailler dans le département de la production de la KWV. Il avait le diplôme idoine, on l'aurait intégré s'il était prêt à attendre un peu. Mais quand je le lui ai suggéré, il n'a même pas répondu. Il n'était pas enclin au compromis. »

Et pourtant, selon Venske, Guillaume n'était pas malheureux. Il travaillait dans les effluves de vin, il captait tout avec ses yeux et ses oreilles, il apprenait et en secret il peaufinait ses propres plans. De surcroît, la KWV n'était pas un endroit désagréable – une atmosphère collégiale, tolérante, modérée et non dépourvue de statut social.

Guillaume a d'abord loué un studio à Paarl. Plus tard il s'est acheté une maison à Nantes Street. C'était un employé toujours prêt à voyager, à faire les inspections dans le district reculé de Robertson, à partir, à bouger.

Jusqu'en 1979. Quand il a rencontré Helena Cronjé.

32

— Maintenant j'ai besoin d'un avocat, dit Vaughn Stroebel, le programmateur craintif, puis, comme si la mémoire lui revenait : Je ne sais pas où je peux en trouver un.

— Tu me déçois profondément, dit l'enquêteur.

— Jamais je n'ai eu besoin d'un avocat, plaide le programmateur sur la défensive.

— Non, ce n'est pas pour ça que tu me déçois. Je suis déçu parce que tu te prénommes Vaughn et que tu fais partie des voyous.

— Ah bon ?

Incompréhension totale.

— Moi aussi, je m'appelle Vaughn. Tu jettes la honte sur notre prénom.

— Oh ! Je... Vous... C'est pourquoi vous... Merde...

— Où t'es-tu procuré la *dagga* ?

— Je ne veux pas... Cela n'a pas d'importance.

— Tu sais ce que font les gangsters en prison avec des petits mecs comme toi, Vaughn Stroebel ?

— Non... ?

— Des choses innommables.

— Mais enfin, je collabore avec vous maintenant.

— Alors sois clair, mon frère. Qui te fournit ?

— Ça n'a pas d'importance. Il ne sait rien de mon accord avec Ernst. Rien. Il pense juste que je suis un gros fumeur.

— Tu l'es ?

— Non !

— Tu en fumes combien par jour, Vaughn Stroebel ?

— J'ai des tiraillements dans le dos. L'herbe me soulage le dos.

— Raisons médicales, dit l'enquêteur, comme s'il comprenait parfaitement.

— C'est exact.

— Tu as vraiment très mal au dos ?

L'enquêteur lui rit au nez. Stroebel comprend que l'autre se moque de lui. Je suis un complet imbécile, se dit-il à nouveau. Il se redresse.

— Je fume peu.

— Peu. Combien ?

— Une fois tous les trois, quatre jours.

— Je pense que tu mens, dit le policier. Je pense qu'Ernst Richter avait l'habitude de s'asseoir ici parmi vous. Tiens, ce petit gars fume, s'est-il dit. Il a vu les yeux rougis, il a senti la fumette, remarqué les snacks que tu grignotes toute la journée. Je pense que tu es un sacré gros fumeur, Vaughn Stroebel, honte de notre prénom. Et je pense que pour satisfaire ton vice, tu dois dealer à tous crins...

L'enquêteur sort des menottes de la poche de son veston.

— Allez, je te mets ces bracelets, on va bien voir si quelques nuits en cellule ne vont pas te transformer en un Vaughn sincère...

— Je jure, dit le programmateur plus fort qu'il ne le souhaitait.

Tous ses collègues ont les yeux fixés sur lui.

— Je jure, dit-il, plus doucement cette fois-ci, parole d'honneur. Je ne fournissais qu'Ernst. Il avait senti l'odeur sur moi. J'étais parti fumer dehors, et quand je suis revenu, il s'est assis à côté de moi, il a reniflé, et m'a posé la question.

— Tu fumes tous les jours ?

— Oui.

— Tu dirais, un joint ou deux.

— Oui.

— Et pas pour te soulager le dos.

— Non.

— Où étais-tu le soir du mercredi 26 novembre ?

— Je... je ne sais pas. Dans mon studio, certainement.

— Occupé à quoi ?

— DOTA deux.

— Do quoi ?

— DOTA deux.

— C'est quoi, Do-ta-deux ?

— Un jeu.

— Un jeu électronique ?

— C'est un MOBA, un *multiplayer online battle arena*. DOTA : *Defenses of the Ancients*. C'est la suite *mod* de Warcraft III.

— Une connerie pour m'embrouiller le cerveau.

— Non, je le jure. J'y joue tous les soirs... Quand je ne travaille pas...

— Ou ne fume pas...

— Oui. Non... je...

— Tu fumes aussi quand tu joues à Dota ?

— Je...

— Tu peux prouver que ce soir-là tu jouais à Dota ?

— Oui ! J'ai les scores.

— Que s'est-il passé, Vaughn Stroebel ? Ernst n'a pas payé sa *dagga,* alors tu l'as étranglé ?

— Non, je le jure...

— Ou bien tu fumais tellement que tu n'as pas su ce que tu faisais ?

Stroebel essaie de contenir son impuissance, la peur et les larmes.

— S'il vous plaît, dit-il en secouant la tête avec véhémence.

— S'il me plaît quoi ? C'est toi qui l'as tué ?

167

Il sent les larmes monter, il sait qu'il ne pourra pas les retenir.

Il entend alors une autre voix, juste derrière l'enquêteur qui s'appelle Vaughn.

– Je voudrais vous parler.

C'est un collègue de Stroebel, le musculeux Rick Grobler. Le plus âgé de tous les programmateurs, le plus silencieux et le plus mystérieux aussi. Du genre à ne pas se mélanger aux autres, à ne jamais se chamailler.

– Je suis à toi dans un instant, dit l'enquêteur.

– Je voudrais savoir si j'ai besoin d'un avocat, demande Rick Grobler.

– Pourquoi ?

– J'ai menacé Ernst. Par courriel.

– Pour quelle raison ?

– De l'argent.

– Quel argent ?

– De l'argent qu'il m'avait emprunté.

– Nous parlons de quel montant ?

– Je pense qu'on ne devrait pas aborder ça ici…

Vaughn Stroebel s'aperçoit que l'attention de l'enquêteur s'est portée sur Rick Grobler. Il ravale ses larmes. Il a une envie irrépressible de se lever et de sauter au cou de son collègue.

* * *

Le lieutenant Vusumuzi Ndabeni se trouve à côté du cadavre d'Ernst Richter, qui gît nu sur la table d'examen en acier inoxydable.

Dans sa main droite, Vusi tient le sac en plastique dans lequel le professeur Phil Pagel, pathologiste expérimenté, a glissé et scellé les vêtements de Richter. Il ne regarde pas la dépouille. Il ne le supporte pas. Il maintient les yeux sur Pagel, toujours élégant et éloquent, en train d'approcher un spot au-dessus du cadavre.

– Il a donc disparu le 26 novembre, Vusi ? demande Pagel en se penchant pour inspecter de près le cou de Richter.

– Oui, professeur.

Pagel s'immobilise un instant, le temps de faire ses calculs.

– C'était donc il y a vingt-deux jours.

– Oui, professeur.

– Beaucoup de sable sur ce corps. Pouvez-vous me décrire la scène de crime, Vusi ?

Ndabeni explique qu'il ne s'est pas rendu sur les lieux, mais que selon la réunion d'information de ce matin – et selon les documents que leur a fait parvenir Vaughn Cupido – il semble que le corps était enterré dans le sable, enroulé dans du plastique. C'est la grande tempête de la veille qui l'a dégagé.

– Je vois, dit Pagel en tendant la main pour saisir quelques instruments pour forcer la bouche, et avec une lampe torche il éclaire l'orifice sombre.

– Vous voulez apprendre quelque chose d'intéressant, Vusi ?

– Oui, professeur.

– En 2008, raconte Pagel sans quitter des yeux son travail, les autorités néerlandaises ont trouvé dans l'ouest des Pays-Bas un corps qui avait été enterré sous cent quarante centimètres de sable de mer. Quand les pathologistes ont examiné le défunt, ils ont noté une décomposition très légère. Ils ont estimé l'IPM – l'intervalle post mortem – à deux semaines environ. Mais quand on a identifié le corps, on leur a dit que cet homme était porté disparu depuis trois mois.

Pagel regarde Ndabeni à présent.

– Je pense que nous avons ici un cas similaire, mon cher Watson.

Vusi grimace, opine.

– Feu M. Ernst Richter a disparu il y a plus de trois semaines, mais un examen rapide de la décomposition indique un décès beaucoup plus récent, vous comprenez ?

– Oui, professeur.

– C'est une énigme, Vusi. Une énigme. Mais ne craignez rien, car voyez-vous, j'ai assimilé les recherches scientifiques des Néerlandais. Voulez-vous que je vous explique cela en détail ?

33

François Du Toit se met pour la première fois à parler de sa mère. Maître Susan Peires note que son intonation et ses expressions s'adoucissent. Une touche de tendresse.

Et plus il parle de sa mère, plus l'avocate se demande si c'est bien lui le responsable de la mort d'Ernst Richter.

D'abord, Du Toit est un viticulteur de vingt-sept ans, marié assez récemment et père de famille de fraîche date. Il parle de son épouse en termes positifs. Pas le genre de personne nécessairement attirée par le monde boueux des alibis servis par Richter.

Ensuite, il y a ce long préliminaire, ce récit résolument détaillé qu'il tient à lui faire partager. Et enfin l'image de son père Guillaume qu'il essaie de dessiner avec tant de difficulté et de détails. Comme si cela devait servir de circonstance atténuante. *Voyez comme mon père a eu une vie difficile.*

Il parle de son père au passé. Plusieurs fois il a dit qu'il aurait aimé discuter de ci ou de ça avec lui. Elle a supposé que Guillaume était décédé, mais à présent elle se rend compte qu'il ne l'a jamais spécifié. Peut-être se sont-ils éloignés l'un de l'autre. Peut-être le fils est-il en train d'étayer le dossier de défense de son père ?

Peires lit chaque matin le *Cape Times* et *Die Burger* au bureau. Elle a suivi la semaine précédente les commentaires hystériques concernant l'enquête sur Richter et la divulgation prochaine des noms de tous les papillons de nuit attirés par la bougie brûlante et dévastatrice du défunt. Elle a écouté les spéculations de ses collègues et de ses amis, elle a participé à leurs discussions. L'influence de la technologie sur la décadence des valeurs ; le pays et les médias qui, une fois de plus, se focalisent sur les mauvais points – comme les chiffres de la criminalité et l'efficacité de la police nationale. Alors qu'il en va du niveau de la moralité au sein de la société sud-africaine. Que signifie le succès d'une entreprise comme Alibi ? Dans son milieu prévalait l'opinion suivante : la nation voit bien les mots bibliques qui s'impriment sur le mur de la politique, mais se précipite comme une horde de rats vers les derniers plaisirs hédonistes, alors que le navire Afrique du Sud est en train de couler. Elle n'approuvait pas totalement.

Dans l'opinion, un consensus se dégage, estimant qu'Ernst Richter a eu ce qu'il cherchait. Personne ne le crie sur les toits, mais on le retrouve largement en filigrane dans les courriers des lecteurs ou lors des émissions interactives à la radio. Du style : « Si on se vautre avec les cochons... » Elle entend ça avec une dose d'étonnement, en hochant la tête : les humains jugent trop facilement. Elle sait pourtant d'où cela vient : comme avocate elle y réfléchit depuis longtemps – cette obsession du meurtre, du crime et de la justice, ne signifie pas seulement la peur de la mort ou des dommages, c'est aussi une aspiration à l'ordre. Car l'humain est avant tout un animal qui tient à tout prix à appartenir au troupeau. Tant de temps, d'argent, d'énergie pour créer le troupeau, pour l'entretenir, pour l'adapter, mais en contrepartie le troupeau doit être bien encadré : pas d'investissement à perte.

L'homicide est le plus grand bouleversement de cet ordre. C'est pourquoi il suscite la peur. On l'analyse avec crainte comme un signe, une tendance afin que le troupeau puisse s'en protéger à l'avenir. L'affaire Oscar Pistorius en est l'exemple parfait : les kilomètres de colonnes dans les journaux, les heures de décorticage à la radio et à la télévision, les conversations et les articles numériques, les livres à l'issue du procès, tout ce foin pour que le troupeau essaie de comprendre pourquoi un golden boy, une icône des aspirations collectives, en est arrivé à commettre l'innommable.

Dans l'affaire Richter, la réaction générale tend à démontrer que la victime ne faisait pas partie du troupeau. Un marginal, un paria, la lie de la société. Il ne provenait pas de notre couvée.

Susan Peires se force pour ne pas tomber dans la même ornière. Cependant elle n'arrive pas à voir en François Du Toit un client des services d'Ernst Richter. Il a beaucoup parlé des mauvaises étoiles qui régissaient la vie de son père Guillaume Du Toit, et à présent il prend une tonalité bien plus douce quand il évoque sa mère...

– Ma mère...

Il commence et respire profondément. Il se caresse la joue droite du bout des doigts, comme pour s'apaiser.

– Helena. Une fille Cronjé, une descendante de la famille huguenote Cronier, arrivée en 1688 si je me souviens bien. La plus jeune des filles de grand-père Pierre et de grand-mère Elizabeth. Ils possèdent le vignoble Chevalier entre Paarl et Franschhoek... *Oupa* Pierre, on disait de lui qu'il était le plus proche exemple de ce qu'on pourrait appeler un aristocrate afrikaner.

Du Toit regarde par la fenêtre. Il fait une pause, joint les mains, sa paume droite caresse les doigts de sa main gauche. Susan Peires le remarque. Elle ne sait pas trop ce que signifie ce geste.

– Mais les apparences sont parfois trompeuses, poursuit le viticulteur. C'est terriblement intéressant, les postures que nous adoptons tous.

34

Bennie Griessel se sent léger.

Il ferme la marche du quatuor qui se dirige vers le bureau de Desiree Coetzee. En tête, le programmateur Rick Grobler, suivi par Cupido, Liebenberg et lui.

C'est l'effet de l'alcool, songe Griessel. Le petit verre à midi lui a enlevé le joug des épaules, parfaitement. Savoir qu'il en prendra un autre ce soir, ça fait du bien. Mais la meilleure raison, c'est qu'il n'a plus besoin de réprimer son envie. Il n'a plus à livrer ce combat sans fin, pleurnichard, oppressant. C'est pourquoi il se sent à l'aise.

Il retrouve la réalité, il sait que l'interrogatoire constituera un dérivatif, un épisode comique dans un jour qui se traîne sans grande révélation. Vaughn, Mooiwillem et lui échangent un regard, au bas de l'escalier, qui signifie : Nous tenons un lièvre avec lequel on va pouvoir s'amuser. Un type qui pense avoir commis une chose suffisamment importante pour être interrogé.

Ils rencontrent souvent ce mélange de sympathie et d'autosuffisance qui provoque chez certains le désir de se projeter, de s'insinuer dans une enquête. C'est frustrant, généralement, mais ce peut être parfois amusant.

Dans le bureau, Grobler va caler confortablement son grand corps dans un des fauteuils destinés aux visiteurs. Il est athlétique pour un trentenaire, les bras qui sortent de son T-shirt jaune clair sont sillonnés de veines bleues saillantes. Ses mains et sa pomme d'Adam sont incroyablement grandes. Mais son dos courbé, ses épaules un peu tombantes lui donnent une touche de vieux geek.

Mooiwillem Liebenberg s'adosse à la paroi en verre, Cupido choisit le fauteuil de bureau haut perché de Coetzee, Griessel ferme la porte et prend place dans l'autre fauteuil destiné aux visiteurs.

– OK, commence Cupido. Nom et prénom ?

– Ricardo Grobler, dit Rick.

– Tu as donc menacé Richter par courriel.

– Oui.

– Que disait ce courriel ?

– Qu'il avait une semaine pour me rembourser, sinon je lui cassais la gueule.

– Et alors, qu'a-t-il dit ?

– Il n'a rien dit. Il a disparu ce jour-là.

– Tu l'as menacé précisément ce jour-là ?

– Ouaip.

– C'est pourquoi tu t'inquiètes.

– Je ne m'inquiète pas. Je n'ai rien fait. Je veux simplement vous éviter de perdre du temps quand vous tomberez sur le message.

– Tu es un client vraiment cool, dit Cupido.

– Je suis un client innocent. Dites-moi si j'ai besoin d'un avocat.

– Parce que tu en as déjà un ? demande Griessel.

– Non, mais je sais où en trouver.

– Pourquoi aurais-tu besoin d'un avocat ?

Avec patience, comme s'il expliquait un problème à des enfants :

– Quand vous verrez le courriel, vous allez vous interroger. Cela me colle un mobile.

– Dis donc, tu es bien renseigné sur les enquêtes criminelles. Un mobile ! siffle Cupido.

– Je lis beaucoup de romans policiers.

– Et tu crois qu'ils reflètent la réalité ?

Rick Grobler hausse les épaules.

– Pourquoi Ernst Richter serait-il venu t'emprunter de l'argent ? Le type était plein aux as.

Même mouvement des épaules noueuses.

– Pas autant qu'on le croyait.

– Combien lui as-tu prêté ? demande Griessel.

– Cent cinquante mille.

– *Jissis,* souffle Cupido, avant d'ajouter, soupçonneux : Tu n'es pas en train de nous embrouiller ?

– Non. C'est bien ce que je lui ai prêté.

– Quand ça ?

– Fin octobre. Il m'a affirmé que c'était tout au plus pour une semaine, qu'il me rembourserait dans la foulée.

– À quoi voulait-il employer l'argent ? demande Willem Liebenberg.

– Il m'a dit qu'il voulait juste « doper » les comptes. C'est le mot qu'il a utilisé. Doper. Il a dit que ses partenaires CR lui mettaient la pression…

– Des partenaires CR ?

– Les sociétés de capital-risque qui ont des parts dans Alibi. Ernst me la jouait copain-copain, me disant que j'étais le seul qui comprenait le fonctionnement d'une start-up. Ou le côté vautour des partenaires CR. Dès qu'ils auraient jeté un œil sur les comptes, m'a-t-il affirmé, il me rembourserait sur-le-champ. Il prendrait aussi en charge les frais bancaires, je n'avais pas à m'inquiéter. Et puis rien ne se passe. Au bout de neuf jours je vais le voir dans son bureau pour lui réclamer l'argent. Il me répond, bien sûr, il va me régler tout de suite, c'est juste qu'il est débordé. Trois jours plus tard, toujours rien. Je retourne le voir. Il m'assure qu'il a signé la demande de transfert, c'est l'affaire d'un jour ou deux. Trois jours plus tard j'y vais de nouveau, mais il m'évite. Je me pointe dans son bureau, mais il parle ostensiblement au téléphone. Je lui adresse des courriels. Il les ignore. Jusqu'au 26 novembre, où je lui envoie des menaces.

— As-tu une preuve concernant ce prêt ?

Grobler se contorsionne sur son fauteuil afin de glisser la main dans la poche arrière de son jean. Il en sort des papiers pliés, en choisit un qu'il tend à Cupido.

— Évidemment. Voici la reconnaissance de dette qu'il a signée. Tout figure dans mes relevés bancaires, le transfert…

Cupido jette un coup d'œil, hoche la tête et demande :

— Tu es programmateur ?

Les doigts de Grobler se referment sur les autres documents.

— En quelque sorte. Je suis le chef de la sécurité des données.

— Et d'où sors-tu cent cinquante mille balles à prêter comme ça ?

— Dans mes moments libres, je suis un expert indépendant en cyber intrusions. Je cherche des vulnérabilités à jour **zéro**.

— Tu cherches quoi ?

* * *

Dans la morgue publique de Soutrivier, à côté de la table de dissection, le professeur Phil Pagel explique au lieutenant Vusi Ndabeni que les pathologistes néerlandais ont été fascinés par le fait que le corps qu'ils analysaient était décédé bien plus tôt que ne l'indiquait l'état de décomposition.

— Ils en sont venus à une expérience intéressante. Ils ont commandé près de deux cents pieds de cochon dans un abattoir. Ils les ont enterrés dans du sable – du sable de mer, du sable de sous-bois, du sable sec ou mouillé. Dix pieds ont été conservés à l'air libre comme élément de contrôle de la décomposition. Les résultats furent très intéressants. Je vous épargne les détails, voilà leur conclusion : un corps enfoui dans du sable mouillé se décompose bien plus lentement qu'on ne le croyait. Rappelez-vous, le corps trouvé aux Pays-Bas indiquait environ deux semaines de décomposition, mais l'homme avait disparu depuis près de trois mois. À la suite de l'expérience avec les cochons, ils conclurent qu'il aurait pu mourir largement trois mois plus tôt.

— Waouh, fait Ndabeni.

— Waouh, en effet, enchérit Pagel. L'étude a montré que, même enterré dans du sable sec, un corps se décompose beaucoup plus lentement. À présent, pour vous donner un IPM plus précis, je vais avoir besoin d'étudier les données météorologiques de ces trois dernières semaines et il nous faudra demander aux légistes d'analyser la température et la nature du sable dans lequel on a trouvé Richter. Cela nous donnera une estimation, à trois jours près. Mais je suis prêt à parier tous mes billets de la saison d'opéra qu'il a plu sur Blouberg entre le 26 novembre et le 17 décembre. Richter pourrait bien être mort depuis trois semaines.

* * *

Le programmateur Rick Grobler explique longuement aux enquêteurs, en termes simples, et avec plein de détails, que des erreurs se glissent malencontreusement dans chaque application ou chaque système d'exploitation que l'on met au point pour les ordinateurs – depuis Windows jusqu'aux navigateurs, des programmes courriels jusqu'à Java et Flash. Quand ces logiciels sont installés sur des millions d'ordinateurs, certaines de ces erreurs servent d'entrée secrète dont se servent les cyberpirates pour pénétrer dans un ordinateur et pirater ses données.

— C'est ce qu'on appelle une vulnérabilité.

— OK, dit Vaughn Cupido.

— Une vulnérabilité à jour zéro, c'est quand on est le

tout premier à découvrir cette vulnérabilité. Le jour zéro, c'est le jour où on la signale.

– OK.

– Le marché du signalement des vulnérabilités à zéro jour est excellent, car beaucoup de gens veulent ces informations. Les espions chinois paient le mieux, dit-on. La NSA américaine les recherche. Les fabricants des logiciels les achètent pour combler les failles. On trouve aussi les hackers, et les mecs qui veulent nous piquer du fric.

– À qui vends-tu tes découvertes ? demande Liebenberg.

– Aux bons, pas aux méchants. Tout un tas de sociétés sont prêtes à les acheter. Je suis indépendant. Quand je dégotte quelque chose, je fais une offre.

– Qui sont les *bons* ?

– Les sociétés qui retournent les vulnérabilités aux fabricants de logiciels afin qu'ils réparent les bugs. Contre un montant élevé. Ou bien elles les revendent aux fabricants d'antivirus…

– Combien tu touches pour un jour zéro ? demande Cupido.

– Ça dépend…

– Approximativement.

– Cela va de dix mille à cent mille.

– Pas mal, dit Cupido.

– Dollars, complète Rick Grobler.

– Putain ! s'exclame Griessel.

– Jusqu'ici tu as touché combien ? demande Liebenberg.

– Cela ne se ramasse pas comme ça. Ce sont des mois et des mois de boulot. Si on offre un jour zéro, il faut aussi apporter une preuve. La preuve qu'on a réussi à exploiter la vulnérabilité.

– Combien ?

– Deux ou trois par an.

– Donc, quels sont tes gains en moyenne ?

– C'est une information confidentielle.

– Dans une enquête pour meurtre, et ici tu es un suspect principal, il n'y a rien de confidentiel, coupe Cupido.

Grobler se tortille sur son fauteuil. Il hésite avant de lâcher :

– Environ deux-trois millions. Par an.

– En dollars ? demande Cupido, incrédule.

– Non, en rands.

– Alors, si tu es plein aux as, pourquoi travailles-tu dans cette boîte ?

– Je... Ce n'est pas bien de rester seul chez soi... J'ai un problème de relations sociales. Mon psy affirme que c'est important de travailler avec d'autres gens.

– Où étais-tu le soir du 26 novembre ?

– Chez moi.

– Seul ?

– Oui.

– Pas d'alibi ? demande ironiquement Cupido.

– Je le crains.

– Tu as encore le courriel ? s'enquiert Griessel.

Grobler regarde longuement l'enquêteur. Il ouvre les mains. Le document s'y trouve, plié.

– Je l'ai imprimé pour vous.

Il le remet à Griessel qui le déplie.

Griessel le lit à haute voix. À mi-chemin, l'ambiance change tout d'un coup. Griessel s'écrie : *Jissis !* Les trois enquêteurs fixent Grobler. La tension emplit le bureau.

35

— Ma mère avait dix-sept ans quand elle s'en est prise
à son père, *oupa* Pierre. Elle était en première, raconte
François Du Toit avec satisfaction, et un brin d'admiration.

Il brosse le tableau pour Susan Peires : le grand-père
Pierre Cronjé, un homme au torse large, grand par la
stature, par l'ego, par le statut social, l'archétype du mâle
dominant afrikaner, le grand patriarche, le chef du domaine
Chevalier, une exploitation qui en jette. Respecté. Membre
du Broederbond. Membre du conseil d'administration de
la KWV, farouche soutien du Parti national*, membre du
conseil paroissial, fervent chrétien qui récite tous les soirs
le bénédicité à la table familiale.

Helena est la plus jeune de ses trois filles. Son corps fragile est trompeur, car elle possède une force peu commune.
Belle à la façon d'un lutin insolent, avec d'épais cheveux
blond vénitien rebelles qui s'échappent des tresses ou d'une
queue-de-cheval. Des yeux verts très vifs. Une inclination
naturelle pour la science et la biologie, originale dans ses
idées, ses lectures, ses vêtements. Dans une maison où règne
le machisme, on la considère avec philosophie comme une
excentrique inoffensive, du style « laissons-lui le temps de
prendre du plomb dans la cervelle ».

La confrontation se déroule un soir de 1970. Le pays
est à nouveau en ébullition. Winnie Mandela est assignée
à résidence. L'Afrique du Sud est exclue officiellement des

jeux Olympiques. Sur son domaine, le grand-père Pierre pratique encore le système décrié du paiement en bouteilles. Une partie du salaire de ses ouvriers est versée sous forme de vin de piètre qualité.

Pierre Cronjé et ses enfants sont assis autour de la grande table en *yellowwood* dans l'impressionnante salle à manger de Chevalier. La volumineuse bible familiale ouverte devant lui, il prie tandis que tout le monde se tient par la main, tête baissée. De sa grosse voix pieuse, il suit le fil habituel de sa prière : remerciement pour les dons du ciel et de la terre, bénédiction demandée pour les êtres chers, l'exploitation et la récolte.

Mais ce soir-là, au beau milieu de la prière, se glisse la voix de sa fille Helena, cristalline, dérangeante, exaltée, décidée.

« Non, Seigneur », implore-t-elle.

Silence étonné.

« Non, Seigneur, poursuit-elle. Ne bénis pas ce domaine où les travailleurs sont payés avec du vin. Ne bénis pas un domaine où les ouvriers sont traités comme des esclaves. Ne bénis pas une récolte obtenue par des travailleurs ivres, alcooliques. Punis son propriétaire, Seigneur, car il l'a mérité. »

Le grand-père Pierre reprend ses esprits. Il lâche la main de sa femme et de son fils aîné. Sa voix tonne. Il traite Helena de blasphématrice et de communiste. Il lui ordonne de quitter la table et d'aller dans sa chambre. Il réglera plus tard l'affaire avec elle.

Elle hoche la tête, comme si c'était précisément ce qu'elle attendait. Sa mère Elizabeth, qui deviendra *ouma* Lizzie, est d'ordinaire une femme soumise et vertueuse. Mais là, elle ignore l'ordre de son mari de ne pas s'occuper de sa fille, au contraire elle la suit.

Dans la chambre, Elizabeth essaie de calmer le jeu, elle supplie Helena d'aller présenter ses excuses.

Celle-ci secoue la tête, de telle sorte que d'autres mèches

s'échappent, elle va prendre sa valise au sommet de l'armoire et commence à la remplir.

« Que fais-tu donc ? » demande sa mère.

Helena explique qu'elle va emménager chez les Genant – des ouvriers de la ferme. Elle va travailler avec eux, faire la récolte, comme ça son père pourra la payer elle aussi avec du vin.

Elizabeth plaide. Helena fait sa valise. Arrive Pierre Cronjé qui sort la grosse artillerie d'un père despotique : privation d'héritage, exclusion, maison de correction.

Helena répond, fais ce que tu veux, je m'installe chez les Genant jusqu'à ce que cesse le paiement en vin.

Pierre joue son avant-dernier atout de père, il menace d'appeler la police.

« Vas-y, téléphone », rétorque Helena.

Les vannes lâchent ; Pierre perd son contrôle. Il agrippe le bras mince de sa fille et hurle en postillonnant, le visage déformé par la colère, qu'il va la battre. Son épouse Lizzie, blême, gémit et prie sur le pas de la porte.

« Frappe, dit Helena. Mais frappe-moi pour me tuer, car si je me relève, j'irai malgré tout m'installer chez les Genant. »

Pierre cogne, mais son poing écrase la porte en chêne de l'armoire centenaire. Elle se brise sous le coup, un éclat lui entaille profondément la main. Il se précipite dehors, chasse le personnel de la cuisine, ferme toutes les portes de la maison et fourre les clés dans sa poche.

Helena saisit sa valise et va s'asseoir devant la porte d'entrée. Elle crie dans le couloir : « C'est bon, les portes ouvriront demain matin et je partirai. » Pierre fait bander sa main ensanglantée par sa femme et se réfugie dans son gigantesque bureau. Derrière la porte fermée, à côté d'une bouteille de brandy dix ans d'âge de la KWV, il médite sa défaite. Au fil de la nuit, il comprend que sa fille a tout planifié. Elle a bien prévu les réactions de son père. Il n'a pas le choix. S'il ne cède pas, sa fille fera un scandale, qu'il ne peut se permettre d'aucune façon, ni sociale, ni politique, ni religieuse.

À 6 heures du matin il trouve Helena endormie à côté de sa valise devant la porte d'entrée.

« Je vais supprimer le paiement en vin », dit-il.

Helena opine, se lève, reprend sa valise et se dirige vers sa chambre.

« Tu sais que ça ne peut pas se faire du jour au lendemain », lance-t-il.

« Deux ans, répond Helena sans le regarder. Pour le mettre en œuvre. C'est un laps de temps réaliste. »

Elle a tout calculé.

– Elle avait dix-sept ans, répète François Du Toit avec un sourire admiratif. Elle était en première.

36

À 16 h 23, le responsable du poste de Stellenbosch téléphone à Frank Fillander des Hawks pour lui dire que ses hommes recherchent sérieusement l'ordinateur portable d'Ernst Richter qui a été « déplacé ».

Le capitaine Fillander ravale son mépris, car son interlocuteur est un colonel. Il insiste simplement :

— C'est un élément essentiel, mon colonel, nous apprécierions beaucoup que vous puissiez le retrouver.

Fillander se rend ensuite dans le bureau du major Mbali Kaleni pour lui demander de faire intervenir le grand chef des Hawks, le général Musad Manie.

C'est ainsi que ça marche. Par la voie hiérarchique.

Cependant, il en est convaincu, l'ordinateur portable a été dérobé.

À 16 h 34 il s'en ouvre à Zézaie Davids.

— On peut retrouver la trace de ce MacBook, *cappie*. Il y a un truc sur les appareils Apple qu'on appelle « Find my Mac ». Si ce portable est connecté à un réseau wi-fi, on peut le localiser. Mais pour ça, on a besoin du mot de passe de Richter sur son Apple.

— Et comment fait-on ?

— Faut que votre équipe enquête, *cappie*. C'est le rôle des enquêteurs.

* * *

– J'ai comme une légère impression que vous ne souhaitez pas rester ici quand je vais commencer à entailler, Vusi, murmure Phil Pagel en fouillant parmi ses instruments pour choisir le bon.

– Pas vraiment, professeur, répond Ndabeni avec soulagement. Je voudrais porter les vêtements aux analystes du laboratoire.

Le pathologiste renommé sourit.

– Bien sûr. Mais j'aimerais vous confier quelque chose que vous pourriez aussi leur apporter.

– Oui, professeur ?

– Vous voyez, Vusi, nous avons très certainement affaire à une mort par strangulation. Il y a des pétéchies sur la peau et sur les conjonctives de l'œil – ce sont ces minuscules hémorragies que vous pouvez voir ici… (Il indique la peau du visage de Richter.) Et, bien entendu, la très profonde abrasion due à la ligature autour du cou. On voit ce genre d'abrasion quand la ligature n'a pas été desserrée juste après la mort. Si l'étrangleur avait ôté le lien juste après son crime, il y aurait de légères ecchymoses. Approchez.

Vusi n'a aucune envie de voir les choses de plus près, mais comme il a un respect immense pour le légendaire pathologiste, il s'approche à contrecœur. Pagel place sa main droite sous l'épaule droite du cadavre et tourne le corps.

– Vous voyez ça ? indique-t-il de la pointe de son scalpel.

Ndabeni inspire un bon coup et retient son souffle. Il se penche et remarque un petit bout de corde rouge derrière la nuque, comme si elle bourgeonnait.

Vusi se redresse promptement et expire.

– Je vois.

– Je pense qu'il s'agit là de l'instrument de la strangulation. Une corde mince. Presque une ficelle. Le gonflement post mortem est en train de l'obscurcir en partie. Mais il en reste un peu.

Vusi constate qu'il s'agit de la même ficelle botteleuse dont les analystes lui ont parlé avec enthousiasme. Il ne veut pas ternir la joie du professeur après sa découverte. C'est pourquoi il dit simplement :

— Formidable, professeur.
— Vous voulez attendre dehors pendant que je l'extrais ?
— Avec plaisir, professeur.

* * *

De : Rick Grobler « mailto:rickgrobler@alibi.co.za »
Sujet : mon argent
Date : 26 novembre 2014 à 09.33
À : Ernst Richter « mailto:ernst@alibi.co.za »

ernst, tu es un connard. Tu es un putain de hacker amateur avec des t-shirts minab, tu ne seras jamais un véritable geek, ni un nerd, juste un dessinateur graphique incapable de gérer une boîte. minab. Tu peux toujours essayer de m'éviter, mais je sais où tu habites, connard, je ne vais pas perdre mon argent à te faire un procès pour retrouver mon fric. tu as très précisément une semaine pour faire parvenir l'argent sur mon compte. Le montant total. Si tu ne le fais pas, je te sauterai à la gorge, connard, et je te le ferai cracher, j'espère que tu me comprends bien...

C'est à cet instant que Bennie Griessel lève les yeux et s'exclame : *Jissis !*

Grobler comprend que l'ambiance a changé.

— Quoi ?
— Tu sais où trouver un avocat ? demande Cupido.
— Oui.
— Tu ferais mieux de chercher son numéro tout de suite, car tu vas en avoir besoin.
— C'est pas fini, dit Griessel qui continue la lecture : « Je vais te péter la gueule à mort, on verra alors si les filles

continueront à adorer ta petite gueule déglinguée. Une semaine, connard. »

— Tu ne crois pas qu'il y a un léger abus du mot « connard » ? demande Willem Liebenberg.

— Et ton orthographe… ajoute Griessel. C'est minable.

— J'ai écrit ça sous le coup de la colère.

— Et quand tu l'as étranglé, tu étais toujours en colère ? Cupido mime des guillemets autour des derniers mots.

— Je ne l'ai pas attaqué.

— Avec quoi l'as-tu étranglé ? demande Cupido.

— Il n'a pas été… On l'a étranglé ?

— Carrément.

— Seigneur.

Rick Grobler se redresse dans son fauteuil, puis se penche en avant comme s'il avait un énorme poids sur les épaules.

— À partir de maintenant, il te faut une aide juridique, Rick, parce qu'à présent tu es profondément dans la merde.

— Où étais-tu l'après-midi et le soir du 26 novembre ? demande Griessel.

Il contemple Grobler d'un œil neuf. Ces bras veineux lui paraissent plus costauds, ce corps musclé semble capable de renverser Richter.

— J'ai le droit de parler à un avocat, dit Grobler en se levant.

— Assieds-toi ! lui intime Griessel.

— Mais j'ai droit à un appel téléphonique…

— Assieds-toi, dit Cupido, une once de menace dans la voix.

Grobler se rassied. Lentement.

— J'ai des droits, répète-t-il, avec moins de détermination.

— Écoute, Tricky[1] Ricky, dit Cupido. D'où tu sors tous ces droits ?

— C'est dans la loi.

— Mais quelle loi ?

---

1. *Tricky* signifie « roublard ».

— Je ne sais pas, c'est pourquoi j'ai besoin d'un avocat.

— Laisse-moi t'éclairer, Tricky.

Vaughn Cupido se lève de son fauteuil et se penche au-dessus du bureau.

— Dans notre Constitution figure une charte des droits de l'homme. Chapitre deux, pour être précis. Article 35. Il dit que tu as le droit de ne pas répondre. Mais il faut qu'on te prévienne, si tu nous opposes ce silence, ça aura des conséquences. On va t'emmener au poste, te boucler quarante-huit heures parmi des violeurs et des gangsters, des tueurs et des sodomites. Quarante-huit heures, Tricky. Un sacré bout de temps. Mais tu as le droit à une assistance juridique et à un coup de fil à une télévision. Une télévision américaine. Je t'explique comment ça marche chez nous. L'article 35 dit que tu as le droit de choisir et de conférer avec un assistant juridique. Mais j'en viens à ton problème, Tricky. L'article 35 dit que dalle sur les délais. Pas le moindre mot. Sauf qu'il nous faut t'informer promptement de ton droit de consulter. Arrête donc de nous jeter des lois à la figure. On les connaît sur le bout des doigts. Et ces lois disent aussi qu'un assassinat prémédité est un crime de classe six, ce qui signifie que tu ne reverras pas un jour zéro du restant de ta vie. Tu me comprends bien maintenant ?

— Je n'ai rien fait, plaide Tricky Ricky Grobler en croisant les bras comme s'il se désintéressait de cette histoire.

— Où étais-tu ce soir-là ? redemande Griessel.

— Chez moi. J'étais seul et je n'ai pas d'alibi.

Il essaie de retrouver son équilibre.

— Tu es un vrai dur, Tricky. À quelle heure es-tu rentré à la maison ?

— Aux alentours de 18 heures.

— Directement à la maison ?

— Du boulot je me suis rendu à la gym, et de la gym à la maison. À 18 heures, ou presque.

— Tu habites où ?

– Ici, dans le Boord.

– L'adresse exacte ?

– 30 Pison Street.

– *Piss on* ? D'où vient ce nom merdique ?

– Je n'en sais rien…

– Épelle-moi ça.

Grobler épelle.

– OK. Où se trouvait ta femme ?

– Je n'ai pas de femme.

– Célibataire endurci ?

– Oui.

– À quelle heure es-tu parti buter Richter ?

– Je ne l'ai pas… (La voix de Grobler se fait rauque, réticente.) Je vous le dis, je ne l'ai plus revu… Ce jour-là, je l'ai aperçu au boulot. Dans son bureau. C'est la dernière fois. Je suis allé à la gym, puis je suis rentré chez moi, je me suis fait à dîner. J'ai regardé la télé pendant une heure, ensuite je me suis mis à travailler sur mon ordinateur portable.

– À chercher des vulnérabilités.

– C'est exact.

– Et il n'y a personne dans le monde entier qui peut le confirmer.

– Non.

– Tu sais, Tricky, qu'on va chercher des preuves scientifiques que tu es l'assassin.

– C'est impossible. Je ne l'ai pas approché.

– On possède d'ores et déjà une série de deux empreintes digitales dans sa voiture qui ne sont pas encore identifiées.

– Vous pouvez prendre mes empreintes. Dès maintenant.

– Et un prélèvement ADN ?

Il esquisse un geste qui signifie « faites ce que vous voulez ».

– Et les données de ton téléphone portable.

Il hausse les épaules. Tout lui est égal, il s'en contrefiche.

– Eh bien, c'est ce que nous allons faire, dit Cupido en sortant son portable.

37

François Du Toit compte en silence sur ses doigts. Sa mère, Helena Cronjé, avait vingt-six ans en 1979, son master de chimie organique en poche. Assistante à l'université de Stellenbosch, elle travaillait à sa thèse.

Ses relations avec son père s'étaient tellement dégradées en raison de fortes divergences politiques, sociales et religieuses qu'elle ne mettait plus les pieds à Chevalier. Elle prenait un café une fois par semaine avec sa mère, à Stellenbosch. Au cours de ses années d'études, et par la suite, elle a eu quelques aventures, mais les hommes ont battu chaque fois en retraite, probablement dès qu'ils ont compris qu'ils n'atteindraient jamais le niveau élevé de ses espérances.

Helena était membre de l'association Excursions et Alpinisme, ainsi que du ciné-club, elle écoutait des concerts à l'heure du déjeuner. Au cours de l'hiver 1979, avec l'idée de futurs voyages, elle s'est inscrite à l'Alliance française.

C'est là qu'elle a rencontré Guillaume Du Toit.

Il était adhérent depuis longtemps, histoire d'entretenir son français. Le jour où elle a débarqué, il s'est tenu silencieux, à l'écoute, parmi d'autres étudiants. Il n'arrivait pas à détacher son regard d'elle. À mesure que la soirée avançait, il a pris conscience de cette éclatante vérité : Voici la femme de ma vie.

Deux jours plus tard, quand elle a reçu son coup de fil dans son bureau minuscule, elle s'est à peine souvenue de sa présence à l'Alliance française. Mais une intonation dans sa voix douce l'a convaincue d'accepter un rendez-vous. Plus tard, elle affirmerait que quelque chose d'inébranlable dans son ton indiquait que le destin était écrit.

Lors de ce premier rendez-vous – un dîner à la Volkskombuis –, ils se sont rendu compte que Guillaume connaissait le père d'Helena. Il était passé faire des inspections de quotas et des mesures de fûts à Chevalier. Elle lui a raconté qu'elle avait pris ses distances avec son père. Il lui a exposé ses relations dégradées avec le sien, c'est la première fois qu'il en parlait en dehors du cercle familial.

Tous deux en rupture de ban avec leur famille. Chacun a trouvé en l'autre des qualités qui, pensaient-ils, leur faisaient défaut : elle portait la passion, le franc-parler et le dynamisme ; lui, la douceur, le calme et la détermination.

38

Chez des enquêteurs qui travaillent ensemble depuis longtemps, la connivence est immédiate.

Bennie Griessel écoute Cupido appeler le laboratoire forensique de Plattekloof. Il leur demande d'envoyer une équipe à Stellenbosch pour prendre des empreintes, « car on tient un suspect dans l'affaire Richter » – en insistant sur la dernière phrase.

Griessel se lève, toujours légèrement euphorique à cause de l'alcool, sort des menottes de son veston et tire sur le T-shirt de Rick Grobler, suffisamment fort pour confirmer la gravité de son intention.

– Allons, Ricky, dit-il en lui passant le bras droit dans le dos.

Cupido, qui joue d'habitude le rôle du mauvais flic, comprend tout de suite.

– Faut qu'on y réfléchisse, Benny, ce n'est pas si simple…

Griessel referme les menottes sur le poignet droit de Grobler.

Ni Griessel, ni Cupido, ni Liebenberg ne croient sérieusement que Rick Grobler soit le coupable. Les preuves avancées, c'est de la roupie de sansonnet. Leur instinct, fondé sur des milliers d'interrogatoires, ne les convainc pas non plus. Grobler a eu l'air bien trop effrayé quand il a appris que Richter avait été étranglé.

Mais les trois Hawks le savent : quand le suspect interrogé

est un citoyen lambda – à l'inverse des criminels endurcis –, l'intimidation est une méthode très utile. Une entrée en matière rapide, des décisions fermes, un peu de dureté. En appeler à la loi, créer une dynamique sans échappatoire, comme si toute la procédure n'avait qu'une seule issue, très désagréable. De temps à autre, on obtient une confession immédiate sous l'effet de la peur. Souvent on obtient de meilleures indications sur la culpabilité. Mais le plus fréquemment, cela lance un processus de négociation avec les enquêteurs dans le rôle dominant.

Ils doivent décider si cela vaut la peine de l'arrêter et de continuer à se concentrer sur lui. La moindre erreur représente au mieux une perte de temps, au pire une catastrophe pour la suite de l'enquête.

– On le sort par l'avant ou par la porte de derrière ? demande Cupido.

– Par l'entrée, dit Liebenberg, qui joue immédiatement le jeu, laissant à Cupido la seule voix sympathique du trio.

– Laissons les médias prendre leurs photos, opine Griessel.

– Non, supplie Rick Grobler, la voix éraillée, tandis que Griessel lui replie le bras gauche derrière le dos et le menotte.

– Pense à sa mère, Benny, plaide Cupido. Quand elle verra son visage à la télé, la pauvre femme va…

– Mais c'est lui le coupable, Vaughn, insiste Griessel. On a ce qu'il faut.

Il commence à pousser Grobler vers la porte.

– S'il vous plaît, pleurniche Grobler, livide.

Griessel hésite, à dessein. Grobler interprète le geste comme une bonne occasion. Il parle vite, plein de frayeur dans la voix :

– Ce n'est pas moi. Prenez mon ADN, prenez mes empreintes, prenez tout. Mon téléphone est à côté de mon ordi, je sais que vous pouvez tout remonter, savoir où j'étais ce jour-là. Prenez-le, s'il vous plaît. S'il vous plaît.

Ils sont tous debout. Lui laissant un peu d'espace.

— J'ai été stupide, je n'aurais jamais dû le menacer, je le sais. Stupide, stupide, je n'aurais pas dû me fâcher. Écoutez, j'ai des problèmes d'interaction sociale, je me soigne, mais je jure, je jure...

— Doucement sur les promesses, Tricky. On a déjà entendu ça.

Grobler est mal à l'aise avec les menottes dans le dos.

— Que puis-je vous dire ? Que voulez-vous... ? Que puis-je faire, ce n'est pas moi, s'il vous plaît, ne me sortez pas de cette façon...

— Quels problèmes d'interaction sociale as-tu ? demande Cupido avec sympathie.

— Vaughn, on perd notre temps, s'impatiente Griessel.

— C'est juste que... J'ai du mal dans les relations sociales, c'est tout, dit Grobler à toute allure. Je... mon psychiatre dit que je ne réfléchis pas bien.

— Ça veut dire quoi ?

— J'ai du mal... à lire les gens, leurs réactions... Je dis des trucs... Je parle trop, de mon boulot, c'est tout ce dont... je ne comprends pas qu'on n'y connaisse rien, ensuite les gens ne veulent plus... Cela n'a rien à voir avec Ernst Richter, cela ne me rend pas dangereux pour autant, cela fait seulement que personne ne m'aime.

La tête et les épaules de Grobler ploient sous l'humiliation.

— Assieds-toi, Rick, dit Cupido.

Tandis que Grobler se rassoit, Griessel reste debout, implacable proximité.

— Qu'as-tu à nous offrir, Tricky ? Comment vas-tu sauver tes fesses ?

Grobler émet un cri de désespoir.

— C'est ta dernière chance, Tricky.

Grobler lève les yeux, vers Cupido seulement. Il se met à parler.

* * *

Arnold et Jimmy, du laboratoire scientifique, sont moins exaltés quand Ndabeni pénètre dans leur local, ses petits sachets en plastique à la main.

— Tu aurais pu nous le demander tout simplement, Vusi, dit Arnold, le Gros.

Son collègue et lui sont en train de trier et d'agrafer frénétiquement des documents.

— On fait toujours de notre mieux pour vous, grogne Jimmy, le Maigre, du reproche plein la voix.

— Service prioritaire pour les crimes prioritaires. C'est la politique officielle, et c'est notre engagement. Dis-moi, est-ce qu'on t'a jamais laissé tomber ? demande Arnold.

— Non, jamais, répond Jimmy. Jamais. Alors pourquoi, Vusi ? Pourquoi ?

— Les gars, je ne vois pas de quoi vous parlez, dit Ndabeni.

— C'est bon, Vusi. On sait que la hiérarchie vous met la pression. Mais souviens-toi que nous ne sommes que des hommes, souligne Jimmy.

— Même un peu plus que des hommes, mais... dit Arnold. (Il lève les deux mains afin que Ndabeni les voie.) Deux mains. Pas plus que deux mains.

— Vous me faites marcher, les gars, c'est ça ?

— Pas ce coup-ci.

— Vraiment ?

— Tu t'es précipité chez le major Kaleni. Nous travaillons à la vitesse de la lumière, et tu es allé te plaindre à la grande Fleur de Cactus.

Le prénom de Mbali Kaleni signifie « fleur » en zoulou. Une source inépuisable de surnoms peu flatteurs

— Je ne l'ai pas fait, réplique Vusi, mécontent...

— C'est bon, Vusi, on te pardonne.

– Les gars, je n'ai pas appelé le major.

Ils perçoivent la sincérité dans sa voix et lèvent la tête de leur travail.

– C'est pas toi ? demande Arnold.

– Non, j'ai passé tout mon temps à la morgue. Pourquoi l'aurai-je appelée ?

– Afin qu'elle téléphone à notre big boss. Pour lui dire qu'on est trop lents.

– Je n'aurais jamais fait un truc pareil.

– Alors pourquoi a-t-elle appelé notre supérieur ? On travaille ici comme des esclaves pour vous, les gars. On n'a jamais de reconnaissance, jamais un coup de projecteur, tout va aux Hawks, mais on travaille quand même. Pour tout remerciement, notre patron débarque ici pour nous dire que le major Fleur de Cactus est très mécontente de notre rythme de travail.

– *Stank vir dank,* dit Jimmy en afrikaans. Un pet puant pour tout remerciement.

Et comme il craint que Ndabeni ne le comprenne pas, il insiste :

– Ça pue.

– Désolé, les gars, mais ce n'était pas moi.

Ils ont envie de s'en prendre à quelqu'un, mais leur attitude indique qu'ils savent bien que Vusi n'y est pour rien.

Jimmy agrafe un dernier jeu de documents et le tend à Vusi.

– Tes résultats d'analyse.

Vusi dépose les sachets avec les indices sur la table et saisit les documents. Il les regarde.

– Je n'ai pas idée de ce que cela signifie, dit-il en étudiant les tableaux chimiques.

– Le résumé pour les gens ordinaires est à la dernière page, dit Arnold.

– Rédigé rapidement, dit Jimmy

– Mais parfaitement exact, complète Arnold.

– Et pour te faire gagner du temps, parce que tu es un Hawks surmené, on va te dire ce qu'on a trouvé.

– Ta ficelle pour balles de foin et ta bâche en plastique présentent de fortes traces de triazole.

– Tu trouveras dans le rapport des photos prises au microscope électronique de poudre de granules de triazole.

– Preuve irréfutable.

– Fournie à la vitesse de la lumière.

– À des Hawks-tellement-occupés.

Il s'attend à ce qu'ils continuent, mais ils se renversent tout contents d'eux sur leur chaise.

– Qu'est-ce que ça signifie ? demande Vusi.

– Nous savions que tu allais poser la question.

– Mais nous avons attendu, pour prouver ceci : vous, les Hawks, vous ne pourriez pas faire tout ce boulot important sans nous. Vas-y, admets-le.

– Bien sûr, nous ne pourrions pas le faire. Vous êtes des génies.

– Tu te moques de nous ?

– Mais non, les gars. Je vous tiens en haute estime, vous et votre travail. Je suis très reconnaissant de ce que vous avez fait. Avec célérité…

– Tu es un Hawk avec du cœur, Vusi.

– Un des rares.

– Le triazole est un fongicide, Vusi.

– À usage agricole.

– Les fermiers le répandent sur leur blé pour tuer les champignons.

– Et sur leurs fruits, et sur leurs légumes.

– Ton problème, c'est que le Cap-Ouest les produit en abondance.

– Le blé, les fruits et les légumes.

– Le Swartland et l'Overberg pour le blé, Philippi et Joostenberg pour les légumes…

– La région de Grabouw pour les pommes et les poires, et du raisin partout.

– La teneur en triazole sur les indices est très élevée. Calibre industriel.

– OK, fait Vusi.

– Donc, si tu nous le demandes, Ernst Richter a été tué dans une exploitation agricole. Le triazole, la ficelle botteleuse, la grande bâche en plastique, tout désigne l'agriculture.

– Donc, si nous étions des Hawks, nous irions regarder dans la base de données d'Alibi pour sortir la liste de tous leurs clients qui produisent du blé, des fruits ou des légumes…

– Mais ça n'engage que nous.

– Nous, ces lambins de scientifiques.

– Des tortues face aux faucons que sont les Hawks.

– Ce que nous avons fait aussi, Vusi, parce que ça nous tient à cœur, nous avons téléphoné à trois grandes sociétés agricoles de la péninsule du Cap.

– On n'était pas obligés…

– Parfaitement. Mais nous l'avons fait. Tous nos interlocuteurs nous ont répondu que plus de quatre-vingts pour cent du triazole sont vendus à des viticulteurs.

– Ce qui est statistiquement piquant, c'est que plus de quatre-vingts pour cent de l'agriculture dans la péninsule du Cap, si l'on calcule en rendement par hectare, proviennent de la viticulture.

– Ou viniculture, si l'on veut être plus précis.

– Comme nous, rigoureux que nous sommes.

– Deux tortues minutieuses.

39

Transcription d'entretien :
Maître Susan Peires avec M. François Du Toit.
Mercredi 24 décembre, Huguenot Chambers 1604
40 Queen Victoria Street, Le Cap

FdT : Ma mère est la personne la plus pragmatique, la plus méthodique, la plus organisée que je connaisse. Elle prévoit. Pas seulement une semaine ou un mois à l'avance... Cette histoire de faire renoncer le grand-père Pierre au paiement en vin, elle ne l'a lancée qu'après mûre réflexion sur le temps nécessaire pour y parvenir – elle est comme ça.

Papa l'a demandée en mariage deux ans après l'avoir rencontrée. Elle a répondu oui, mais pas avant quatre ans. Car elle avait planifié sa vie. D'abord elle voulait obtenir son doctorat, ensuite elle voulait voyager, pendant au moins une année. L'Europe, l'Inde, l'Amérique. Avant de se marier et de fonder une famille.

Mon père n'avait qu'à attendre. C'est ce qu'il a fait. L'année qu'elle a passée à l'étranger lui a beaucoup pesé, je pense. Il a pris une fois l'avion pour la rejoindre, sinon, il devait se contenter des cartes postales et des lettres qu'elle postait...

Il avait déjà trente-trois ans quand ils se sont mariés, en 1985. Elle avait un an de moins. Ils ont acheté une maison à Stellenbosch dans le quartier Onder-Papegaaiberg. Maman est retournée à l'université, comme maître de conférences.

Dix mois plus tard est né mon frère. Mes parents l'ont baptisé Paul. Ce n'est pas un prénom usuel dans la famille, ils l'aimaient tout simplement, et ils ne voulaient honorer d'un homonyme ni *oupa* Jean ni *oupa* Pierre.

Les relations de mon père avec les étoiles… Les dieux ont le sens de l'ironie, je trouve. Un sens de l'humour grinçant. Car Paul n'a pas reçu le prénom du grand-père, mais en revanche presque tous ses gènes.

40

Les problèmes d'« interaction sociale » de Rick Grobler jouent à présent contre lui. Il sait qu'il doit procéder prudemment, car si son aversion pour feu Ernst Richter se fait trop virulente, cela compliquera l'affaire. Mais sa pathologie implique le besoin irrépressible d'exprimer ses sentiments – le trop-plein du cœur s'échappe par la bouche, inéluctable et verbeux.

De surcroît, s'il n'explique pas pourquoi Richter était impopulaire, il restera le principal suspect.

C'est pourquoi Grobler commence lentement, avec prudence. Alibi.co.za, dit-il aux enquêteurs, n'est qu'un écran de fumée. Non que les produits ne marchent pas, mais ce qui figure dans la publicité et dans les médias est presque entièrement faux.

– Prenez cette histoire d'alibi fabriqué sur mesure selon les desiderata du client. C'est... n'importe quoi. Ils... (Il désigne le service clientèle.) emploient constamment les mêmes filons. Le même graphisme. Plusieurs clients se sont plaints que l'alibi ne correspondait pas à ce qu'ils avaient demandé. Le service clientèle leur a répondu de lire les notes en bas de page... Les clients n'avaient plus qu'à la boucler. Que faire d'autre ? Nous traduire en justice ? Demandez au service clientèle de vous fournir les courriels de tous les clients qui se sont plaints des prestations, qui les ont engueulés...

Grobler monte en pression. Il raconte que la sécurité exceptionnelle qui entoure les données, dont Richter s'est vanté dans les médias, est un mythe. Chacun des programmateurs peut farfouiller comme il veut dans la base de données. Presque tout le monde ici sait qu'Ernst Richter allait fouiner dans les informations sur les clients, à la recherche de noms connus. Desiree Coetzee, la directrice opérationnelle, l'a attaqué deux fois sur ce sujet. Richter se défendait en disant qu'il s'agissait de *son* entreprise, qu'il possédait les données, qu'il pouvait les consulter à sa guise. La confidentialité dont il s'enorgueillissait, c'est du bidon. On est tous au courant, mais personne n'a le courage de l'ouvrir.

– Que faisait-il avec ces noms connus ? demande Cupido.

– Rien. Ça flattait son ego, c'est tout.

– Je croyais que tous les employés étaient heureux dans cette boîte, intervient Griessel.

– Foutaises ! jette Grobler avec passion. (Il regrette cette exclamation.) Excusez-moi. Mais ce n'est pas vrai. Depuis le dégraissage, on doit travailler plus et plus longuement. Des rumeurs de licenciements supplémentaires circulent, car les affaires de la société ne sont pas florissantes. Seul Ernst souriait, il pilotait son coupé Audi, rencardait toutes les nanas de la ville, prenait deux ou trois heures pour déjeuner. Quand il revenait au bureau, pompette et bien enfumé, il venait faire copain-copain avec les types de la technologie ou du graphisme...

La tension en lui prend le dessus.

– Il n'y a pas que moi qui le considérais comme une merde. Tout le monde pense ainsi. Et les voilà tous trop craintifs pour oser l'avouer. Demandez aux autres programmateurs. Derrière son dos, ils disaient qu'il n'était qu'un hacker amateur, avec ses petits T-shirts, mais c'est à peine s'il savait encoder un HTML. Quand on a fabriqué le site, on s'est rendu compte qu'il en était resté à HTML Four.

C'était un putain d'escroc, je vous assure. Ce n'était qu'une façade, rien dans son image n'était vrai. Rien. Brillant en surface, puant en dessous. Parmi les gens qu'il a virés, certains sont plus remontés que moi...

– Qui, par exemple ?

– Je ne me souviens pas de tous les noms. Il y a eu deux dégraissages... Il fallait les entendre, ceux qui sont sortis du bureau de l'administration... Tous voulaient casser la gueule d'Ernst, car il se pavanait dans les journaux en disant que la société était florissante, alors qu'en même temps il licenciait à droite et à gauche.

– Quelqu'un l'a-t-il menacé ? A parlé...

Le téléphone de Cupido sonne. L'appel vient de Vusi. Il lève la main en geste d'excuse. Il écoute, répond doucement et salue Vusi.

– Tricky, dit-il, tu fréquentes régulièrement les exploitations viticoles ?

– Les exploitations viticoles ?

Ricky est abasourdi par la nouvelle tournure que prend l'interrogatoire.

– Quelle partie de la question ne comprends-tu pas ?

– Les exploitations viticoles ? Qu'est-ce que ça a à voir... ? Je ne les fréquente pas, je bois de la bière.

– Où est ta voiture ?

– Ici, sur le parking.

On frappe à la porte. Tous quatre lèvent le nez. Derrière la vitre, Desiree Coetzee, les sourcils froncés.

Cupido se lève.

– Nous avons de nombreuses preuves chimiques, Tricky. Nous allons prendre ta voiture et on va la passer au peigne fin. Si cela montre que tu as fréquenté un domaine viticole, ta mère te verra à tous les coups à la télé.

Un soulagement se lit sur le visage de Grobler. Il expire longuement et lentement.

– OK, souffle-t-il. Parfait.

Cette réaction déçoit Cupido, mais il ne le montre pas et se dirige vers la porte.

— Accompagne le capitaine Liebenberg, donne-lui ton numéro d'identité nationale, les données de ton portable et tes clés de voiture. On envoie ta bagnole au labo, elle nous racontera son histoire.

— Comment je rentre chez moi ?

— Le capitaine t'y emmènera. Tu y restes. Tu n'en sors pas sans l'avertir.

— Ma voiture, combien de temps… ?

— Jusqu'à ce qu'on ait fini.

Cupido ouvre la porte.

— Les gens de l'équipe de jour veulent savoir s'ils peuvent rentrer chez eux.

Cupido regarde sa montre. Il est 17 heures passées.

— OK, dit-il. Où puis-je vous joindre si c'est nécessaire ?

— Je vais rester encore un bon moment ici.

* * *

Au début de sa carrière policière, Frank Fillander a constaté que nombre de ses collègues travaillaient plus vite que lui. Et de façon plus habile. Il possède en revanche deux atouts : son infinie patience et son discernement quand il s'agit de jauger quelqu'un. Deux qualités utiles pour un enquêteur. C'est pourquoi il a progressé, lentement mais sûrement, pour devenir capitaine chez les Hawks. Pas mal pour un homme de cinquante et un ans, métis natif de Pniel, qui a quitté l'école à quinze ans.

À 17 h 24, il se dirige vers son bureau. Il téléphone d'abord à son épouse Vera à Paarl et lui annonce : « Ma chérie, je m'embarque pour une longue soirée. » Il l'écoute se plaindre de leur fils cadet, dix-neuf ans, qui vient à nouveau de rompre avec sa petite amie : « Ce garçon ne sait pas saisir les bonnes occasions, Frankie. » Il calme

Vera : « Laissons-lui du champ, ma chérie, il est encore très jeune. » Il remonte les manches de sa chemise blanche jusqu'au-dessus des coudes et dépose sur le bureau tous les documents imprimés concernant la vie numérique d'Ernst Richter.

Le sergent Zézaie Davids lui a expliqué par le menu d'où provenait chaque information : d'abord la liste des SMS, des messages WhatsApp et iMessages. Puis les dialogues sur Tinder, les messages personnels et généraux sur Twitter, les échanges sur Facebook et son agenda des trois derniers mois. Ensuite la liste des appels téléphoniques, reçus et envoyés, Davids ayant précisé qu'il ne disposait que des deux dernières semaines précédant la mort de Richter.

Fillander ouvre son tiroir, sort un paquet de bâtonnets de biltong pimenté, en choisit un et le fourre dans sa bouche. Il s'assied, tire la liste des SMS vers lui et commence à l'éplucher. Du bout des doigts, il caresse la cicatrice qui part de son oreille jusqu'au sommet de son crâne, à l'endroit où ses cheveux gris marquent une ligne droite. Il s'agit d'un geste inconscient, car il ne le fait que lorsqu'il est très concentré.

La première lecture lui prend plus d'une heure.

* * *

John Cloete, le porte-parole des Hawks, reçoit dix-sept appels des médias après 16 heures, car ils préparent les journaux du soir, les éditions du matin ou la mise à jour de leur site. Le reporter du tabloïd *Son* lui téléphone à 17 h 32 pour lui demander si l'autopsie est terminée.

– Tout ce dont je dispose à l'heure actuelle, c'est que Richter est mort par strangulation, Maahir. Tu es le premier à le savoir, tu tiens ton scoop.

– Quand vas-tu diffuser la nouvelle ?

— Plus tard dans la soirée.

— Ça ne fait pas mon affaire, John. Les autres journaux sortiront, comme nous, l'info demain matin.

— Mais vous avez un compte sur Twitter et un site.

— Et pour la date de sa mort ?

— Je n'ai aucune confirmation. Le pathologiste dit que son rapport définitif prendra quelques jours.

— Je vais donc faire avec ce que j'ai.

— Il se raconte qu'il est mort depuis une semaine.

— En effet.

— Maahir, il ne s'agit que d'une spéculation.

— Soit, conclut le reporter en raccrochant.

Cloete soupire, allume une cigarette et se cale sur sa chaise.

* * *

C'est en soupirant également que Cupido s'assoit en face de Griessel ; ils sont seuls dans le bureau de Desiree Coetzee. Un silence s'installe, comme s'ils voulaient tous deux retrouver leurs esprits. On n'entend que le murmure du climatiseur et un téléphone qui sonne au loin.

— Faut que je rende compte au *major* Mbali, Benny...

Pensif, lourd, moins de venin dans le mot « major ».

Griessel voit que la responsabilité du commandement opérationnel pèse sur les épaules de Vaughn. Surtout parce qu'ils n'ont pas tellement progressé.

Cupido soupire une fois de plus, puis raconte à Griessel le contenu de l'appel de Vusi Ndabeni, point par point de façon mesurée, l'hypothèse du pathologiste concernant le jour du décès, les analyses chimiques des légistes. Il termine :

— Comment vois-tu les choses, Benny ?

Griessel commence par réfléchir. L'effet du petit remontant de midi a diminué, il se sent le corps et la tête bien fatigués. Le mieux qu'il trouve à dire :

– Je ne pense pas qu'il s'agisse de Rick Grobler.

– C'est exactement mon sentiment. En fait, on n'a que dalle. Pas de suspect, à part l'infime possibilité que ce soit un client parmi les milliers que compte Alibi, une des personnes licenciées et la moitié du staff qui n'aimait pas Richter.

Griessel approuve de la tête.

– Je penche pour faire entrer Bones dans la danse, parce que tout ce qui compte dans cette affaire, c'est l'argent, dit Cupido sans enthousiasme.

Le major Benedict « Bones » Boshigo est membre de la branche Crimes commerciaux des Hawks. Quand on en vient aux chiffres compliqués, son numéro est un de ceux qu'on appelle sans tarder.

– Bonne idée, Vaughn.

– Il ne faudrait surtout pas qu'on tombe sur un de ces meurtres aléatoires. Richter dans sa bagnole chic s'arrête au mauvais moment au mauvais endroit, on le kidnappe, on l'emballe quelque part sur un domaine viticole... Les ravisseurs hésitent sur la marche à suivre, ils ne volent rien... Non, c'est de la spéculation pure...

Le silence revient.

– Je pense que Desiree Coetzee ne nous a pas tout dit, estime Griessel.

Cupido se redresse.

– Tu crois ? demande-t-il avec étonnement et une once de reproche, comme si Griessel avait commis une gaffe.

– Juste un pressentiment.

– Je ne l'avais pas envisagé.

Cupido en soupèse les conséquences, et entrevoit de nouvelles possibilités.

– Benny, il faut commencer par la maison de Richter. Si tu n'y vois pas d'inconvénient. Je vais demander à Willem et Vusi de t'aider. En attendant j'appelle le major et après je vais causer à Coetzee.

* * *

Sur Twitter apparaît à 18 h 08 le message suivant :

NoMoreAlibis
@NoMoreAlibis
Allons publier la liste complète des clients d'Alibi.co.za dans 18 heures. URL suit. #ErnstRichter #QuiatueErnst #NoAlibi

Il n'y a pas la photo d'un visage dans la case identité Twitter – juste un A noir en caractère gras sur fond blanc avec un trait rouge en travers.

Le message met trente et une minutes avant de se répandre comme un virus et avant que le portable du capitaine John Cloete ne se mette à sonner sans discontinuer.

41

François Du Toit évoque son enfance.

Il a treize mois de moins que son frère Paul. Il se souvient de leur maison à Onder-Papegaaiberg, car c'est là qu'il a passé les six – presque sept – premières années de sa vie, avec son père Guillaume, sa mère Helena et Paul, son frangin. Des évocations agréables, sans soucis, loin du péché des ancêtres, ignorant les tensions familiales.

Son visage mat lui vient des Malherbe, du côté de sa grand-mère Hettie. Paul a la peau très blanche. Les deux garçons portent des cheveux longs sur les photos de l'époque, car les us et coutumes d'Helena sont peu orthodoxes.

À présent, François n'arrive plus à distinguer entre ses souvenirs de Klein Zegen, avant et après qu'ils s'y sont installés. Il sait que la famille s'est parfois rendue au domaine, quand le grand-père Jean était absent. Il se souvient bien d'*ouma* Hettie sous la varangue de la belle maison, en train de préparer les betteraves, les mains rouges et la voix douce.

Enfant, il a suivi vaguement les années de bouleversements politiques – entre autres la joie de sa mère en 1990 lors du discours capital de Frederik De Klerk au Parlement. En même temps il ressentait les inquiétudes de son père en butte aux tensions au travail, le coin qui s'insinuait entre Dietrich Venske et lui, dû probablement aux nouveaux rapports de force dans le pays.

Les souvenirs des sept premières années se confondent. Sauf le jour du décès d'*oupa* Jean.

Il en retient le dénouement, le reste lui a été raconté par sa mère et sa grand-mère. Cela se passait en 1994, une période de renouveau pleine d'optimisme après les sombres années d'apartheid. Le marché international du vin s'ouvrait, la KWV faisait face à de grands changements. Par un froid samedi d'automne, le jeune Paul a joué son premier match de rugby dans l'équipe des moins de neuf ans de l'école primaire Eikestad. Le blondinet, les cheveux désormais plus courts en raison du règlement scolaire, s'est révélé remarquable, faisant montre d'un talent étonnant.

Son père Guillaume assistait, impassible, à la compétition. Il a caché son émotion, car face à ce rejeton phénoménal, il se sentait mal à l'aise. Atterré même. En partie à cause de son étonnement, en partie parce qu'il comprenait d'où venaient les gènes sportifs et ce que cela signifiait plus largement. Mais de surcroît il lui a semblé voir son propre père, furtif, parmi les parents hurlant des encouragements. À soixante-huit ans, Jean, avec sa démarche lente et boiteuse, faisait plus vieux que son âge.

À l'issue du match, le malaise de Guillaume a été balayé par les félicitations des spectateurs. Ils sont allés fêter la belle prestation de Paul dans un restaurant de son choix – burgers et milk-shakes chez Arizona Spur. La famille est rentrée à la maison. Guillaume a mentionné à Helena la présence de son père sur le terrain – sa première marque d'intérêt envers son petit-fils.

Un peu après 3 heures, le téléphone a sonné. Hettie Du Toit a annoncé la mauvaise nouvelle. On avait trouvé Jean sur la route de Blauwklippen. Il était assis dans sa camionnette, au bord de la route, comme s'il s'était garé. Droit, son coude appuyé sur la vitre ouverte. Seule sa tête était inclinée dans la mort, comme un homme qui se serait finalement repenti.

On pense qu'il a eu un infarctus.

Et Guillaume Du Toit, dont la vie commençait enfin ce jour-là, après tant d'années de lutte contre la colère et le ressentiment, s'est mis à pleurer de façon incontrôlée. Personne ne saura jamais pour qui il a versé ses larmes.

42

Fillander épluche une première fois tous les documents, s'étire sur sa chaise. Il pense qu'Ernst Richter n'était pas un mauvais gars.

Les mauvais, il les connaît bien. Il en a vu de toutes les sortes. Ce type-là n'est pas de ce genre.

Certes, il a ses défauts. On ne peut pas s'empêcher de les remarquer.

Défaut numéro un : joli cœur. Richter voulait plaire à tout le monde. Sur son application de rencontre en ligne Tinder, il a engagé seize, dix-sept conversations avec des nénettes, avec un penchant particulier pour les blondes aux cheveux longs et raides dont la photo laisse entrevoir de l'innocence, feinte ou non, aux regards légèrement fuyants comme ceux des vierges. Même topo avec les SMS et les messages WhatsApp et Facebook. Gentil avec tous, même avec les fanatiques qui l'insultent et le menacent. En l'occurrence, une personne qui a choisi le nom de Jesus-is-Lord !!! sur Facebook a envoyé un message à Richter : « L'étang embrasé t'attend. Tu vas griller en enfer. Moi, dans les bras du Seigneur, je te contemplerai. L'Apocalypse chapitre 21, verset 8 : *Quant aux lâches, perfides, êtres abominables, meurtriers, débauchés (!!!!!!), sorciers, idolâtres et tous les menteurs (!!!!!) la part qui leur revient c'est l'étang embrasé de feu et de soufre qui est une seconde mort.* »

Richter lui avait répondu : « Je respecte votre point de vue. Chacun d'entre nous a le droit de croire ce qu'il veut. »
Tout simplement. Très correct.
Ce petit gars voulait qu'on l'aime.
Défaut numéro deux : dragueur invétéré. Notons dix-sept minettes contactées jusqu'en octobre. Il a beau avoir été charmant avec elles, on voit clairement quel était son objectif. Il veut au bout du compte les amener dans son lit. Rien de vulgaire, rien de direct, lentement, tout en douceur, en subtilité, mais inévitablement dans ce sens. Comme il sied certainement à un homme de son âge et de son statut.
Ce matin, Vaughn Cupido a signalé que Richter et sa copine Cindy Senekal s'étaient connectés début octobre. Depuis cette date, on voit diminuer le nombre de ses avances. Début novembre, il a toutefois une liaison, selon ses messages sur WhatsApp qui mentionnent trois parties de jambes en l'air à l'heure du déjeuner, chez lui à Stellen-bosch, quartier de Paradyskloof.
Mais ce qui est vraiment intéressant, c'est qu'il s'agit d'une femme plus âgée, du moins selon les critères de Richter. Sarah Woodruff, quarante et un ans, affiche un profil mystérieux sur Tinder, le regard en biais vers l'objectif, la moitié du visage cachée derrière une capuche. Elle ne ressemble pas aux poupées blondes habituelles, elle serait plutôt brunette.
Cela signifie qu'il faut la retrouver et lui parler. C'est pourquoi Fillander aura une note à pondre.
Défaut numéro trois : fanfaron. À commencer par son profil sur Twitter et Tinder. « Président-directeur général, fondateur et actionnaire majoritaire d'Alibi.co.za. Serial entrepreneur, businessman sérieux, je soutiens la liberté de parole et de choix, une société ouverte et Internet pour tous. J'adore mon métier, j'adore ma vie. *Wealthy, healthy, happy* – aisé, sain, heureux. » (Je le crois volontiers, songe

Fillander, car sur sa photo Richter arbore un grand sourire radieux.)

Le mot « aisé » est un euphémisme, car n'importe quelle blondinette, si elle décrypte le contexte, peut se rendre compte qu'il est plein aux as.

Un fanfaron peu subtil.

S'ajoute à cela ce que le père de Fillander appelait « la vantardise raffinée ». Une photo sur deux, postée ou tweetée par Richter, n'a d'autre objet que de montrer comme il est riche et sympathique. Le petit coupé Audi TT figure souvent à l'arrière-plan. En juillet, les quelques photos du parc Kruger sur Facebook indiquaient « Échappée à The Outpost dans le Kruger pour un moment de repos ». En août, il tweete la photo d'une bouteille d'Alto MPHS[1] de 2007 sur une belle nappe de restaurant, à côté d'un verre à moitié vide, d'un petit pain rond et d'un ravier de beurre. Avec les mots : « 1 000 rands la bouteille. Un vin merveilleux, suis prêt à mettre deux fois plus. »

Vantard raffiné.

Fillander songe : Richter voulait que chacun sache qu'il était riche, accumulant les succès, mais gentil en même temps. Il saisit encore un bâtonnet de biltong, le glisse dans sa bouche, et reprend tout depuis le début. Afin de s'assurer qu'il n'a rien manqué.

* * *

— Je ne vais pas permettre aux médias de me dicter la manière de mener cette affaire, déclare Mbali Kaleni avec une expression de dégoût complet.

---

1. D'après les prénoms des quatre rebelles du vin qui dirigent le domaine Alto : **M**anie Malan, **P**iet Du Toit, **H**empies Du Toit et **S**chalk Van der Westhuizen.

– Ce n'est pas ce que je dis, major, plaide l'imperturbable John Cloete. Mais il faut que je leur fournisse des éléments de réponse.

– Je ne comprends pas la question.

– La question, avance-t-il patiemment, c'est de savoir si nous allons enquêter sur cette tentative de publier sur Internet la liste complète des clients d'Alibi.

– Pourquoi devrions-nous lancer une investigation, capitaine ? Il ne s'agit pas de notre problème.

– Major, avec tout mon respect, si je leur donne ce genre de réponse, c'est l'ensemble de la police qui aura une mauvaise image.

– Pourquoi ? Nous enquêtons sur le meurtre d'un homme. Nous ne nous servons pas des services d'Alibi. Notre rôle n'est pas de protéger les coureurs de jupons et les époux volages.

Cloete avale un soupir.

– Devrais-je annoncer que nous étudions toutes les affaires liées à l'enquête sur ce crime ?

– Ça pourrait aider ?

– Pendant un bout de temps.

– Alors, vous pouvez le dire.

– Pourrais-je ajouter que si nous trouvions un lien entre la tentative de rendre publique la liste et le meurtre nous lancerions une enquête ?

Kaleni réfléchit.

– OK.

– Merci, major.

– Vaughn est-il au courant de ces manigances ?

– Je... Je ne crois pas. Je suis venu vous voir directement.

Elle opine.

– Dans ce cas-là, il vaut mieux que je l'appelle.

* * *

Soucieux, Cupido fait les cent pas en attendant Desiree Coetzee devant un restaurant de Drostdy Street, The Birdcage.

Il a bien vu que la journée l'avait fatiguée et perturbée. Il a saisi l'opportunité. Il s'est excusé d'avoir encore à s'entretenir avec elle, ajoutant « pas nécessairement ici ».

– Ah ! Merci, dit-elle.

– Je peux vous offrir un café ?

– Avec une tarte meringuée au citron ?

– Bien sûr.

Il suggère alors The Birdcage, lui dit qu'il l'attendra là-bas et saute dans sa voiture, satisfait de lui. Mais l'endroit est fermé. Il est marqué sur la porte *Lundi-vendredi : 9 h-17 h. Samedi : 9 h-13 h. Dimanche : fermé.* Il se demande à l'instant, à 18 h 42, si elle savait ça. Histoire de l'éviter ?

Pourquoi ? Ne l'apprécie-t-elle pas ? Ou bien Benny a-t-il raison – elle cache quelque chose ?

Son téléphone sonne. Il constate que c'est le numéro de sa chef. Il répond.

* * *

Griessel essaie de dissimuler à Mooiwillem Liebenberg le tremblement de ses doigts tandis qu'ils enfilent des gants de caoutchouc devant la maison de Richter. Il s'agit d'une grande bâtisse à un étage, située au cœur de Mont Blanc, une résidence sécurisée de Paradyskloof à flanc de montagne. Trois garages, toit d'ardoise grise.

– Il habitait seul ? demande Liebenberg.

– C'est ce qu'on nous a dit.

Griessel ouvre la porte.

– Trois garages, murmure Liebenberg avec philosophie.

Ils entrent. Le système d'alarme se déclenche. Il fait chaud à l'intérieur et la maison inoccupée depuis trois semaines sent un peu le renfermé. Griessel se dirige prestement vers le tableau de l'alarme et tape le code que le poste de police lui a remis en même temps que la clé. Mooiwillem et lui vont ensuite chercher leurs mallettes.

Liebenberg ouvre la porte de gauche afin d'inspecter le garage.

La pièce est presque vide. Sur les étagères du mur du fond se trouvent quelques bouteilles, des aérosols et des pots, tous destinés à faire reluire la voiture, ainsi qu'un tas de chiffons.

— Trois garages pour n'en utiliser qu'un... dit Liebenberg.

Griessel ne se sent pas bien. Une vague nausée, le premier signe que le mal au crâne va reprendre, un bourdonnement dans la tête comme un lointain essaim d'abeilles. Ces mains qui tremblent, *jissis,* c'est la première fois en trois ans que ces putains de mains tremblent. Épuisé, le sentiment qu'il faut s'allonger. C'est absurde, il a toujours tenu l'alcool, mais son corps de quadragénaire le trahit à présent. Il secoue la tête pour dénier tout ça.

— Je vais commencer... dit-il, mais le téléphone de Liebenberg sonne.

Mooiwillem répond. Il écoute longuement, dit une fois « Chez lui », plusieurs fois « OK » et termine la conversation. Il grimace et s'adresse à Griessel :

— Vaughn pense que Rick Grobler menace de diffuser sur Internet le nom de tous les clients d'Alibi. Il tient à ce que j'aille lui parler. Il habite juste en bas...

Liebenberg se dirige vers la porte.

Ils savent que la règle veut que deux enquêteurs soient présents pour l'inspection d'une maison. Car l'avocat de la défense aura tôt fait de demander : « Cet indice, quelqu'un peut-il témoigner que vous l'avez trouvé sur place ? Ou l'avez-vous déposé ? »

Mais Griessel se dit que si Liebenberg dégage vite, il aura le temps de chercher une bouteille. Elle soulagera la douleur la plus aiguë.

— Vusi ne va pas tarder, dit-il.

— OK, collègue, je reviens vite.

Liebenberg sort, Griessel se retrouve seul dans la grande maison vide.

* * *

À son grand soulagement, Cupido voit Desiree Coetzee traverser la rue. Elle a le pas athlétique, la démarche franche d'une belle jeune femme souple qui respire la confiance en soi.

Son ventre se noue. Cette fille ne joue-t-elle pas dans une division plus élevée que la sienne ?

— Je suis vraiment désolée, dit-elle de loin. J'ai été retenue.

— Ce n'est pas grave, répond-il. Mais l'endroit est fermé.

— Oh, fait-elle, légèrement désarçonnée. Évidemment. J'ai oublié. Désolée…

C'est comme s'il captait en un coup d'œil la face cachée de la dame, une Desiree Coetzee intime, quand elle n'est plus la directrice opérationnelle d'Alibi. Plus douce, un peu distraite, vulnérable. Le cœur de Vaughn se ramollit, cela lui donne un infini courage.

— Il y a certainement d'autres cafés ?

— Oui. Bien sûr. Par là, en descendant Church Street…

Ils marchent en silence. Pour la première fois, Cupido regrette d'avoir mis ses vêtements tape-à-l'œil.

— Vous avez des enfants ? lui demande-t-elle alors qu'ils obliquent vers la rue animée en fin d'après-midi par les promeneurs, les voitures, les terrasses de café.

La question est tellement inattendue qu'il balbutie.

— Je euh… Non, je ne suis pas…

Il voudrait lui dire qu'il est un gars célibataire et correct.

— Je n'ai jamais été marié.

— Moi non plus, mais j'ai un petit garçon, réplique-t-elle. C'est pourquoi je suis en retard.

Il a envie de se mordre la langue.

* * *

À 19 h 11 sur Twitter.

NoMoreAlibis
@NoMoreAlibis
Plus que 17 heures. Les données des clients d'Alibi seront sur le web. Un échantillon dans 30 minutes. #ErnstRichter #QuiatueErnst #NoAlibi

Les suiveurs de @NoMoreAlibis font un bond : 2 467 désormais.

43

FdT : Le testament d'*oupa* Jean était destiné à abattre mon père. Papa a bien hérité du domaine, mais pas du moindre centime en capital. L'assurance-vie, les quelques investissements, pas vraiment une fortune, tout est passé dans un fonds familial. *Ouma* Hettie en a reçu l'usufruit, sous forme de revenu mensuel. À son décès, tout cela reviendrait aux sœurs de papa.

Papa hérite donc de Klein Zegen à l'âge de quarante-deux ans, une exploitation qui fournit à la KWV depuis un demi-siècle des raisins de qualité moyenne, voire faible – principalement du chenin blanc et du pinotage. Ce pinotage que mon père cultivait systématiquement, Dietrich Venske s'en gaussait, affirmant que c'était le même que Sakkie Perold avait obtenu en 1925 par croisement du pinot et de l'hermitage. Ce vignoble symbolisait toute l'exploitation : anachronique, vieille et vieillotte, négligée…

Trois mois après la mort du grand-père Jean, nous nous sommes installés au domaine.

Ouma Hettie a souhaité s'installer en ville, mais papa l'a convaincue de rester. Il lui a dit qu'il la voulait auprès de lui, après toutes ces années d'éloignement. C'est elle qui connaissait le mieux le vignoble et les comptes. Elle a emménagé dans le cottage, à cent mètres environ de la maison de maître. À soixante-quatre ans, elle était encore jeune de cœur et d'esprit. Elle m'a beaucoup influencé...

En tout cas... J'étais encore trop jeune pour le percevoir clairement, mais tout le monde trouvait que mon père s'était comme réveillé. Commençait pour la première fois à vivre pleinement. Il s'est entièrement donné à l'exploitation, travaillant de 5 heures du matin jusque tard le soir, comme s'il sentait qu'il ne disposait pas de beaucoup de temps pour réaliser son rêve de transformer Klein Zegen. Pour la première fois il a eu l'impression que les étoiles lui étaient favorables. Car nous étions en 1994, l'année de la démocratie. Les marchés internationaux se sont ouverts à l'Afrique du Sud, nous étions des producteurs nouveaux, demandés, exotiques, tout le monde voulait donner un coup de pouce aux viticulteurs.

Maman a largement épaulé papa. Elle n'a pas pu laisser tomber son travail d'enseignante à l'université, car nous dépendions trop de son salaire. Elle le soutenait de tout son cœur. Évidemment, dès le début elle a décrété que le bien-être de leurs ouvriers serait une de leurs priorités. Elle s'en est occupée personnellement. Elle était tout à la fois conseillère et assistante sociale, infirmière et pasteur, mère poule et magistrate. Elle a lancé des projets de réhabilitation de leurs maisons, de plans de retraite, de bourses scolaires pour leurs enfants. Dès que papa, lentement, a fini de rembourser les emprunts, elle l'a convaincu d'intéresser ses employés aux revenus de l'exploitation.

Ils furent heureux, je le pense, tout au long de ces dix ou douze premières années.

De tous, ce fut probablement moi le plus heureux, celui qui a le plus profité du domaine. C'était... Je ne peux rien trouver de comparable, c'est tout ce que je connais, mais c'était pour moi un vrai paradis. Toutes ces choses... la nature, la terre, le climat – pluie et vent, chaleur et froidure –, les saisons, tout cet enchaînement de gestes pour fabriquer le vin… Papa n'était pas causant, je pense qu'il souhaitait que Paul et moi appréciions le vin comme il l'avait fait, par assimilation, par expérience, par l'observation, le toucher et l'odorat, par le travail avec les ouvriers agricoles, en vivant au milieu des vignes, en taillant, en récoltant…

C'est ce que j'ai fait. Mais pas Paul.

Je n'ai pas compris combien cela a affecté papa.

44

Griessel lutte contre son envie de se procurer immédiatement de l'alcool.

Jissis, il n'est tout même pas si désespéré.

Mais Vusi sera là bientôt, il ne faut pas perdre de temps.

Il traverse la cuisine. Le four en inox étincelant semble neuf et inutilisé. Un réfrigérateur à deux portes. Une machine à café coûteuse. Des éclaboussures sur la vitre du four à micro-ondes indiquent que ce dernier au moins a servi. Pas de table dans cet espace dégagé. Un salon de l'autre côté. Un écran plat géant sur une table étroite avec un décodeur DStv, une Play Station 4 et une Xbox 360. Deux transats. Un buffet, solide et moderne, contre le mur d'en face.

Un placard à liqueurs ?

Il file par-derrière. Deux chambres à coucher, une salle de bains, les deux chambres vides de meubles. Il ouvre les placards. Ne trouve qu'un aspirateur.

Il vacille sur l'escalier. Vusi sera ici d'un instant à l'autre.

Il revient vers le buffet du salon, ouvre la porte. Du vin, du whisky, du brandy, de la vodka, des liqueurs. La plupart des bouteilles ne sont pas ouvertes, comme si Richter se préparait à organiser une fête qui n'avait jamais eu lieu. Une grande diversité de verres. Un tire-bouchon et un décapsuleur. Un demi-paquet de cacahouètes salées.

Il repère le Jack Daniel's à moitié caché derrière des

bouteilles de vin – du Klein Zegen Fire Opal. Il se baisse, sort la bouteille de Jack, et la pose sur la commode.

Prends donc une lampée, se dit-il, pas la peine de salir un verre.

Il saisit la bouteille au goulot, place le pouce et l'index autour du bouchon, et d'un coup il se voit – pour la première fois de la journée il perçoit son désespoir et sa faiblesse, sa soif et sa maladie. Il se souvient de ses années sombres, il se souvient de cette dépendance totale, de cette impuissance, de cette envie dévorante. Il cherche à retrouver les excuses de la veille – il veut les renouveler, les renforcer –, mais à cet instant elles lui échappent. Les appels de Doc Barkhuizen, les SMS d'Alexa, la déception de ses enfants s'ils l'apprenaient...

L'émotion, l'esprit troublé, les yeux humides. Seigneur, va-t-il retomber dans l'ornière, tout perdre à nouveau ? Pourquoi est-il dans cet état ? Faible et dépendant.

Mais tu n'as plus grand-chose à perdre, lui murmure son cerveau.

Juste une gorgée. Tu songeras plus tard à toutes ces histoires.

Il faut qu'il appelle Doc. Il sort son téléphone de sa poche.

Une porte de voiture claque. C'est Vusi.

Il replace en hâte la bouteille dans le buffet, referme la porte.

* * *

Ils vont s'asseoir à la terrasse du Basic Bistro dans Church Street.

Cupido souhaiterait dissiper le silence gênant des cinq dernières minutes. Et rattraper sa gaffe.

– Alors, quel âge a votre fils ?

– Onze ans.

Le garçon apporte les menus.

– Vous voulez manger un morceau ?

Elle le regarde un instant, comme si elle soupesait les motifs de Cupido.

– Vous, vous voulez manger quelque chose ?

– Oui, si ça vous dit...

– OK, répond-elle avec un petit geste de la tête qu'il n'arrive pas à interpréter.

Ils étudient le menu.

Elle pose la carte.

– J'avais dix-huit ans quand je suis tombée enceinte. Ici même, en première année à Stellenbosch. C'était compliqué. Le père était blanc. Une aventure d'une nuit. On était tous deux très jeunes. Terrifiés.

Elle parle sans timidité, sur le mode « fais-en-ce-que-tu-veux ».

– Des deux côtés les parents étaient furieux. Les siens parce qu'il avait couché avec une métisse, les miens parce qu'ils en avaient bavé pour me payer l'université, je gâchais ma vie, ce genre de truc.

– D'où venez-vous ?

– De Robertson. Je suis une fille d'un coin perdu. Et vous ?

– De Mitchells Plain.

Elle opine, comme si ça lui expliquait quelque chose. Cupido brûle de lui demander quoi.

Le garçon vient prendre les commandes. Cupido s'excuse :

– Je vais devoir peut-être répondre à des coups de fil...

– Je vous en prie, ce n'est pas un rendez-vous galant.

Il arrive mal à cacher ses sentiments. Elle lit la gêne sur son visage et ajoute :

– Je sais que vous êtes en service.

Il a envie de lui demander comment une fille comme elle a pu atterrir chez Alibi. Si elle a un petit ami. Mais il sait qu'il se démasquerait.

– Vous avez entendu dire qu'un individu veut publier la liste de vos clients sur Internet ?

– Oui. Cela va nous anéantir si ça se fait.

– Ce matin vous nous avez dit que de toute façon la boîte périclitait, à cause du découvert.

Elle prend une fourchette sur la table, la tourne entre ses doigts.

– Vous voulez entendre une chose curieuse ? Quand Ernst a disparu, avec tout le battage médiatique, le nombre de nos abonnés a crû de trente-deux pour cent. Il n'y a pas de mauvaise publicité. Le malheur des uns fait le bonheur des autres, c'est dommage, je sais, mais c'est ainsi que fonctionne le monde. Même chose aujourd'hui. Je consulte les statistiques chaque soir avant de partir. On a connu un pic de nouveaux abonnés ce matin. Mais cette histoire de publier les données des clients, ça va effrayer les gens. Même s'il ne s'agit que de bluff.

– Vous croyez que c'est du bluff ?

Elle lève les épaules.

– Qui voudrait faire ça ? Qui peut faire ça ? Il y a des suspects ?

– Bien trop. Tous les employés des Technologies de l'Information qui ont été licenciés…

– Qu'en est-il de Rick Grobler ?

Elle réfléchit les yeux baissés, les lèvres pincées.

– Je ne pense pas.

– Pourquoi ?

– Pourquoi l'aurait-il fait ? Qu'a-t-il à y gagner ?

– C'est un mec en colère…

– Il était furieux à cause de l'argent, mais la base de données, c'est son bébé. Il est de la vieille école. La sécurité des données, c'est sacro-saint. Il met beaucoup d'orgueil dans son travail… et… j'ai l'impression qu'il est amoureux de moi, pour être claire. Genre coup de foudre de gamin…

Elle sait qu'elle est magnifiquement belle, songe Cupido. Ce n'est pas une mauvaise chose. Lui-même est partisan d'une saine image de soi.

– Vous êtes donc au courant de la somme que Richter lui a empruntée ?

– Rick est venu me le dire quand Ernst n'a pas remboursé la première fois. À moi et à Vernon Visser.

– Vernon Visser ?

– C'est le chef du département financier.

– Ah ! Oui.

– Nous sommes allés voir Ernst. Nous étions très inquiets. Ernst nous a répondu que tout était en ordre, qu'il fallait juste attendre que nos partenaires en capital-risque aient fini d'étudier la comptabilité.

– Et le courriel de Grobler disant qu'il allait étrangler Richter ?

– Je ne l'ai pas lu. C'est pour ça que Rick est considéré comme suspect ? Pour une histoire de courriel ?

– Oui.

Elle réfléchit à nouveau, les lèvres pincées.

– Je ne pense pas... Ça ne peut pas être lui. Rick... c'est un agneau.

– Un agneau n'écrit pas ce genre de courriel. Plein de violence et de colère.

– Vraiment ?

Elle marque un étonnement sincère.

Il hoche la tête.

Elle évalue l'information.

– Mais vous n'êtes pas certains que ce soit lui.

– Pourquoi dites-vous ça ?

– Parce que vous êtes ici, et que vous ne m'interrogez pas que sur Ricky.

Une femme futée, songe-t-il.

– Combien de personnes peuvent accéder à la base de données ? Pour la poster ensuite sur Internet ?

– Les données sont bien sécurisées contre des hackers extérieurs. Mais à l'intérieur... Tous les techniciens, pratiquement. Il faut bien qu'ils puissent y accéder pour faire leur boulot.

– Ça pourrait être une personne qui a été virée ?

Elle hausse à nouveau les épaules, du style « ce-ne-sont-pas-mes-oignons ».

– Vous vous en moquez ?

– Au contraire. Je me soucie de tous ceux qui travaillent dans la boîte. Mais le bateau coule depuis un moment, et maintenant qu'Ernst a disparu… Sans lui je ne vois pas d'avenir tout simplement. Les sociétés partenaires ont honte de nous, si jamais la vérité sur nos finances éclate, si jamais la banque nous interdit tout découvert… C'est une question de temps.

– Qu'allez-vous faire ?

– Cela fait quelques semaines que j'ai actualisé mon CV…

Le silence s'installe.

– Mon collègue pense que vous n'avez pas tout dit ce matin, lâche Cupido, conscient qu'il faut aborder les sujets désagréables à un moment ou un autre.

– Celui qui ressemble à un homme politique russe, aux manières qui vont avec ?

Cupido sourit. Personne n'a jamais décrit Griessel de la sorte.

– Celui-là même.

Elle hausse les épaules.

– J'ai répondu à toutes vos questions.

– Quelle question n'ai-je pas posée ?

Desiree Coetzee regarde Cupido avec de grands yeux. Longtemps. Au moment même où elle ouvre la bouche, on leur apporte des hamburgers gastronomiques.

* * *

Sur Twitter à 19 h 32.

NoMoreAlibis
@NoMoreAlibis
Client d'Alibi : identifiant : Double B. Payé par Basil Simphiwe Bhanga. First National Bank : 62366255282. Neuf alibis.
#ErnstRichter #QuiatueErnst #NoAlibi

On compte à présent plus de quatre mille suiveurs. Mais seuls quatre d'entre eux – tous journalistes – sont suffisamment informés pour se demander s'il s'agit bien de Basil Simphiwe Bhanga, le député de l'African National Congress.

* * *

Juste avant 20 heures, Fillander fait le numéro de Sarah Woodruff, la femme mûre que Richter a retrouvée trois fois pour une partie de jambes en l'air à l'heure du déjeuner.

Il attend un certain temps avant d'entendre « Allô ? ».

Est-ce une voix jeune ?

– Qui parle ? demande Fillander.

– C'est Soretha.

Une incertitude dans la voix qui laisse à penser qu'il s'agit d'une enfant. En arrière-fond, le bruit d'une télévision.

– C'est bien ton numéro de téléphone, Soretha ?

– Non, c'est celui de ma maman, elle est aux toil… dans la salle de bains.

– Je peux lui parler ?

– Ne quittez pas…

Il entend « Maman ! Téléphone… », puis perçoit dans le fond une voix d'homme, impatiente.

– Qui la demande ?

– Je ne sais pas, papa…

Fillander se doute de la situation. Sarah Woodruff est une femme mariée. Il essaie d'imaginer une sortie, un pieux mensonge pour la protéger, mais la journée a été trop longue, il se contente d'un « Désolé, je crois que ce n'est pas le bon numéro », avant de raccrocher.

Il réessaiera demain matin.

Il appelle Cupido pour savoir comment l'aider.

45

François Du Toit était arrivé terriblement tendu au cabinet de l'avocate, puis il s'est calmé à mesure de sa narration. À présent, comme il aborde sa vie à lui, celle de son frère, Susan Peires sent que la tension remonte, comme s'il en venait enfin au fait et se dirigeait vers le dénouement.

Elle se concentre avec difficulté, elle est en hypoglycémie. L'heure du déjeuner est dépassée depuis longtemps. Elle attend une hésitation dans son discours pour glisser que son métabolisme est réglé sur des horaires de repas réguliers, verrait-il un inconvénient à ce qu'elle commande quelque chose ? Il y a un service de sandwichs non loin, qu'est-ce qui lui ferait plaisir ?

À la pupille de ses yeux, elle voit qu'il a repris pied. Il cesse de froncer les sourcils, son visage exprime sa confusion : il est vraiment désolé, il a perdu le sens du temps. Oui, absolument, mangeons.

Elle sourit, fait un geste de la main, ce n'est pas grave, elle comprend, elle demande ce qu'il veut.

N'importe quoi.

Elle sait que, vu son embarras, il ne fera pas le difficile dans le choix du sandwich, elle ne veut pas que la pause dure trop longtemps. Elle propose des sandwichs poulet-bacon, il dit oui, merci. Pain complet ? Oui, c'est parfait. Du thé ? Une boisson gazeuse ? Du thé, s'il vous plaît.

Elle appelle sa secrétaire au téléphone, passe sa commande et lui demande de poursuivre.

– Mon frère…

Il s'attarde longuement pour retrouver le fil de son histoire.

C'est le frère, suppose-t-elle, qui a assassiné Richter. Paul, le frère qui a hérité des gènes tumultueux du grand-père Jean.

46

Ils s'asseyent en fin de soirée à l'extérieur de la demeure de Richter.

Bennie Griessel contemple la découpe sombre et massive de la montagne dans la lumière des étoiles ainsi que la lune, mince comme une serpe, tel un présage planant au-dessus du sommet. Puis il regarde ses quatre collègues. Il est assis avec Vusi et Liebenberg sur le muret du jardin, Cupido a choisi le capot de la BMW des Hawks. Fillander s'est carrément assis jambes croisées sur le dallage. Chacun tient une cannette de Coca et un sandwich que Mooiwillem a achetés dans le magasin de la station-service Engen. Ils ont faim et soif. Mais ils sont confiants, même si la fouille de la maison n'a rien donné. La conversation saute du coq à l'âne, passant des hypothèses sur le crime aux petites vannes entre collègues.

L'émotion pèse toujours sur Griessel, comme un vêtement malvenu dont il n'arrive pas à se débarrasser. Épuisement et sevrage. Doc Barkhuizen le lui a expliqué en long et en large, il sait que l'alcool bousille l'alchimie du cerveau. De façon insurmontable, réelle, il exacerbe les sentiments, comme cette joie reconnaissante et irrésistible à se trouver au sein du groupe – ses compagnons de lutte, ses amis, des gens qui l'acceptent sans le juger. Les liens entre eux, forgés par leur expérience commune du côté obscur de la vie en société. Membres de la police, ils travaillent cependant sur un fil étroit, à la frontière délicate entre l'enfer et la mer bleue, et forment un groupe isolé – désormais ostracisé. Un pour tous, tous pour un.

Ce sentiment s'abat sur Griessel. Il le masque en avalant une dernière gorgée de Coca et en allumant une cigarette.

– Je ne voudrais vexer personne, mais vraiment les Blancs demeurent pour moi une énigme, dit Vusi.

Frankie Fillander rétorque que les métis ne savent même pas ce que signifie le mot « énigme ».

Les enquêteurs rigolent doucement, par respect pour le voisinage.

– Comment un type peut-il vivre tout seul dans une aussi grande maison ? demande Vusi, incrédule, en hochant la tête. Quel gâchis.

– S'il était black, lâche Cupido, ils seraient au moins vingt-huit à l'occuper.

– Exactement, s'esclaffe Ndabeni.

Son sourire luit dans la lumière du réverbère.

– J'ai une hypothèse, annonce Fillander.

– Sur les Blacks ? veut savoir Cupido. C'est trop tard, Steve Hofmeyer* l'a déjà formulée.

Vusi claque de la langue.

– Ce gars-là, c'est une calamité pour le pays.

– Amen, dit Cupido.

Fillander réplique qu'il a une hypothèse concernant Richter. Il a écouté le rapport de Liebenberg suite à sa conversation avec sa mère. Il a écouté le feedback de Cupido sur leur journée dans les bureaux d'Alibi et ses réflexions après sa drague de Desiree Coetzee...

Cupido répond qu'il ne s'agissait pas d'une putain de drague, *oom* Frankie. Fillander souligne que les yeux de Vaughn brillent dès qu'il parle de cette fille.

– Chaque fois que tu prononces Desiree, des pétales de roses te tombent du bec. Sans parler du dîner aux chandelles...

Cupido grogne qu'il n'y avait pas de maudites chandelles…

Fillander admet, oui, bien sûr. Il a longuement réfléchi après avoir lu cet après-midi toutes ces histoires de médias sociaux autour de Richter. Du pouce, il désigne la maison derrière eux, il insiste sur le fait qu'il l'a bien étudiée. À l'étage, la grande chambre à coucher, il faut la prendre à part, la classer dans le compartiment de droite. Car Richter était un homme en trois parties.

— Cette chambre à coucher appartient à Richter le dragueur, appelons-la : la face Un du bonhomme. Voyez cet immense paddock king size, ce bel édredon et tous ces petits coussins, la commode d'époque, ce nu d'un goût sûr accroché au mur, c'est comme s'il avait fait appel à un décorateur d'intérieur pour cette pièce élégante, si différente du reste de la maison. Un nid d'amour pour toutes les nanas que Richter a baratinées sur Tinder. L'une d'elles semble être une femme mariée, c'est significatif, mais j'y reviendrai plus tard.

« La face Deux, c'est Richter le gamin. Voyez son rez-de-chaussée, à côté de l'écran plat. Deux consoles de jeux, les manettes sont bien usées, il y a passé beaucoup de temps. Et puis tous ces jeux sur son iPhone, les longues heures avec les gens qui fabriquaient les alibis : au fond de lui, ce mec était un ado. Peut-être parce qu'il a été privé d'enfance au mauvais moment. J'ai comme l'impression que tout était jeu pour lui, c'est significatif aussi, car ce genre de type ne réfléchit jamais bien aux conséquences.

« Et enfin la face Trois. Je cherche depuis un bout de temps le nom de ce petit gars qui s'est fabriqué des ailes avec de la cire et des plumes et qui a essayé de voler…

— Cela ressemble à Billy April de Bishop Lavis, ce camé frappadingue qui s'est baladé complètement à poil… dit Vaughn Cupido.

— Non, non, le gars de la mythologie grecque, interrompt Fillander.

– C'est pas dans ma juridiction, sourit Cupido.

– Icare, souffle Vusumuzi Ndabeni.

– Icare !

Fillander claque des doigts, comme un coup de langue appréciateur.

– Pas mal pour un Black de Guguletu, Vusi, commente Cupido. De la mythologie grecque qui plus est. Mais gardez-le pour vous. Si cela sort dans la presse, je suis persuadé qu'une *mama* de Mitchells Plain appellera son fils Icare Fortune.

Ils rient plus fort qu'ils ne le souhaitent. Fillander murmure :

– Plus doucement, les copains, le voisinage va se plaindre. Bref, Icare, voilà mon gars. Il se met à voler très haut, le soleil fait fondre la cire et il va se crasher, se péter la gueule. Eh bien, c'est la face Trois de Richter. Voyez sa maison. Il l'a louée pour impressionner. Voyez son coupé, il apparaît sur presque toutes ses photos sur Facebook... Voyez sa société. Richter injecte de l'argent, faut garder les apparences à tout prix. Et voilà que la belle Coetzee apprend à Vaughn que Richter n'a plus de fonds propres et qu'il est obligé d'emprunter. Mais selon ses calculs, il aurait investi bien plus qu'elle ne l'avait cru au début.

– Quelle est donc ton hypothèse, *oom* Frankie ? demande Mooiwillem.

Fillander se relève, tout raide.

– Ah, ces vieilles jambes... J'y arrive, Willem. Ce matin j'ai lu l'article consacré à Richter dans *Rapport*. Il raconte que son père est mort quand il avait quatorze ans. Sa mère a connu une vie très difficile. Il me semble, maintenant que j'ai bien écouté, que c'était encore pire qu'il n'a bien voulu le dire. Sa mère a dû être anéantie. Un mari décédé, des finances en perdition, un enfant à élever, la pauvreté, du moins pour un temps. Un gamin de quatorze ans qui voit sa mère se débattre, il se sent responsable. Et impuissant.

Il est l'homme de la maison, mais il ne peut rien y faire, il voit sa mère souffrir. Ça arrive souvent dans la communauté métisse. Mais le petit Ernst a encore plus de problèmes, car il côtoie des enfants riches à l'école, il se sent infériorisé chaque fois que sa mère vient le déposer dans son tacot. Il ne peut pas inviter ses copains à la maison, car il n'y a pas de Coca dans le frigo ni de snacks dans le placard. Ça perturbe un gamin, ça. Pour le restant de ses jours, dans sa vie amoureuse, dans sa vie financière, ce genre de choses fait du dégât...

— C'est profond, *oom* Frankie, dit Cupido.

— Mais c'est vrai, confirme Vusi qui sait ce qu'est la pauvreté.

Fillander opine et poursuit.

— J'ai vu ça souvent, des gens qui ont grandi dans la misère et qui s'en sont sortis. Tout le reste de leur vie, ils compensent car ils ne veulent à aucun prix retomber dans des temps difficiles. Il leur arrive de faire des choses idiotes...

— C'est vrai, dit Cupido.

— Les trois mobiles principaux de meurtre, vous les connaissez ? demande Fillander.

— Les querelles domestiques, l'argent, la vengeance, dit Vusi.

— C'est exact. Nous venons d'éliminer les querelles domestiques, puisqu'il n'y a pas – il désigne la maison – de vie domestique à proprement parler. Mon hypothèse, c'est soit la vengeance, soit le fric. Ce peut être la vengeance d'un mari jaloux, je vais m'en occuper demain. Mais je pencherais du côté de l'argent, car il me semble que ça grenouillait ferme autour de ce petit gars.

Liebenberg hoche la tête en réfléchissant. Ndabeni frotte son bouc parfaitement taillé. Cupido a un petit renvoi de boisson gazeuse et dit :

— Des entourloupes financières, il y en a peut-être d'autres...

Tous le regardent.

— Pendant l'interrogatoire de miss Coetzee... (Il insiste sur le mot « interrogatoire » en regardant Fillander.) elle m'a raconté un truc bizarre qui s'est passé en novembre de l'année dernière. Elle avait travaillé tard ce soir-là. Quittant la boîte pour aller vers le parking, elle voit un type qui sort de sa voiture. Classieuse, Mercedes S-Class dirait-on, un bijou à un million et demi. Le type est un Blanco, il a la cinquantaine, un costume chic, des lunettes de marque sans monture, des cheveux traités par un professionnel. Il se dirige vers elle et lui demande dans un anglais sophistiqué si elle travaille pour Alibi. Elle répond oui. Vous êtes la directrice opérationnelle, Desiree Coetzee, qu'il dit. Elle répond oui, elle se sent déstabilisée, car le fait n'est pas vraiment connu, Richter est la seule figure publique de la société. Le mec classieux attaque : « Quelqu'un essaie de me faire chanter. Quelqu'un de chez Alibi. Alors je vous le dis, je vais mettre ça sur la place publique, mais je ne paierai rien. Rien. » Le gars se retourne, monte dans sa Merco et s'en va.

— La vache, murmure Liebenberg.

— Waouh, fait Vusi.

— En effet, continue Cupido. Elle m'a dit qu'elle est restée sous le choc un bon moment sur le parking, puis elle a appelé Ernst et lui a raconté l'histoire. Il a longtemps gardé le silence, au point qu'elle a pensé que la ligne avait été coupée, car le réseau de MTN fonctionne mal ici, à Stellenbosch. Il a fini par répondre : « Desiree, il va falloir faire attention, c'est une affaire très grave. Parlons-en demain. » Du coup elle s'est inquiétée toute la nuit, et son premier mouvement le matin a été de filer voir Richter. « Que pouvons-nous faire ? répond-il. Ce peut être n'importe qui. On ne va pas rédiger une note de service demandant gentiment aux employés de ne pas faire chanter nos clients. » Mais il est décidé à vérifier tous les échanges informatiques.

Il faudrait revoir la question de l'accès aux données pour tous les programmateurs. Ils en restent là, le sujet ne sera plus abordé. Quelque temps plus tard, l'affaire continue de l'angoisser au fond de son lit, elle songe tout d'un coup que le seul qui fouille dans la base de données pour voir qui sont les clients riches et célèbres, c'est Ernst. Elle l'a surpris une fois, deux techniciens le lui ont aussi murmuré à l'oreille. C'est lui qui s'inquiète sur l'avenir financier de la boîte, c'est lui qui injecte de l'argent. Serait-ce lui le maître chanteur ? Elle n'avait aucune preuve, l'affaire fut oubliée.

– Ça alors ! s'exclame Fillander.

– Elle m'a raconté que quatre mois plus tard elle tombe sur une photo sur un site d'information, un type qui recevait un prix de la Chambre de commerce. Elle se rend compte qu'il s'agit du gars à la Mercedes. Elle n'est pas absolument sûre, car il faisait un peu sombre le soir de la rencontre au parking, c'était plusieurs mois avant, mais cela lui ressemble bien, avec sa coupe de cheveux, ses lunettes chics. Sous la photo, son nom et tout le reste. Il s'avère que c'est un capitaine d'industrie, président du conseil d'administration d'une compagnie d'assurances dans le transport maritime, ShipSure, ici au Cap. Elle joue les enquêtrices, entre dans la base de données et, en effet, un type du même nom, avec les mêmes initiales, a effectué quelques gros règlements pour un alibi complet en septembre 2013 – un faux billet d'avion pour Londres, de fausses notes d'hôtel, ce genre de choses.

– Alors, qu'a-t-elle fait ?

– Rien. Elle a en quelque sorte enfoui l'info dans sa tête. Elle ne se souvient plus du prénom, le nom est Habenewt ou quelque chose d'approchant. Elle m'envoie les coordonnées par SMS demain.

Ils digèrent tous cette nouvelle jusqu'à ce que Cupido lève les yeux sur Griessel, tristement assis sur le muret.

– Qu'en penses-tu, Benny ?

À cet instant Griessel se sent empli de honte. Parce que ses collègues ont réfléchi à l'affaire tout au long de la journée. Et lui, il n'a fait que ruminer sur son prochain verre – ou comment l'éviter. Sur Alexa, sur un éventuel retour à la maison, tandis qu'ils fouillaient la maison de Richter. Car il ne sait pas comment il sera accueilli cette nuit, il ne supportera pas un affrontement ou un torrent de larmes. Honte, parce qu'ils le regardent avec respect, en attente, car ils sont certains que vont sortir de sa bouche des réflexions intelligentes et bien pesées.

D'un coin lointain de son cerveau – il ne sait pas d'où – lui vient une idée.

– Je crois… que le fait qu'on l'ait enterré de l'autre côté de la Péninsule, à Blouberg, a de l'importance. Cela veut dire quelque chose, Vaughn. Sa maison, son bureau sont à Stellenbosch. Sa voiture a été retrouvée à deux kilomètres d'Alibi, mais le cadavre loin de là, à Blouberg. Le problème, c'est que je ne vois pas ce que ça signifie.

Tous les quatre marquent leur accord de la tête.

Il ne tient pas à ce que sa constatation les impressionne, il ne le mérite pas.

47

Paul, le fils aîné des Du Toit, celui qui héritera du domaine, se révèle dès son jeune âge un être indomptable et insondable.

C'était un très bel enfant, blond clair, un visage fin et un corps qui, très jeune, promettait la souplesse d'un athlète, et il a par la suite comblé toutes les attentes.

Ses capacités sportives sont époustouflantes, son talent naturel aveuglant. Sa flamme brille tellement clair que Guillaume reçoit des appels – certains venant même de Pretoria – au sujet de son avenir dans le rugby. On évoque la perspective de bourses impressionnantes, alors que le garçon est encore en primaire.

Cette conjonction d'une belle apparence et de talents exceptionnels séduit tout le monde, des condisciples aux instituteurs, de sorte que les traits moins positifs sont balayés en tant que caractéristiques d'un génie ou qualités d'une future star. Prédomine aussi le sentiment général, non exprimé, d'avoir le privilège d'assister à l'éclosion d'un talent. *Un jour je pourrai dire que je l'ai connu en primaire.*

Le jeune Paul Du Toit ne s'embarrasse pas des instructions sur le terrain de rugby, il n'a aucun sens de l'équipe ni de son rôle au sein de celle-ci. Chaque compétition tourne à l'étalage de son talent personnel, il joue à l'économie et pour se mettre en valeur. Tant que l'équipe gagne, l'entraîneur ne lui fait pas de remarques.

En classe, on note des cas de désobéissance et de défi à l'autorité. Puis, il a treize ans et est en cinquième, une nouvelle enseignante, chevronnée – et pas une vestale du dieu Rugby –, fait objection. Elle appelle Helena pour un entretien. Celle-ci s'y rend, l'esprit toujours ouvert. Mais en rentrant à la maison, elle n'en touche pas mot, ni à son fils ni à son mari.

En partie parce que Guillaume est débordé – elle aussi – par la réhabilitation de Klein Zegen.

En partie parce qu'elle est bien consciente d'avoir transmis ses gènes de rebelle à son fils. Influencée par les vues étroites de son père conservateur, Helena estime qu'il faut protéger l'individualisme de Paul. Plus tard, on pourra rectifier les choses. Sa défiance à l'égard de tout système officiel ainsi que la politique des écoles primaires promouvant « un programme unique pour tout le monde » la rendent peu réceptive aux remarques de l'enseignante. Il faut laisser les enfants se comporter en enfants, un peu sauvages, un peu libres. Suffisamment d'années de contraintes les attendent dans la vie adulte.

Helena s'est déjà interrogée sur la psychologie complexe de son enfant prodige. Dans ce pays, dans cette ville surtout, la glorification de ses qualités rugbystiques à un si jeune âge ne manquera pas de l'influencer de toute façon. L'école et tout son personnel ne peuvent pas s'attendre à ne profiter que des bons côtés.

Elle tente de son mieux d'aider Paul à garder les pieds sur terre. Elle l'incite à choisir des activités hors de ses centres d'intérêt naturels. Sans succès.

La normalité de François, son frère cadet, influe aussi sur la réaction des parents. François offre un contrepoids stabilisant à la turbulence de Paul. Lui qui s'intéresse à l'exploitation, au vignoble et au vin, qui a de meilleurs résultats scolaires, qui lit, qui atteint à peine l'équipe junior en rugby ou en cricket. Face à l'ascension phénoménale de son frère, il reste humble, heureux de se fondre dans le reflet de la gloire.

48

Le téléphone portable du major Mbali Kaleni sonne à 22 h 52.

— Désolé de vous appeler chez vous, Mbali, dit le général Musad Manie, le commandant en chef des Hawks de la province du Western Cape.

— Je suis au bureau, général.

Il y a un soupçon de reproche dans sa voix.

Manie connaît bien la responsable du Groupe Criminalité violente. Il sait qu'il ne faut pas trop se formaliser.

— Avez-vous quelque chose à me communiquer ?

— Non, général. J'attends le retour de mon équipe. Ils viennent de quitter Stellenbosch.

— Des progrès ?

— Le capitaine Cupido doit me faire un rapport complet, général. Ils ont abattu du bon travail, mais je ne pense pas qu'ils tiennent encore un suspect solide.

— Très bien, Mbali... Je viens d'avoir un appel de notre directrice de la police nationale. Je voulais simplement vous dire, je vais gérer les choses de mon côté, mais... Cette histoire de données, vous savez, la liste des clients de cette société, le gars qui publie les noms sur Twitter...

— Oui, général, le capitaine Cloete m'en a tenue informée.

— Très bien. La directrice me dit qu'elle est sous pression de la part de... eh bien, d'en haut, si vous voyez ce que je veux dire.

Son approche est prudente, car il se doute bien de la réaction de Kaleni.

– Je ne demande pas…

– Général, je ne tiens pas à ce que mon équipe soit déconcentrée par…

– Major, s'il vous plaît, laissez-moi terminer. Je ne demande pas que vous agissiez. Je vais gérer l'affaire de mon côté, comme je l'ai dit. Je voulais simplement vous avertir de ces pressions, de ces préoccupations. Il se murmure qu'un membre du Parlement a été contacté par la presse à ce sujet, un parlementaire très respecté, un mari et un père de famille. Apparemment, ce personnage est totalement innocent, il est victime d'une campagne de dénigrement de l'oppo…

– Général, je ne crois pas que…

– Moi non plus. Mais là n'est pas la question. Je dois rendre compte demain matin. Tout ce que je demande, c'est que la moindre information concernant cette fuite me soit communiquée.

– Oui, général.

– Merci, Mbali.

* * *

Griessel rentre avec Cupido. La route de Bottelary est dégagée à cette heure de la nuit.

Cupido prépare son discours. Ce n'est qu'après Devondale qu'il se sent prêt à parler à Griessel.

– Tu sais que je suis ton copain, Benny.

Griessel soupire car il devine où la conversation va les mener.

– Vaughn, je ne veux pas parler de l'alcool.

– Tu n'en as pas besoin. Je ne veux pas faire de sermon. Tu prends ce que je te dis, ou tu ne le prends pas, à ta guise, on est dans un pays libre. Mais je suis ton copain, alors c'est mon devoir, Benny. L'amitié, ce n'est pas dire les choses que l'autre *veut* entendre, mais les choses qu'il *doit* entendre. Je comprends cette triste affaire de Vollie Vis, Benny. Et je comprends cette triste affaire de la mort de la Girafe. Ce genre de truc se glisse au fond de nos cerveaux. Tu te souviens de Barry Brezinsky du bureau des Narcotiques ? Barry le Polonais ? Celui qui a été descendu en bas de chez lui juste avant de pouvoir témoigner. J'étais avec lui sur l'affaire, Benny, une grosse filière de drogue. Ce matin-là, j'ai vu sa voiture, avec Barry mort à l'intérieur, du sang partout. Sur le perron, sa femme et ses enfants ne pleuraient pas, Benny, ils ne faisaient que fixer la scène avec des yeux vides qui disaient « que diable allons-nous faire, notre avenir s'est évaporé », la désolation s'étendait à leurs pieds. Il m'a fallu deux ans pour surmonter tout ça, c'était comme un frère pour moi, mon mentor, Benny. D'un petit agent naïf, il a fait de moi un enquêteur. Une fureur m'a pris à la mort de Barry, je te l'affirme, une énorme fureur, j'ai voulu chercher les dealers et les grossistes et les tabasser à mort avec un objet contondant. Je connais donc ce sentiment. Je suis allé voir un psy, il m'a bien aidé, Benny. Y a pas de honte…

— J'ai rencontré une psy, Vaughn.

— Retournes-y, Benny.

— Elle ne m'est d'aucun secours.

— Mais as-tu envie d'être aidé, Benny ?

— Va te faire foutre, Vaughn.

— OK. Fais sortir ta colère. Je pourrai m'en arranger. Mais laisse-moi te dire un certain nombre de choses que tu n'as vraiment pas envie d'entendre. Je le dis par amitié, Benny, un jour tu pigeras. Veux-tu vraiment qu'on te soutienne ? Vraiment ? Parce que je crois que c'est une excuse trop pratique : la psy ne peut rien pour moi, donc je picole. De fait…

— Une excuse, Vaughn ? Une excuse ? T'as pas la moindre putain d'idée…

— De fait, la psy peut t'aider…

— Et comment, Vaughn ? Comment ? Merde, comment la psy peut-elle m'aider ? Elle va sortir une baguette magique ? Pourquoi Vollie Vis a-t-il tué sa femme, ses enfants, et puis s'est suicidé ? Tu sais pourquoi ? Moi, je le sais, Vaughn. Je le sais exactement. Je sais qu'il le savait. Et il savait qu'il ne pouvait pas résister. C'est un truc qui s'approche, qui grandit. De façon inexorable. Quand Frank a demandé tout à l'heure quels étaient les mobiles principaux de meurtre, tu n'y as pas pensé, Vaughn ? L'argent, ne prenons que l'argent comme mobile, les cambriolages, les vols à l'arraché, les vols dans les campagnes, dans les transports, dans les centres commerciaux, aux billetteries, et encore, et encore et encore. De plus en plus violents. C'est un cycle infernal, Vaughn, les enfants qui voient la violence, qui la ressentent depuis tout petits, ils ne connaissent que ça, ils deviennent violents à leur tour. Ce n'est pas leur faute, c'est leur monde. Comment va-t-on les sauver ? Comment va-t-on rétablir la situation ? Les gens qui passent la frontière, qui affluent par ici pour voler, Vaughn, car il y a de l'argent par ici, de l'aisance. Ça ne va pas diminuer, tu sais comment va le monde. Tout augmente, pas seulement les vols. La violence conjugale, les vengeances, tout empire. Les malades, les tueurs en série, chaque jour ils sont plus nombreux, plus cinglés. C'est comme… je ne sais pas… comme un train maudit qui prend de la vitesse. Les freins sont foutus, Vaughn – nous sommes les freins et nous sommes foutus…

— Comment peux-tu dire ça ?

Sous l'effet de la colère, Cupido oublie le discours qu'il a préparé.

— Tu t'en prends à mon honneur. Combien de mecs on a mis en taule l'année dernière, toi et moi ? Combien ? Et la police sud-africaine, chaque jour ? Pourquoi les tribunaux seraient engorgés, Benny, si nous étions foutus ? Et les prisons ? Conneries, Benny, on est loin d'être foutus…

– Combien de dossiers en instance... ?

– Non, laisse-moi parler, car ton argument ne tient pas. Parce que la criminalité augmente, il faudrait qu'on aille s'asseoir et picoler ? C'est ça ta solution ? Je pense que...

– Ce n'est pas ce que je dis...

– Mais que dis-tu, Benny ? Que tu vas te poser et picoler et que le reste d'entre nous n'a qu'à se battre contre le crime ? Tu crois que notre situation est unique ? Regarde tous ces puissants pays occidentaux, Benny. Prends l'Amérique. La guerre contre la drogue dure depuis des années, ils la perdent dans les grandes largeurs. Faut aussi qu'ils se posent et qu'ils boivent un coup ? Sais-tu combien d'embarcations chargées d'immigrants misérables accostent là-bas, dans les pays européens ? Tu crois que chez eux la criminalité diminue ? C'est partout dans le monde. Si le job était facile, tout le monde pourrait le faire. Mais justement, tout le monde ne le peut pas. Nous, on peut. Nous les Hawks, *pappie,* la crème des flics, les meilleurs d'entre les meilleurs. Et toi, Griessel, t'es le meilleur flic que je connaisse. De très loin. Quand t'es sobre. Mais aujourd'hui t'as la tête pleine de merde, et t'aimes ça, car c'est une bonne excuse pour avaler un godet. Donc, moi, ton copain, qui t'aime et te respecte, je te le dis ce soir, ressaisis-toi, Benny. Sois un homme. Retourne voir ta psy et tu lui dis que tu n'arrêteras pas la thérapie tant que tu n'auras pas la tête bien claire.

Griessel ne répond pas.

Cupido s'efforce de contrôler ses sentiments. Quand il reprend la parole, sa voix est plus douce et plus calme.

– Où va te mener l'alcool, Benny ?

Griessel se tait.

– Penses-y. Où va te mener l'alcool ?

* * *

À 23 h 30, Griessel trouve un bar encore ouvert sur Long Street. Il avale vite un double Jack Daniel's au comptoir, puis repart à la maison. Son corps lui dit qu'il aurait dû reprendre un verre, mais il a dominé son envie – il s'en est tenu à l'accord qu'il a passé avec lui-même, tout à l'heure, assis à côté de Cupido.

Il s'arrête devant la maison d'Alexa. La lumière est encore allumée. Il s'y attendait. Il reste assis. Comment va-t-il affronter la situation ? Après la cuite de la veille, après les appels et SMS qu'il a ignorés la journée durant ?

Cela dépend de quelle Alexa va l'accueillir.

Il sort, verrouille la voiture et entre.

Alexa l'attend dans le salon.

– Bonsoir, Bennie.

Il y a du soulagement dans sa voix. Il remarque de la tension dans son corps et sur ses lèvres, mais aussi du contrôle, dont il lui est immédiatement reconnaissant. Il se rend alors compte de son amour pour elle. Il reste planté dans le no man's land entre la porte et son fauteuil. Il sait qu'elle humera l'alcool quand il se penchera, mais il tient à l'embrasser. Ils en ont tous les deux besoin.

Alexa a les yeux posés sur lui. Il s'approche, se courbe, l'embrasse. Elle lui prend la tête entre les mains, presse ses lèvres contre les siennes et l'embrasse longuement.

– Ta bouche sent le paradis, glisse-t-elle.

Elle a un sourire en coin, les yeux humides.

– Merci de ne pas être saoul.

Il ne s'attendait vraiment pas à ça. L'émotion le gagne, car il ne mérite pas cette grâce. Puis il se dit qu'il s'agit peut-être d'une stratégie élaborée entre elle et Doc Barkhuizen. Il tient à dire ce qu'il a envie de dire. Il se redresse.

– Je vais retourner chez la psychiatre quand cette affaire sera terminée.

– Bien. J'en suis heureuse.

Elle prononce ces mots si doucement qu'il les entend à peine.

– D'ici là je boirai de temps à autre, mais je ne m'enivrerai plus.

Elle ne réagit pas. Parce qu'elle est alcoolique elle aussi, devine-t-il. Toute prédiction sur la façon de gérer son besoin d'alcool est risible. C'est une des premières des douze étapes chez les Alcooliques anonymes, la reconnaissance qu'on est impuissant face à la boisson, qu'on n'arrive pas à contrôler sa vie. Mais ce soir il n'a pris qu'un double Jack. Il peut recommencer.

– Je voudrais te dire, viens plutôt boire à la maison. Simplement, ne laisse pas la bouteille ici. Garde-la dans ta voiture.

Il réfléchit. Un instant il considère qu'il s'agit d'une merveilleuse possibilité, d'une solution, puis il se rend compte que ce serait très égoïste envers elle. Boire un verre devant elle en sachant qu'elle meurt d'envie d'en faire autant.

Il hoche la tête. Il souhaite clore le sujet, retrouver la routine d'avant l'alcoolisme, il aimerait lui demander « Comment s'est passée ta journée ? », mais il ne le peut pas, car il sait que la journée d'Alexa a été infernale.

– As-tu mangé ?

Elle pose la question en se levant lentement du fauteuil.

49

La narration de François Du Toit s'accélère. Les mots se bousculent dans sa bouche, les émotions passent comme des nuages sur son visage, ses mains et son corps parlent à l'unisson. Il se lève parfois et gesticule, il s'assied les yeux perdus dans ses souvenirs.

Le premier gros scandale de son frère Paul remonte au lycée Paul-Roos, il avait seize ans, il était en seconde. Sa mère Helena a reçu un appel du directeur, il voulait voir les parents. Oui, il s'agissait d'une affaire urgente, il ne souhaitait pas l'aborder au téléphone.

Guillaume et Helena ont pris la route sur-le-champ. En chemin, ils se sont perdus en conjectures. Les résultats scolaires de Paul n'étaient pas bons, mais il passait. Quel pouvait être le problème ?

Le directeur les a reçus, l'air grave et gêné, les yeux fuyants. Il s'est produit un incident, a-t-il dit. La jeune et jolie professeure de géographie... Paul a attendu que tous ses condisciples quittent la classe pour se diriger vers elle et lui faire une proposition malhonnête. Bon, parfois, à cet âge... les garçons... ils n'ont pas toujours le sens des mesures, les hormones, les conciliabules à la récréation. C'est un lycée de garçons, Paul n'a pas de sœurs, ce sont des choses qui arrivent... Mais la demoiselle est très fâchée, surtout par ses façons qu'elle décrit comme « brutales, vulgaires et arrogantes »...

– Quelle proposition Paul a-t-il faite ? demande Helena.

– Une proposition indécente.

– On l'a compris. Je veux savoir précisément ce qu'il a dit.

Helena s'emporte, Guillaume lui pose la main sur l'épaule, elle l'ignore.

Le directeur se recroqueville, peu désireux de prononcer les mots qui lui ont été rapportés.

– Helena, plaide Guillaume.

– Non. Je ne pourrai pas lui parler si je ne sais pas exactement ce qu'il a dit.

Le directeur du lycée rassemble ses forces et sa dignité.

– Paul a entendu dire qu'elle avait été très active sur le plan sexuel à l'université, et il aimerait bien avoir une relation sexuelle avec elle.

– Ce sont réellement les mots qu'il a employés ? C'est ça, ses façons brutales, vulgaires et arrogantes ?

Helena est totalement incrédule.

– Non, pas tout à fait.

– Helena, dit Guillaume, la main plus ferme et plus pressante.

– Si vous ne pouvez pas me répéter précisément ce que mon enfant a dit, je vais le demander à la professeure.

Helena se lève.

– Il a entendu dire qu'elle avait pas mal baisé à la fac et qu'il voulait la baiser dans le…

Le directeur réprime son dégoût.

– Dans le quoi ?

Guillaume soupire.

– Je ne peux pas le dire devant vous.

– Alors dites-le à mon mari.

Elle quitte la pièce avec fracas.

Guillaume sort un peu plus tard, elle l'attend dans la voiture.

– Dans le quoi ?

– Dans le cul.

Elle lâche un petit cri étrange.

Les parents ont parlé avec Paul le soir même. Paul a prétendu que la professeure mentait. C'est elle qui lui a demandé d'être baisée de la sorte. Il a employé des mots crus devant ses parents, pour s'affirmer.

Pour la première fois ils ont compris que leur fils souffrait d'un problème grave. Ils sont restés calmes et ont proposé d'appeler la professeure. Sans aucune contrition, Paul a affirmé : « Tout le monde sait que c'est une pute. »

Helena a exigé qu'il aille présenter des excuses. Paul a refusé. Elle l'a menacé de lui supprimer tous les sports. Il a rétorqué qu'on ne pouvait pas l'empêcher de jouer au rugby.

Guillaume a dit que c'était parfaitement possible. Qu'il suffisait d'un coup de fil au directeur du lycée.

Paul s'est mis à rugir, les a traités de « tas d'idiots ». Assis dans le salon de Klein Zegen, ils sont restés abasourdis et choqués par les révélations de la journée et par les tirades insensées de leur fils. Comme s'il était un étranger qui méprisait leur silence abasourdi avec une totale arrogance.

Guillaume s'est ressaisi le premier. Il s'est levé et dirigé vers le téléphone.

– J'appelle donc le directeur.

Paul a claqué la porte en hurlant :

– Je vais m'excuser auprès de cette salope !

* * *

Ce soir-là, Helena a pris sa voiture pour se rendre chez la professeure. La jeune femme était traumatisée. Elle a décrit d'autres comportements, des manipulations, des mensonges, des fraudes pendant des examens. Elle trouvait la situation très difficile, c'était son premier poste d'enseignante, elle ne voulait pas « faire de vagues ». Paul, avec son statut d'icône sportive, dans ce lycée de garçons, fou de sport... Il y avait quelque chose qui ne tournait pas rond chez cet enfant.

Helena a appelé un collègue et ami au département de psychologie à l'université. Guillaume et elle sont allés lui parler le lendemain après-midi. Il était d'accord pour recevoir Paul. Pour que Paul y consente, il a fallu à nouveau menacer de le priver de sport.

Le professeur de psychologie lui a consacré cinq heures, en quatre sessions. Il en a rendu compte à ses parents. Une conversation dans laquelle il a été fait mention, pour la première fois, du terme « psychopathe ».

50

Cupido ne quitte le bureau qu'à minuit passé.

Il rentre chez lui en voiture, Caledon Street dans Bellville Sud. À cette heure de la nuit, cela ne lui prend que dix minutes.

Il sort, ouvre le portail. Il contemple sa maison éclairée par les phares. C'est comme s'il le voyait avec des yeux neufs, ce pavillon qu'il a acheté voilà dix-huit mois. Sa toute première propriété. Il l'a choisi pour être proche du bureau. Et parmi les siens. Il aurait pu se permettre une maison proprette au centre de Bellville, il aurait pu s'installer chez les Blancos, comme le font beaucoup de métis en pleine ascension professionnelle, mais il ne l'a pas fait.

Il déverrouille la porte du garage à une place, la tire vers le haut.

Ce logement, c'est sa fierté, trois chambres à coucher, deux fois plus grand que celui où il a grandi avec ses deux frères chez papa et maman.

Un beau progrès. Pour lui. Mais que dirait une femme comme Desiree Coetzee ? Une fille avec un master, un sacré niveau, elle vit dans un autre monde. Comment considérerait-elle cette maison ? Parce que si on la déplaçait dans n'importe quel quartier blanc de Stellenbosch, elle ferait carrément bas de gamme. Ce muret de béton avec des pilastres décorés – il voudrait le casser, bâtir quelque chose de joli. Le jaune sur les murs est un chouïa trop criard, il faudrait le repeindre, blanc cassé ou crème. Classieux. Mais quand ? Son temps et son argent, il les a jusqu'à présent investis dans la rénovation de la salle de bains.

Ne pense pas de la sorte. Si c'est une femme solide, elle considérera l'homme, pas la maison.

Est-il prêt à prendre un gamin dans sa vie ? L'enfant d'un autre homme. L'enfant d'un Blanc.

Il retourne à sa voiture et sourit intérieurement. Calme-toi, tu n'as même pas pris un vrai rendez-vous avec la nana, quoi qu'insinue *oom* Frankie.

Il rentre la voiture, ferme la porte du garage, pénètre dans la maison, allume la lumière et la télé. Ouvre la porte du réfrigérateur. Il a envie d'une bière, mais s'il en avale une maintenant, il aura envie de pisser à 4 heures du matin. Il pèse le pour et le contre, sort la cannette, la dégoupille et va s'asseoir devant le poste.

Un talk-show quelconque. Il coupe le son, pose ses pieds sur la table basse.

Une journée de dingue. Pleine de surprises, la plus belle étant Desiree Coetzee, il ne parvient pas à se défaire de son image. Mais faut se concentrer, *pappie,* car la surprise numéro deux, c'est sa nomination en tant que commandant opérationnel, par le *major* Mbali de surcroît, il trouvait ça suspect. Cette nuit, quand il est venu au rapport, c'est comme si la Girafe était ressuscitée. Elle l'attendait, à cette heure tardive. Elle s'est montrée pleine d'empathie, encourageante. Elle a passé en revue toute l'affaire avec lui et a conclu : « Bon travail, capitaine. Merci. » Sans sarcasme aucun.

Mbali. Elle lui a dit ça texto. Va-t'en t'expliquer ça.

Elle lui a parlé de la pression venue d'en haut. Elle a dit que le type qui fait fuiter le nom des clients a déjà sorti celui d'un député de l'ANC, d'un journaliste de la télévision et d'une ancienne star blanche de séries télévisées. Cloete affirme que les médias vivent un grand jour. Ou une grande nuit. Twitter est plus vibrionnant que jamais.

Quand elle lui a demandé si Rick Grobler pouvait être le principal suspect, il a raconté son enquête menée en compagnie de Mooiwillem. Grobler n'a fait que nier, nier, nier, mais c'est impossible d'en avoir le cœur net. Lui, Cupido, pense que Grobler n'est pas homme à publier la liste, simplement parce qu'il n'en tirerait aucun avantage.

Elle a dit qu'elle avait mis une sacrée pression sur les légistes pour analyser la voiture de Grobler.

Il a insisté pour que Zézaie Davids et Bones Boshigo soient mis sur le coup, car toute cette affaire tourne autour du fric et de la technologie. Peut-elle obtenir un mandat de perquisition pour la banque, afin d'éplucher les finances de Richter ?

Elle a promis de le faire à la première heure, prenez un peu de sommeil, capitaine, vous aurez tout ce que vous réclamez demain matin – exactement comme disait la Girafe, feu le colonel Zola Nyathi.

Nyathi qui a été descendu devant les yeux de Benny. Cupido se met à penser à Griessel, à son petit discours qui a dérapé d'emblée, il en a été tout contrit par la suite. Il lui a dit des trucs qu'il n'aurait pas dû dire, Benny y est allé fort avec son « nous sommes des freins, nous sommes foutus ». Les Hawks, c'est la grande fierté de Cupido. Il donnerait sa vie pour son unité. Si Benny ou un autre la dénigre, tout s'écroule.

C'est peut-être parce qu'il n'a ni femme ni enfants qu'il n'arrive pas à comprendre la tirade de Benny.

Ça pourrait peut-être changer.

* * *

Le dernier tweet de la nuit venant de @NoMoreAlibis tombe à 0 h 08.

Le nombre des suiveurs atteint presque les cinq mille,

dont plus de la moitié des clients inquiets d'Alibi.co.za. Plusieurs d'entre eux sont encore éveillés.

NoMoreAlibis
@NoMoreAlibis
Encore douze heures. Tout plein de révélations. De grosses pointures vont gicler. Quelques femmes aussi.
#ErnstRichter #QuiatueErnst #NoAlibi

Trois hommes dans trois villes différentes réveillent leur femme entre minuit et une heure du matin pour avouer leurs péchés et leurs faux alibis. Deux d'entre eux commencent leur confession par « J'ai fait une chose très stupide ». Les paroles du troisième, un pasteur de l'Église néerlandaise réformée, dans un quartier cossu de Pretoria, sont différentes : « Prions ensemble. »

51

FdT : Comme j'avais un an de moins que Paul, je l'ai considéré avec distance…

Quand j'ai débarqué au lycée, personne n'a cru que j'étais son frère. Il était tellement… Je n'ai jamais jalousé son talent au rugby. Je l'admirais, c'est tout. En revanche, j'étais jaloux de… Il avait une façon de faire avec les gens, même après que les relations s'étaient délitées. On… on ne pouvait pas s'empêcher d'aimer Paul et chacun recherchait son amitié. Il était terriblement beau, comme dans un tableau de Michel-Ange… C'était un garçon actif, toujours actif, il n'arrêtait pas, il était toujours au premier plan, incroyablement charmant. Quand il rencontrait une personne qui ne l'aimait pas, il allait au-devant de… Plus tard, j'ai compris qu'il était un manipulateur de première, mais à cette époque je le trouvais phénoménal… Pour moi, c'était cool de l'avoir comme frère. Quand je suis arrivé en quatrième au lycée Paul-Roos, tous les grands sont venus me voir, voir le cadet des Du Toit, il y avait là une espèce de fascination… et de soulagement à l'idée que la foudre aveuglante de Paul n'était pas tombée deux fois sur la même famille. C'était équitable, cela faisait sens, cela correspondait à leur notion d'équilibre dans l'univers...

La seule chose chez Paul... Je me suis senti coupable, je savais que cela ne servait à rien, quand il disait qu'il serait un jour vigneron, qu'il hériterait un jour de Klein Zegen... Il en parlait souvent à qui voulait l'entendre. Ça me restait sur le cœur, une gêne, un sentiment d'injustice, car il ne s'y intéressait pas du tout. Il n'adorait pas autant que moi le domaine, les vignes et le vin. Pourquoi hériterait-il de tout ça ? Il possédait déjà des talents sportifs et sa beauté. Pourquoi aurait-il l'exploitation de surcroît ?

Mais j'ai appris d'une certaine façon à gérer ça, à faire la paix.

L'histoire avec la prof de géographie... Je n'en ai pas su grand-chose sur le moment, vous pouvez l'imaginer, l'école et mes parents l'ont tue. La première fois que j'ai vraiment compris qu'il déraillait sérieusement, ce fut pendant les vacances de décembre de la même année. Il avait fini sa seconde, il avait joué son premier match en équipe première, rappelez-vous, il n'avait que seize ans, sa photo figurait dans le *Eikestadnuus*...

Pendant ces vacances... Le nouveau chai de mon père était presque achevé. J'adorais m'asseoir dans la fraîcheur du chai, renifler les odeurs, songer au vin à venir. En tout cas, c'est par un après-midi de la mi-décembre que j'arrive au chai... À l'arrière, il restait encore un tas de sable, de la roche, des briques et quelques matériaux qui n'avaient pas été dégagés. J'entends quelqu'un pleurer doucement. Je m'avance et je vois Paul avec deux enfants des ouvriers agricoles. Abie avait aux alentours de neuf ans, Miranda quatorze. Et... Paul était en train... On n'a pas besoin d'entrer dans les détails. Paul était en train de les forcer à... Ils se tenaient debout, sans vêtements, leurs corps maigres, c'était Miranda qui pleurait, qui suppliait. Ça m'a... Le nez du petit Abie saignait, je pense que Paul avait dû le frapper. J'ai eu très peur, surtout de Paul. Il avait ce regard, cette expression qui m'a effrayé. Je n'arrive pas à la décrire, mais j'ai su que c'était... pathologique. Pour la première fois, j'ai compris qu'il était profondément dérangé.

Il n'a pas sursauté quand il m'a vu, je m'en suis rendu compte plus tard... Il s'est simplement mis à mentir, à raconter qu'il les avait trouvés comme ça, que ces Hottentots font des choses dégoûtantes, mais entre ses larmes Miranda disait : Ce n'est pas vrai, s'il vous plaît, aidez-nous.

Paul a juré et leur a crié de foutre le camp, de ramasser leurs vêtements et de foutre le camp, puis il a commencé à me menacer. Si j'en parlais, il dirait aux parents que c'est moi qui faisais ces choses brutales, horribles. Je ne savais pas quoi... Je ne l'avais jamais vu comme ça... Il m'a fait penser à un chien acculé, les babines retroussées, le grognement menaçant... Je n'ai rien dit, j'étais complètement abattu... et déçu. Paul était mon héros... en un instant il... Puis il s'est mis à rire et m'a demandé si j'avais vu l'air de Miranda. Il s'était une fois de plus transformé en garçon jovial, charmant...

J'ai ressassé la scène pendant deux jours. Mon père m'a envoyé chercher un de ses ouvriers. Je suis tombé sur Miranda, assise près du ruisseau en train de pleurer, les yeux au loin. Dès qu'elle m'a vu, elle s'est enfuie. J'ai compris qu'elle croyait que j'étais comme mon frère. C'était... Cela reflète certainement quelque chose de moi, de ma psychologie, mais je ne voulais pas qu'elle pense ça de moi. Du coup, je suis allé trouver ma mère. Je ne sais pas pourquoi je n'ai pas parlé à papa. Aujourd'hui encore, je sais que c'était mieux d'en parler d'abord à maman.

52

Vendredi 19 décembre. Six jours avant Noël.

Le capitaine John Cloete arrive le premier au bureau, juste après 6 h 30. Il se prépare un café instantané dans un mug et prend place à son bureau, avec à portée de main une boîte Tupperware que sa femme remplit de biscuits chaque matin. Il empile les journaux sur sa droite et se saisit du premier.

Le titre du *Son* couvre deux colonnes : Ernst enlevé. En sous-titre : *Des hommes de main ont-ils torturé Richter pour avoir des noms ?*

Cloete tire vers lui son paquet de cigarettes, en caresse une tout en poursuivant sa lecture. De temps à autre, il trempe un biscuit dans son café.

L'article commence, comme il s'y attendait, par une « révélation exclusive d'une source proche de l'enquête » expliquant que, compte tenu du bon état de conservation du corps de Richter, il pourrait avoir été détenu une semaine ou plus avant d'avoir été assassiné (« Le porte-parole des Hawks ne l'a pas démenti »). Pour livrer le code d'accès à la banque de données d'Alibi ? Le papier émet des hypothèses sur @NoMoreAlibis : ce ne serait pas une personne, mais un groupe de croyants fanatiques qui serait derrière l'enlèvement et le meurtre. Le journal cite un message envoyé sur la page Facebook de Richter, datant de plus d'un an : « Nous vous combattrons au nom du Seigneur. Nous vous mettrons à nu, vous et tous les pêcheurs qui se regroupent sur votre site. Votre fin est proche. » L'auteur signe tout simplement « Révélations ».

La brève concernant les clients d'Alibi dévoilés, le journaliste de la télévision, le député de l'ANC et l'acteur de séries B, figure en page trois.

Le porte-parole des Hawks soupire longuement, pose le *Son* de côté et prend *Die Burger*. La star du soap afrikaner fait la une. Dans une déclaration envoyée par son agent, il présente ses excuses à son pays et à sa femme pour « son égarement », bref et « irréfléchi ». On mentionne aussi la réaction du député de l'ANC à la suite des révélations : encore une tentative de l'opposition pour salir le gouvernement. Un porte-parole de la Democratic Alliance* juge cette assertion scandaleuse, l'adultère de ce parlementaire de l'ANC n'étant qu'un exemple supplémentaire de la dégradation morale de ce parti.

MEURTRE CHEZ ALIBI : UN EMPLOYÉ SUSPECTÉ, titre le *Cape Times* au-dessus d'une photo de Vaughn Cupido et Bennie Griessel arrivant devant les bureaux d'Alibi à Stellenbosch. Cloete en déduit que l'info provient d'un membre du poste de Stellenbosch, car l'article signale que la voiture d'un employé d'Alibi doit être analysée par les experts.

Il est encore en train de parcourir le papier quand sonne son téléphone portable. Il sait que ce sont des journalistes qui veulent vérifier les théories échafaudées par les médias.

Il avale sa dernière gorgée de café avant de répondre.

Encore une longue journée qui s'annonce.

* * *

La « source proche de l'enquête » citée par le *Son* a pour nom Jamie Keyter, adjudant de police.

À 7 heures du matin, il est assis avec quatre autres enquêteurs du poste de Table View, lit les journaux et voit avec une certaine satisfaction que « son » histoire fait la une. Avec rancœur, il regarde la photo en couverture du *Cape Times* avec les deux Hawks qui s'avancent d'un pas déterminé. C'était son affaire à lui. C'est sa photo qui aurait dû se trouver à la une du journal.

Il se souvient que Cupido l'a tancé à la morgue sur sa façon de s'adresser à la mère de Richter. Ce capitaine fanfaron l'a pris pour un trou du cul.

Il remarque ensuite une tache sur la joue de l'autre, Bennie Griessel.

Il connaît Griessel, il a travaillé avec lui il y a de ça quelques années sur les meurtres dans l'affaire Artemis[1]. Il ne se souvient pas qu'il avait une tache de naissance.

Et puis lui revient en mémoire la conversation de Cupido sur son portable à Soutrivier. Il s'en souvient en partie : « *Jissis,* Arrie, merci beaucoup. Attends un moment, ne le boucle pas, s'il te plaît. Il a eu une très mauvaise journée. J'arrive. Donne-moi dix minutes. » Et aussi : « Bennie ? Une agression ? »

Bennie Griessel, le célèbre enquêteur alcoolique, toute la police du Cap le connaît, lui et sa bonne descente.

Keyter étudie la photo. Il s'agit d'une ecchymose. Agression ? Bennie est-il impliqué dans une agression ?

S'il était saoul, c'est bien probable.

Et cet « Arrie » ? Il ne faut pas être grand clerc pour deviner qu'Arrie travaille dans la police, puisque Cupido lui demande « de ne pas le boucler ». « J'arrive. Donne-moi dix minutes » signifie qu'Arrie travaille relativement près de la morgue de Soutrivier. Se pourrait-il qu'il s'agisse d'Arrie September, le responsable du poste central du Cap ?

C'est très probable.

* * *

1. Cf. *Le Pic du diable,* dans la même collection.

Griessel ne se soucie pas de la marque sur sa joue, qui ce matin a pris une tonalité violette, même si le gonflement a diminué. Il arrête sa voiture dans le parking en sous-sol de la Direction des Enquêtes prioritaires à Bellville. Toutes ses pensées sont braquées sur le trouble qu'il a ressenti à la maison ce matin. Il voyait bien qu'Alexa n'était pas dans son assiette. Il sait pourquoi. Il ne peut rien faire pour la soulager. Son petit sourire bravache, le bisou à la va-vite, ces gestes esquissés qu'il ne comprend pas tout à fait.

Il soupçonne une tactique, élaborée entre elle et Doc Barkhuizen.

Il sait qu'il devrait appeler le doc. Il n'en a pas envie. À quoi bon ? Il sait exactement ce que le doc va lui dire et il sait qu'il n'écoutera pas.

Il s'est fixé un programme de boisson pour la journée. Il lui faut se procurer des Fisherman's Friend pour l'haleine. Et une bouteille qu'il gardera dans sa voiture. Ensuite tout ira bien.

Il ouvre la portière. Une douleur lancinante monte dans son bras. Combien de temps cela va-t-il encore durer ? L'attaque sur la N1 remonte à six mois. Nyathi est mort. Lui a survécu.

De l'autre côté du parking il entend Vaughn qui l'appelle. Cupido approche.

— Benny, je tiens à m'excuser pour hier soir, je pense que je n'avais pas le droit de te parler de la sorte. Je n'ai pas d'enfants, je ne sais pas ce que c'est. C'était très maladroit. Je te présente mes excuses, Benny.

Il lui tend la main.

Griessel la saisit, étonné, car Vaughn n'a pas la réputation de présenter des excuses. Il dévisage son collègue, il décerne du sérieux dans son regard. Autre chose aussi : dans les épaules, les yeux, la détermination de la bouche ? Il note son habillement. Ce matin, Cupido s'est conformé aux exigences de Mbali : pantalon et veston noirs, chemise bleu ciel, chaussures en cuir noir. Et ce n'est pas tout. Son attitude générale est différente. Un calme, une... C'est comme si Cupido avait... mûri au cours de la journée d'hier. Mûri, c'est le mot qui lui vient. Comme s'il avait pris le commandement opérationnel à bras-le-corps, comme s'il l'avait intégré. Il en ressent de la fierté et un peu de tristesse : il espère que Vaughn l'effronté, l'esprit libre, le rebelle n'a pas disparu. Il éprouve aussi une once de honte, car Cupido progresse tandis que lui-même régresse.

— Je vais retourner voir la psy dès qu'on aura bouclé l'affaire.

Il parle doucement, à contrecœur. Il souhaiterait que cet aveu n'ait pas l'air de lui coûter, car il ne voudrait pas que Cupido sache que sa déclaration de la veille au soir l'a influencé.

Cupido pose son bras sur l'épaule de Griessel.

— C'est bien, Benny.

Ils se sentent gênés et se dirigent vers la sortie du parking.

Le téléphone de Cupido sonne. Il répond, écoute et demande :

— Quelle sorte de déposition ?

* * *

— Je viens de recevoir le coup de fil de l'avocat d'une grande entreprise, annonce Cupido en réunion de service. Il dit qu'un de ses clients veut faire une déposition. Il s'agit du directeur régional de la Premier Bank. Il a utilisé les prestations d'Alibi et il affirme que Richter a essayé de le faire chanter pour obtenir un gros découvert en faveur de sa boîte.

— Eh bien, tout finit par sortir, dit Fillander.

— Quand ? demande Mbali Kaleni.

— Il ne l'a pas dit. Il a demandé que nous allions le rencontrer. Je lui ai répondu que ce serait mieux qu'il vienne par ici avec son client, car nous sommes au beau milieu d'une enquête, au cas où il ne l'aurait pas remarqué. Mais la grande question est de savoir combien de gens Richter a fait chanter.

– Et comment les retrouver, ajoute Vusi Ndabeni.

– C'est pourquoi nous avons besoin de Bones, tranche Cupido. D'urgence.

– Bones témoigne au tribunal ce matin. J'attends toujours l'appel de son commandant. Il sera disponible cet après-midi.

– Merci, major. *Oom* Frankie va creuser l'histoire du mari jaloux, nous attendons le rapport des experts sur la voiture de Grobler et les résultats des recherches de l'IMC sur le téléphone portable. C'est à peu près tout ce que nous avons en attendant que Bones mette le nez dans les comptes. J'emmène Zézaie chez Alibi ce matin pour examiner la base de données et tout le toutim.

Kaleni approuve.

– Autre chose ?

– Les experts ont appelé, dit Ndabeni. Ils ont analysé les vêtements de Richter la nuit dernière. Ils disent qu'ils ont trouvé des trucs.

Tous le regardent.

– Les vêtements – le jean et le T-shirt – indiquent des résidus de…

Ndabeni consulte les notes de son calepin.

– … de triazole. Le même fongicide que celui découvert sur la bâche. Ils ont aussi prélevé de la poussière dans la poche arrière du jean, mais rien dans les poches avant. Ils disent que ça n'a rien à voir avec le sable de Blouberg. On retrouve les mêmes traces sur le dos du T-shirt. Leur hypothèse, c'est que le corps a été traîné sur le dos avant d'être enroulé dans le plastique. Cette poussière proviendrait donc de la scène du crime.

– OK, fait Cupido, plein d'espoir.

– Ils continuent d'analyser la poussière, mais la chose

intéressante, c'est qu'elle contient un nombre inhabituel de bouts de pétales et de brindilles en forme de zigzag. Pétales et brindilles de jacaranda. Ils pensent qu'il y a une forte probabilité que le meurtre ait été commis sous un jacaranda, ou tout à côté.

— Cela ne va pas nous aider beaucoup, intervient Mooiwillem Liebenberg. Vous savez combien Stellenbosch compte de jacarandas ? Des centaines.

Vusi ne se laisse pas désarçonner.

— Je sais. J'ai eu en ligne le directeur du Jardin botanique de Stellenbosch il y a quinze minutes. Il estime entre cent et deux cents le nombre de jacarandas à Stellenbosch, tous du genre flamboyant bleu ou *Jacaranda mimosifolia*. Cet arbre fleurit en novembre et début décembre, ce qui correspond à l'époque du décès de Richter. Les gars du labo disent que le fongicide et le plastique sont utilisés dans les exploitations de fruits et légumes, j'ai donc demandé au type du Jardin botanique ce qu'il en était des jacarandas dans les domaines autour de Stellenbosch. Il m'a raconté une chose très intéressante. La plupart des viticulteurs sont très soucieux d'écologie, car c'est un critère important dans la compétition internationale. Le jacaranda vient à l'origine d'Amérique latine. Le gouvernement a déclaré cet arbre « espèce envahissante ». Les viticulteurs ont par conséquent arraché de nombreux jacarandas. Il n'y en a plus beaucoup dans les exploitations...

53

Décembre 2002 marque pour Helena Du Toit le début de neuf années d'enfer.

Ce mois-là, sa plus grande crainte se confirme : son fils aîné est très malade. Après l'incident avec la professeure de géographie, elle a espéré que ses troubles de la personnalité resteraient mineurs. Les psychiatres lui ont expliqué que certains psychopathes arrivent à vivre en société, leurs syndromes sont moins dommageables, et avec un suivi adéquat, ils peuvent mener une vie relativement inoffensive.

Mais l'incident avec les enfants des ouvriers agricoles a brisé cet espoir.

Elle ne dit rien à son mari, au début. Elle verse une compensation au petit Abie et à Miranda et va présenter en personne ses excuses aux parents. Et puis, à sa manière bien à elle, intensivement, elle consulte des spécialistes, étudie toute la littérature sur le sujet jusqu'à ce qu'elle soit convaincue qu'aucune thérapie, aucun médicament ne saurait agir : les psychopathes sont incurables.

Elle rumine longtemps la façon dont elle procédera. Après avoir sué sang et eau pendant sept ans, Guillaume est en mesure de sortir son premier vin de haute qualité. Il est endetté jusqu'au cou. Les investissements pour les nouveaux plants de cabernet sauvignon, de merlot, de petit verdot, de malbec et de cabernet franc pèsent lourd ; le nouveau chai a coûté beaucoup plus qu'il ne s'y attendait.

Les trois à cinq années à venir seront décisives. Il faut fabriquer le vin, l'embouteiller, le mettre sur le marché et le distribuer à l'échelle nationale et internationale. Guillaume sera surchargé de travail ; elle assumera la responsabilité de l'état de son aîné.

Ce n'est qu'en janvier 2003, quand elle a tracé son plan d'action, qu'elle va s'asseoir un matin avec son mari et lui annonce la nouvelle. Ils pleurent, puis elle lui détaille comment elle va agir. Ensemble, ils expliquent la situation à leur fils cadet, François. Enfin, elle demande à Paul de les rejoindre.

Tu ne peux rien y faire, si tu es comme ça, lui dit-elle. Ton cerveau est connecté différemment, tu n'éprouves ni remords ni empathie. On m'a dit qu'il s'agissait d'un handicap congénital, tu seras comme ça toute ta vie. Nous t'aimons, même si tu ne comprendras jamais ce que cela veut dire. Mais tu constitues un danger pour nous tous. Tu es capable de beaucoup nuire, c'est notre devoir de parents de faire tout ce qui est en notre pouvoir pour t'en empêcher. Les psychopathes ne réagissent pas le moins du monde aux punitions, mais il y a un traitement qui donne des résultats positifs : les récompenses. C'est pourquoi, à partir d'aujourd'hui, nous t'interdisons tout. Tout. Mais chaque semaine où tu n'auras fait de mal à personne, nous te récompenserons. En te donnant le droit de jouer au rugby. En te laissant aller à l'école. En te donnant le droit de vivre dans ce domaine et dans notre famille.

C'est ainsi qu'elle a décrété les règles et les conditions. Elle semblait sûre d'elle-même, mais en son for intérieur ses craintes étaient grandes et ses espoirs minces.

Car tout ce qu'elle avait lu et entendu débouchait sur une conclusion unique : Paul était une bombe à retardement. Quand exploserait-elle ? c'était toute la question.

54

À 8 h 08 tombe le tweet de @NoMoreAlibis : *Encore 4 heures. Client d'Alibi, nom de code : John Two. Réglé par Johannes Frederickus Nel. Écrivain ? Compte ABSA : 4155791155. 19 alibis. #QuiatueErnst*

Dans les trois minutes, un premier journaliste appelle la direction de Ad Altare Dei, maison d'édition de publications spirituelles du Cap, pour savoir si Johannes Nel, auteur de *À chaque jour sa peine* et de quatorze autres best-sellers, veut bien faire un commentaire.

* * *

Le directeur régional de la Premier Bank et son avocat : bonnet blanc et blanc bonnet. Gros tous les deux, d'âge mûr, un peu rougeauds, portant lunettes. La seule différence c'est que le directeur est anxieux et l'avocat mécontent.

Griessel ne voit pas pourquoi les avocats sont si souvent mécontents quand ils s'adressent aux enquêteurs. Il soupçonne pour partie une stratégie de défense, pour partie leur habitude de se lever devant la cour en criant : « Objection, monsieur le juge ! »

Mooiwillem et lui accueillent les deux hommes dans une petite salle de réunion des Hawks. Il fait trop chaud dans le réduit, car quelqu'un à la DPCI a oublié de brancher l'air conditionné après la coupure d'électricité tournante annoncée par Eskom. Les deux gros suent. Le directeur tient un mouchoir pour s'essuyer le front et la nuque.

La sueur de l'avocat perle sur la table.

– C'était en mai. Début mai.

La voix du directeur est étonnamment haut perchée pour un homme aussi massif, mais c'est peut-être le stress.

– De cette année ?

– C'est exact. Le 8 mai.

– Vous avez bonne mémoire.

– Je l'avais noté.

– Comment a-t-il pris contact avec vous ?

– Sur mon portable.

Il s'essuie avec son mouchoir et reste silencieux.

– Vous pouviez lire son numéro ?

– Non, il s'agissait d'un appel non identifié. Mais je l'ai repéré quand il m'a envoyé un SMS.

– Allez-y, racontez-nous l'histoire.

– OK. Il m'a téléphoné, il était 3 heures de l'après-midi, quelques minutes après 3 heures. Il me demande si je suis seul, je réponds que oui. Alors il me demande si ma femme sait que j'ai une petite copine. Je demande qui est à l'appareil. Alors il me dit que ça n'a pas d'importance : ma femme est-elle au courant ? Alors je raccroche. Alors il m'envoie un SMS me disant que si je ne veux pas que ma femme sache ce que je faisais le 11 avril après-midi, je ferais mieux de répondre quand il rappellera. Et il rappelle. Alors il me dit que ça ne sert à rien de raccrocher, que ça me compliquera plutôt les choses. Alors je lui demande ce qu'il veut. Il me dit : un million de découvert. Là, je dis non. Alors il me dit qu'il va appeler ma femme. Alors je lui dis qu'il n'a qu'à appeler. Il raccroche.

Le directeur régional presse le mouchoir sur son front, puis sur sa lèvre supérieure.

– C'est tout ?

– Oui, c'est la dernière fois que… Mais j'ai voulu savoir qui c'était. Alors j'ai pensé ce soir-là à tous ceux qui auraient pu faire le coup. Et je me suis dit que personne ne pouvait le savoir, car... Les circonstances...

L'avocat lève la main pour mettre en garde son client. Le directeur régional opine.

– Je... Nous étions très... discrets. Personne ne pouvait connaître la date et l'heure, sauf les gens d'Alibi. C'était la seule possibilité. Alors je les appelle le lendemain, car je voulais leur signaler qu'un de leurs employés faisait chanter les clients. Je téléphone et demande à parler au patron. Ils ne veulent pas me le passer. Alors je tape le nom de la société sur Google car je voulais connaître le nom du directeur exécutif. Alors je vois qu'il s'agit d'Ernst Richter. Je tape son nom sur Google, et apparaît une vidéo sur YouTube, sur cet Ernst Richter quand il avait lancé Alibi. Je la regarde et je reconnais sa voix. C'est tout.

– Vous n'avez rien fait d'autre ?

– Non. Si... J'ai essayé d'effacer mon profil chez Alibi, mais c'est pratiquement impossible. Je me suis juste désabonné.

– Vous ne l'avez pas contacté ?

– Non.

– Vous n'avez rien fait d'autre ?

– Non.

– Pourquoi êtes-vous venu ?

L'avocat intervient.

– Nous sommes ici dans un esprit de pleine coopération.

– En vue de quoi ?

– Vous...

Le directeur s'apprête à continuer, mais l'avocat fait à nouveau un geste de prudence.

Le directeur s'essuie la nuque et tourne la tête.

– Cela ne fera pas de mal si je dis ce que je sais, je devine qu'on peut connaître aujourd'hui tous les gens que Richter a appelés sur son portable.

Il regarde Griessel.

– Je ne voudrais pas que vous débarquiez un soir chez moi avec un tas de questions, capitaine. Je suis certain que vous comprenez. C'est pourquoi je suis venu.

– Vous lui avez dit qu'il n'avait qu'à appeler votre femme ? Griessel ne croit pas cette partie du récit.

– Oui.

– Mais vous ne souhaitez pas que nous venions chez vous ? Le directeur régional pousse un profond soupir.

– Capitaine, je... Si j'avais cédé à son chantage, si j'avais commencé à renier mon intégrité professionnelle... Que reste-t-il à un banquier ? Où est-ce que cela finit ? Mon mariage...

L'avocat pose sa main sur le bras du directeur.

Le directeur retire son bras.

– Depuis douze, treize ans, mon mariage n'est plus ce qu'il devrait être. S'il le faut, je m'en passerai. Mes enfants ont quitté la maison, ils peuvent surmonter ça. Je ne tiens pas à nuire à quiconque, mais si on ne peut pas faire autrement... Mon métier, en revanche, je ne peux pas vivre sans mon métier. C'est comme ça.

* * *

À 8 h 47 Vaughn Cupido reçoit un SMS de Desiree Coetzee.

Le nom du type est Werner Habenicht. Président de Ship-Sure. « http://www.shipsure.com » Portable : 093 448 9091. Merci pour hier soir, c'était vraiment sympa.

Cupido lit et relit les huit derniers mots. Il les analyse.

Elle n'était pas obligée de l'écrire, mais elle l'a fait. Elle s'est dit : il faut encourager ce gars, je l'aime bien. *C'était vraiment sympa.* Comme si elle était surprise que le dîner ait été sympa, mais ce vraiment peut aussi vouloir dire, c'était vraiment *mieux que* sympa, mais je n'ose pas le dire trop fort...

Bien sûr, c'était sympa, Desiree Coetzee. Je suis Vaughn Cupido, la perle des Hawks.

Il se lève pour aller chercher Zézaie et pour transmettre à Griessel les coordonnées de Habenicht.

* * *

Frank Fillander n'appelle Sarah Woodruff qu'après 9 heures.

Elle répond en disant : « Ici, Louise. Allô ? » « Allô ? » est prononcé d'un ton enjoué, la voix est mélodieuse, *qui m'appelle donc ?*

Passé un instant d'incertitude à cause du prénom qui ne concorde pas, il comprend le fin mot de l'histoire – Sarah Woodruff est un nom d'emprunt.

– Puis-je parler à Sarah, s'il vous plaît ? Sarah Woodruff.

Il le dit à dessein, car si elle n'est pas seule, elle pourra répondre qu'il s'agit d'un mauvais numéro.

Le long silence à l'autre bout de la ligne a une signification qu'il n'arrive pas encore à déchiffrer.

Presque sur le ton d'un murmure, elle demande :

– Qui est à l'appareil ?

– Louise, je suis le capitaine Frank Fillander de la police, Direction des Enquêtes prioritaires. Je souhaiterais parler avec vous d'Ernst Richter.

Elle ne répond pas. Il poursuit :

– Je pense comprendre le contexte. Puis-je vous rencontrer quelque part ? Dans les heures qui viennent ?

Elle met un instant à digérer l'information.

– Je pourrais… Votre bureau est-il discret ?

* * *

Jimmy, le maigre dans le duo des experts, appelle Ndabeni juste avant 9 heures.

— Nous avons résolu un des grands mystères de l'affaire, Vusi.

Ndabeni ne sait pas si Jimmy le taquine à nouveau. Il répond simplement :

— C'est chouette.

— Je ne te mets pas en boîte, cette fois-ci. Nous allons vous faire gagner beaucoup de temps, les gars.

— C'est chouette, Jimmy.

— Comment ça, c'est chouette, Jimmy ? C'est tout ce que tu trouves à dire ?

— J'en dirai plus une fois que je saurai quel mystère a été levé.

— OK, Vusi, c'est de bonne guerre. Voilà : vous pouvez laisser tomber toutes les exploitations de légumes ou de pommes. Je pense que vous pouvez vous concentrer sur les raisins. Parce qu'on a terminé notre analyse sur les grains de poussière de la poche, et on a trouvé un pourcentage significatif de résidu de feuilles de vigne. On ne peut pas encore te dire quelle sorte de raisin, il faut qu'on fasse l'analyse ADN, ça prendra des semaines. Mais nous parlons bien de Stellenbosch, et c'est une région strictement viticole.

— C'est génial, Jimmy.

— Au moins, nous sommes géniaux.

* * *

À 9 h 08 tombe un nouveau tweet de @NoMoreAlibis : *La date et l'alibi de chaque client arrivent dans trois heures. URL suit. #ErnstRichter #QuiatueErnst #NoAlibi.*

Il y a à présent 31 714 suiveurs.

55

Dossier audio 9

FdT : Toute population compte un pour cent de psychopathes. Cela signifie qu'ils sont un demi-million en Afrique
du Sud. Un demi-million. C'est beaucoup. L'un d'eux était
mon frère. Ce sont des gens fascinants. Incompréhensibles
pour les êtres normaux. On n'arrive pas à se figurer une personne dépourvue de toute conscience morale. Une recherche
intéressante a été entreprise il y a quelques années sur le
langage des psychopathes. Nous utilisons tous des interjections. Comme les « euh » ou les « hum » quand il nous faut
réfléchir avant de parler.

On a trouvé que les psychopathes emploient beaucoup plus
d'interjections que les autres personnes. Il leur faut penser
intensément à ce que doit être une réponse normale, afin de
masquer leur maladie, voilà la théorie.

Les psychopathes parlent deux fois plus que nous des
besoins primaires. Des sujets comme boire et manger, l'argent.

Je pourrais vous raconter mille choses sur les psychopathes.

Ma mère est devenue experte en la matière. Elle en a fait la bataille de sa vie, afin de protéger le monde contre Paul. Elle est allée voir le directeur du lycée pour lui parler de la maladie de son fils, à lui de choisir s'il l'autorisait à venir en classe ou non.

Il me semble qu'il s'agit là d'un intéressant dilemme. Ce talent sportif phénoménal... Un ancien entraîneur des Springboks avait dit à l'époque que, de sa vie, Paul Du Toit était le plus génial des joueurs qu'il ait jamais vus. Une vista, une habileté, un jeu de main, un jeu de pied... Comment se passer d'un garçon pareil dans l'équipe du lycée ? Le sort est cruel d'avoir concocté une telle combinaison de dons et de maladie.

Le directeur a choisi de garder Paul aussi longtemps qu'il se tiendrait bien. Ma mère et lui sont tombés d'accord pour tenir compte du comportement de Paul au lycée. Elle a contacté l'entraîneur de rugby et lui a expliqué le système. Ma mère était totalement logique et juste. Si Paul n'avait rien fait d'inacceptable le lundi et le mardi, il était récompensé en allant à l'entraînement. Même chose pour mercredi et jeudi. Toute une semaine de bonne conduite lui valait de participer aux compétitions. Et ça a marché.

Jusqu'au premier trimestre en terminale. Là, il n'a pas pu se contrôler. Il a violé une fille.

C'était sous la pulsion du moment. Ma mère devait aller le chercher sur le terrain de rugby, elle avait quelques minutes de retard, le trafic à Stellenbosch... Il a vu la fille marcher le long de l'Eersterivier, à côté des terrains du lycée Paul-Roos... Deux gars ont entendu des cris, ils se sont précipités, mais il était trop tard. Ma mère l'attendait adossée à la voiture quand elle a vu arriver le car de police. Elle a compris.

Le problème, c'est que ça s'est passé trois semaines après ses dix-huit ans. On l'a mis en examen en tant qu'adulte.

56

Sarah Woodruff est une belle femme. Sensuelle, sur le mode discret. Un charme qui murmure, qui se développe, enrichi par de nombreux atouts – silhouette, voix, gestes de la main, rire intimidé, intensité des yeux noirs.

Après coup, Frank Fillander, avec sa connaissance des êtres humains, avec ce don pour sonder un caractère, réfléchira sur sa personnalité. Son idée, c'est qu'elle est une fleur à éclosion tardive. Adolescente, elle était probablement longiligne, anguleuse, introvertie, mais aspirant à des choses brillantes qui ne lui seraient finalement pas offertes. Et puis vers dix-sept, dix-huit ans, son corps et ses traits se seront épanouis pour devenir très attirants. Elle aura été surprise par l'attention des jeunes hommes, ce soudain don du ciel. Elle l'aura apprécié comme une chance fugace – par opposition aux femmes qui sont splendides depuis leur plus jeune âge, et considèrent la beauté comme un droit.

Elle aura tôt pris son fiancé au sérieux. Ses premières années de mariage auront été intenses. À cette époque, son mari aura été captivé par sa sensualité et son appétence. Mais le temps, les enfants, ses tâches de femme au foyer, son travail à lui finissent par tout estomper. Tout, sauf la dynamo qu'elle porte en elle. Ce qui fait qu'à quarante-deux ans elle désire avoir une dernière chance de connaître une attirance physique. Avant que sa silhouette ne s'épaississe, que son allure envoûtante ne s'efface.

Elle apprend dans une revue féminine l'existence de l'application téléphonique pour rencontres. Elle charge Tinder, avec curiosité et juste ce qu'il faut d'appréhension pour que ce soit excitant.

Louise Rousseau est le vrai nom de Sarah Woodruff. Elle explique à Fillander qu'elle a emprunté ce pseudonyme à un roman de John Fowles, *Sarah et le Lieutenant français*. Une allusion littéraire qui passe bien au-dessus des hommes qui utilisent Tinder, car jamais aucun correspondant ne l'a notée.

Avec prudence, elle choisit la photo accompagnant son profil. Elle se lance sur Tinder. Elle reçoit beaucoup d'attentions, mais seulement de la part d'hommes jeunes. Ses espoirs, ses fantasmes pour un homme plus âgé qu'elle, érudit, stimulant sur le plan intellectuel et expérimenté sur le plan sexuel, s'évaporent vite. Les jeunes flashent apparemment sur les seniors du web.

Un seul l'a fait réagir : Ernst Richter. Car sur Tinder, le niveau moyen est bien bas. Lui, au moins, se montre poli, joyeux, éveillé, intéressant à sa façon, il a un sens de l'humour potache. Il se montre patient, jamais pressant.

Elle entame avec Richter un dialogue qui va durer deux semaines. Un rayon de soleil dans ses matinées solitaires. C'est amusant, sexy. La tonalité d'un message entrant lui provoque des picotements. Elle se met à penser : Comment ça peut se passer avec un jeune mec ? Toute cette énergie sexuelle, toute cette envie, car même s'il n'est pas vulgaire, il affiche toutefois son désir avec honnêteté.

Elle consent à le rencontrer chez lui, car c'est un endroit très discret. Sa plus grande crainte est d'être aperçue par une amie ou une connaissance, d'être confrontée à des questions gênantes.

Elle se met en frais, silhouette, parfum, vêtements. En prenant les clés de sa voiture, le courage lui fait défaut. Elle se plante devant un miroir et se sent à la fois soulagée et déçue. Elle se regarde. Et décide finalement d'y aller. Elle a quarante minutes de retard.

À la porte d'entrée, il l'accueille avec un bouquet de fleurs et une boîte de chocolats fins. Ça lui va droit au cœur.

Mais même quand il commence à l'embrasser dans le salon, elle ne sait pas si elle fera l'amour. Elle se laisse guider minute après minute par ses impulsions et par la facilité. Elle récompense la patience de Richter par un abandon complet. À sa grande surprise, il se révèle adroit, doux, avec un rare talent d'endurance. Si bien qu'elle retourne encore deux fois chez lui au cours des semaines suivantes.

Au début, elle a réprimé son sentiment de culpabilité. Mais comme s'il sentait le renouveau de sa vie sexuelle, son mari recommence à se montrer attentionné. Elle envoie un dernier message à Richter et efface l'application sur son portable. C'est tout ce qui s'est passé.

– Votre mari aurait-il pu apprendre votre liaison ?

– Non.

– Comment en êtes-vous aussi sûre ?

– Je le connais très bien. Il m'aurait prise à partie, aurait posé des questions, essayé de lire les messages sur mon téléphone… J'ai un code sur mon portable, en aucune façon il n'aurait… Même s'il l'avait appris : j'étais vraiment très prudente, la dernière chose que je souhaitais, c'était de lui faire mal.

Fillander l'observe. Il n'est pas totalement convaincu, car c'est quand on se croit futé et précautionneux qu'on commet des erreurs. À tous les coups.

– Où se trouvait votre mari le soir du mercredi 26 novembre ?

Il ne la quitte pas de l'œil, car le corps ou les yeux peuvent trahir le malaise ou les mensonges. Il ne remarque rien. Elle dit avec une calme détermination que ce n'est pas lui. Elle est pratiquement certaine qu'il était à la maison, comme d'habitude. Il ne travaille jamais tard, il ne voyage pas. Le soir, il regarde la télévision.

Il faut qu'elle en soit certaine à cent pour cent. Est-ce possible de vérifier ?

Oui, elle s'en chargera. Qu'on lui laisse un jour ou deux.

Il demande le numéro du portable de son mari. Elle le lui donne.

Il l'interroge sur la personnalité de Richter.

– C'était un gamin, explique-t-elle. Ni plus ni moins. Un gamin, un gamin sympathique dans un corps d'homme, avec trop d'argent et trop de jouets. Une femme mûre, c'était une nouveauté à essayer. Le genre écolier, jadis timide, qui cherche à tirer profit de la séduction que confère le succès, avant que ça ne s'arrête.

Elle ne sait pas si c'est l'effet de son imagination, c'est bien possible... Mais il portait en lui une urgence, une intensité. Comme s'il savait sa fin proche.

* * *

Griessel file hors du bâtiment de la DPCI dès l'ouverture des magasins qui vendent de l'alcool. Au coin de la rue, sur Voortrekker Road, se trouve Midmar, alcools à prix réduits.

On peut y acheter du Jack Daniel's en petites bouteilles de cinquante millilitres, par paquets de dix, comme on en offre dans les avions. Il demande aussi des Fisherman's Friend, paie et déchire le paquet sur le comptoir. La caissière perspicace regarde Griessel répartir les mignonnettes dans toutes les poches de sa veste. Il l'ignore. Son principal défi consiste à éviter que les petites bouteilles ne s'entrechoquent quand il longera le couloir pour gagner son bureau.

En chemin, Griessel réaménage les mignonnettes dans ses poches. Il se dirige d'abord vers les toilettes pour en boire une. Il hésite un moment, puis il en descend une seconde. Il se fourre quatre bonbons mentholés dans la bouche, se redresse, aspire, tourne la salive dans sa bouche. Il cache les deux minibouteilles vides dans la poubelle, sous le papier des essuie-mains usagé. Il répartit les huit mignonnettes restantes afin de réduire le risque de bruit.

Dans le couloir, il rencontre Mooiwillem.

– Je te cherchais, Bennie, il faut qu'on aille voir le gars Habenicht.

– Je file vite au bureau.

Afin d'y cacher quatre bouteilles et d'emporter les quatre autres.

Il est paré pour la journée.

* * *

Rien ne progressera vraiment tant que Bones Boshigo n'aura pas rejoint Alibi.co.za dans l'après-midi.

Cupido et Zézaie Davids se rendent à Stellenbosch. Cupido tient à s'arrêter dans l'agence locale de la Premier Bank pour remettre le mandat de perquisition, il faut voir ce qui s'y passe.

– Vous saviez qu'il avait aussi un compte à la First National Bank, *cappie* ?

– Comment t'as appris ça ?

– Il avait une application FNB sur son portable.

– Et pour la Premier Bank ?

– Également.

– Faudra donc qu'on aille aussi à la FNB.

* * *

Griessel et Liebenberg rencontrent Werner Habenicht, président du conseil d'administration de ShipSure, dans son luxueux bureau de Loop Street, au dernier étage de Triangle House. La vue sur Table Mountain est magnifique.

Habenicht fait partie de ces hommes mûrs tirés à quatre

épingles – cheveux gris coupés court et bien soignés, costume sur mesure, boutons de manchettes à la mode sur sa chemise bleu pâle, la carrure athlétique, en pleine forme. Son avocat, également assis dans la salle de conférences, est plus jeune, avec de gros sourcils noirs et un air mécontent.

On ne leur sert rien à boire.

Oui, il était client chez Alibi, explique Habenicht. Il demeure immobile en parlant, ses phrases en anglais sont aussi nettes que lui. Mais son ton est péremptoire, comme celui de quelqu'un habitué à tout contrôler. Il leur adresse la parole avec cette pointe de condescendance qu'ils connaissent bien, surtout de la part des gens riches.

Les raisons de son inscription à Alibi n'ont rien à voir avec leur enquête. Oui, quelqu'un a bien essayé de le faire chanter. Non, ce n'était pas au téléphone, mais par le biais d'un courriel anonyme et intraçable. Le maître chanteur voulait cent mille rands. Non, il n'a plus ce courriel. L'affaire a été résolue sur-le-champ.

Comment ?

Il est allé leur parler, et depuis le maître chanteur ne s'est plus manifesté.

Un soir il a bien attendu Desiree Coetzee dans le parking ?

Il attendait n'importe lequel des trois dirigeants. C'est elle, tout bêtement, qui est sortie la première.

Comment savait-il qu'il s'agissait d'elle ?

Il avait fait des recherches. Toutes les informations sont disponibles sur CIPC. De surcroît, tous trois sont sur Facebook. Richter, Coetzee et le directeur financier, Vernon Visser.

A-t-il jamais eu de contact avec Richter ?

Non, aucun.

Et comme Griessel prend Habenicht pour un sale con, il lui demande :

– Où étiez-vous le soir du 26 novembre ?

Habenicht n'est pas homme à soupirer. Il lance un

regard d'acier à Griessel, se lève, se dirige vers son bureau et appuie sur un bouton de son téléphone. Une voix de femme répond :

– Monsieur Habenicht ?

– Où étais-je le 26 novembre ?

– Un moment, monsieur.

L'homme attend avec impatience.

– À Londres, monsieur. Vous étiez à Londres pour votre réunion avec la Lloyds.

* * *

Vusumuzi Ndabeni est présent quand les experts passent au peigne fin le cabriolet Volkswagen Golf GTI rouge vif de Rick « Tricky » Grobler, le programmateur et le chercheur de vulnérabilités à jour zéro.

Vusi constate que la voiture est nickel. Il songe qu'il n'y a pas assez de place dans le véhicule pour transporter un cadavre, enroulé ou pas dans une bâche.

Ils relèvent les empreintes digitales, dehors et dedans, ils aspirent les sièges et le tapis de sol, ils prélèvent des échantillons de fibres, ils branchent un ordinateur sur le GPS de la voiture pour connaître avec précision les endroits où s'est rendu Grobler.

Ce n'est pas la voiture d'un assassin, pense Vusi. Elle est trop sexy.

Un jour il aura lui aussi ce genre d'engin.

* * *

À 12 h 08 précisément, @NoMoreAlibis annonce sur Twitter : *Les données complètes de tous les clients d'Alibi, anciens ou actuels, sont disponibles sur pageeasy.com/nomorealibis/*

57

Pendant que François Du Toit parle, maître Susan Peires fait des calculs à la louche.

Si Paul Du Toit a été emprisonné pour viol en 2004, comme il est jeune et qu'il s'agit d'un premier crime, il doit déjà avoir été libéré. Il a pu assassiner Ernst Richter.

Elle connaît les psychopathes. Comme avocate de la défense dans des affaires criminelles, elle en a eu son content. Tout le concept d'Alibi – la capacité de tromper sur ses faits et gestes tout en faisant des choses malsaines – est très attrayant pour un criminel violent avec de sérieux troubles de la personnalité.

François Du Toit est donc venu la voir pour qu'elle assure la défense de son frère. Au nom de ses parents qui ont connu tant de difficultés. Il est là pour tâter le terrain.

Elle ne va pas accepter l'affaire. Son expérience avec des clients psychopathes est, sans exception, perturbante et désagréable. Ils sont menteurs, manipulateurs et font froid dans le dos. Elle a entendu suffisamment de psychologues auprès des tribunaux pour savoir qu'il faut éloigner de la société ces malades aussi longtemps que possible, car ils reviendront semer la désolation sitôt libérés.

Par politesse, elle écoutera jusqu'au bout. Mais sa décision est prise.

58

La journée de Vaughn Cupido ne se déroule pas selon ses souhaits.

Il était pressé d'arriver à Stellenbosch pour voir Desiree Coetzee, mais elle n'est pas au bureau. Selon son assistante, elle s'est rendue au Cap pour négocier l'avenir d'Alibi avec les deux sociétés de capital-risque. Elle est partie avec un autre dirigeant qui doit apporter ses lumières sur l'affaire – le directeur financier Vernon Visser.

La tension est palpable au sein du personnel quant aux résultats de cette discussion. S'ajoute une vague défiance à l'égard des Hawks, comme s'ils étaient responsables de la possible dissolution de l'entreprise. Seul Zézaie Davids, d'un naturel enjoué, trouve un écho chez ses frères numériques, les programmateurs, et commence à se plonger dans les systèmes.

Cupido occupe le bureau de Desiree Coetzee et se bat avec les relevés qu'il a reçus de la part des deux banques. Richter avait deux comptes à la Premier Bank – un compte-chèques et un compte carte bancaire. Il avait en plus un compte-chèques personnel à la FNB. À part les dépenses habituelles comme le loyer (astronomique, 38 000 rands par mois), les taxes locales, l'essence, l'épicerie et les restaurants, il n'y a rien de significatif. Des sommes font l'aller et retour d'un compte à l'autre, il y a pas mal de frais et de recettes non spécifiés.

Il a besoin de Bones Boshigo.

À midi, il traverse la rue pour se rendre au Pane e Vino, car Zézaie lui a dit : « Je suis sur zone, *cappie,* vous pourriez m'apporter un sandwich. »

Il y a moins de médias dehors, il est cependant salué par une salve de questions. Il lève une main ; ils savent qu'ils doivent s'adresser à Cloete.

À travers la fenêtre du restaurant, il observe les bureaux d'Alibi. Il pense à Desiree, elle se bat ce matin pour son avenir professionnel.

C'est le problème avec la criminalité. Un policier enquête, il procède à une arrestation, il va témoigner au tribunal, puis il passe à autre chose. Mais les crimes ne s'arrêtent pas là, cela touche la vie des gens, comme une pierre jetée dans l'eau, les ondulations ne s'arrêtent pas une fois l'accusé condamné.

Desiree n'a pas à s'inquiéter. Il prendra soin d'elle.

Cupido commande des pâtes. Les meilleures qu'on lui ait jamais servies, il regrette qu'elle ne soit pas avec lui pour les partager.

Il n'a pas fini que son portable sonne. Il ne reconnaît pas le numéro, mais il répond quand même.

– Vaughn, c'est Arrie September.

Le stress est perceptible dans la voix.

L'estomac de Cupido se contracte immédiatement. Il n'y a qu'un seul motif pour lequel le commandant du poste central puisse l'appeler.

– *Jis,* Arrie ?

– On a un petit souci. Un type du *Son* a pris contact avec notre attaché de presse. Il voulait savoir si le capitaine Bennie Griessel des Hawks avait été mêlé à une agression mercredi soir. Mon gars n'en sait rien, Vaughn, car il n'y a rien d'inscrit sur la main courante. Mais le type du *Son* insiste, car il l'a appris de source sûre. Il demande à mon officier de liaison de vérifier et de le rappeler.

– *Jissis,* Arrie.

Cupido pose sa fourchette et oublie les pâtes.

– Je sais, mon frère. Tu as réglé les choses avec le Fireman's ?

– Oui, bien sûr. Ils m'ont promis sur tous les tons qu'ils laissaient tomber.

– OK. Tout ce que je peux faire, c'est dire que nous n'avons pas trace d'un tel incident dans nos dossiers, car c'est la vérité. Mais il faut que Griessel et toi agissiez, Vaughn. Faut me liquider cette affaire.

– Merci, Arrie, je te dois beaucoup.

– Liquide cette affaire, Vaughn. Tu sais comment ça se passe de nos jours. Je risque gros.

* * *

Lorsque Bennie Griessel a commencé à travailler chez les Hawks, le Centre d'information, plus connu sous le sigle IMC, était à ses yeux un endroit intimidant. Il avait une peur bleue d'être démasqué comme technophobe, ce qu'il était. Mais avec l'aide du chef de l'IMC, le capitaine Philip Van Wyk et de Cupido le technophile, toujours enthousiaste et disposé à partager ses connaissances, Griessel a beaucoup appris depuis deux ans.

Du coup, quand Van Wyk et son équipe projettent sur le mur le schéma en étoile des connexions liées au portable, il sait comment cela fonctionne. L'icône au centre représente le téléphone portable de Richter. Les lignes qui en partent indiquent à gauche les appels qu'il a passés, à droite les appels reçus – pendant un temps donné. L'IMC peut manipuler le programme de manière que le schéma déploie ses lignes à n'importe quelle période, depuis une heure spécifique jusqu'à une année, voire plus.

Plus la ligne est grosse, plus le nombre d'appels, reçus ou envoyés, est important. Philip Van Wyk prend la parole.

– Considérons les appels de l'année écoulée. Sept numéros reviennent régulièrement. La mère de Richter arrive en tête. Le reste, ce sont tous des collègues. L'un d'eux est celui que vous suspectez... Ricardo Grobler.

– Combien d'appels vers Grobler la semaine qui précède la mort de Richter ? demande Liebenberg.

Van Wyk attend que le technicien apporte les modifications au programme qu'il a élaboré. L'image change sur l'écran.

– Pas un seul. Donnez-nous tout le mois avant le meurtre.

La diapositive change encore.

– Durant ce mois, il n'a parlé que deux fois avec Grobler. Mais si l'on considère toute la période, les choses évoluent. Sa mère est toujours en tête, mais deux nouveaux numéros se hissent au palmarès, en deuxième et troisième position. Il s'agit de deux lignes fixes, deux sociétés du Cap. Marlin Investments et Cape Capital Partners...

– Ce sont les boîtes qui financent Alibi, intervient Griessel.

– Montrez-leur le graphique du nombre d'appels vers ces deux numéros durant l'année écoulée, demande Van Wyk. Comme vous pouvez le voir, il prend la forme d'une crosse de hockey. De janvier à septembre, le nombre des appels augmente régulièrement, mais en novembre, et surtout en décembre, la courbe monte en flèche vers le haut. Je ne sais pas si cela vous inspire.

– Nous pensons qu'ils ont voulu récupérer leurs fonds, dit Griessel. Il leur a certainement demandé un financement supplémentaire.

– C'est la seule anomalie que nous avons pu noter.

– Avez-vous pointé le RICA* ? demande Griessel.

Grâce à la loi RICA, chaque numéro de portable est couplé à une identité privée, avec adresses complètes. L'IMC identifie toutes les personnes qui ont appelé une victime et fait ensuite une comparaison avec sa base de données afin de savoir si l'une d'elles a déjà un passé criminel, a utilisé un portable volé ou a essayé d'échapper au processus RICA.

– Nous l'avons fait. Mais il n'y a rien.

Frank Fillander intervient pour la première fois.

– J'ai le numéro de portable du mari d'une copine de Richter. Pouvez-vous l'intégrer tout de suite dans le système ?

* * *

Cupido est de retour chez Alibi quand, à 13 h 52, le major Kaleni appelle. En voyant s'afficher le numéro, son malaise augmente. Les médias auraient-ils aussi appelé Cloete au sujet de l'agression de Bennie ?

– J'ai un rapport toxicologique pour vous, capitaine, dit-elle.

Soulagement. Étonnement, ensuite, que ce rapport ait été obtenu en deux jours seulement. Le ministère de la Santé met d'habitude six mois pour analyser les tests sanguins des victimes. Aucune trace de triomphe dans sa voix, c'est encore plus impressionnant.

– Major, c'est incroyable. Merci.

Son admiration est justifiée.

– Ils ont trouvé un taux de THC pas très élevé, mais c'est tout.

Cupido sait que cela signifie qu'au mieux Richter a fumé de la *dagga* au cours des sept derniers jours de sa vie. Ce qu'il savait déjà plus ou moins.

– Merci, major.

– Du nouveau ?

– Nous attendons Bones.

* * *

Passé 14 heures, l'envie recommence à ronger Griessel. Deux petites bouteilles en poche, il se rend aux toilettes, les boit, se rince la bouche avec de l'eau, puis camoufle son haleine.

Tandis qu'il s'attarde afin que les six tablettes mentholées fassent leur effet, ses pensées vont à sa prestation du matin avec le banquier, avec Habenicht et avec l'IMC. Il s'est montré professionnel. Non, plus que ça. Il s'est montré bon enquêteur, il n'a rien laissé passer.

Ce modus vivendi avec la boisson peut fonctionner. Le monstre est bridé et lui, il arrive à se concentrer. Il suffit de continuer ainsi. Personne ne trouvera à y redire.

Avant de sortir, il souffle sur ses mains et renifle. Tant qu'on ne s'approchera pas trop près de lui…

Dans le couloir, en train de songer à l'étape suivante, une chose le frappe : il ne se rappelle pas avoir vu le nom du banquier dans le schéma en étoile de l'IMC. Pourtant, il s'en souvient, l'homme a dit qu'il avait contacté Richter sur son portable.

Aurait-il oublié ce point ?

Ce serait une bonne idée d'aller vérifier.

* * *

Le major Benedict « Bones » Boshigo est membre du groupe Criminalité dans la branche Crimes commerciaux des Hawks au Cap, il est aussi une sorte de légende. C'est un Pedi* du Limpopo, un fort en thème qui, grâce à une bourse, a décroché une licence en économie aux États-Unis, au Metropolitan College de Boston. Son surnom lui vient de sa silhouette de coureur de fond, un vrai sac d'os. Il a couru dix-sept fois le *Comrades* entre Pietermaritzburg et Durban, une fois le marathon de New York, une fois celui de Boston.

Avec Vaughn Cupido, c'est au sein de la DPCI l'enquêteur qui a la meilleure image de lui-même. En entrant à 15 heures dans le bureau de Desiree Coetzee, il lance à Cupido :

– Cool. La cavalerie arrive…

– La cavalerie a pris tout son temps. C'est le mariage qui te ralentit, Bones ?

Boshigo est marié depuis moins d'un an. Il détaille à qui veut l'entendre l'énorme *lobola,* la dot qu'il a dû payer pour sa « bonne dame ».

– Le mariage, c'est ce qui me stimule, frère…

Ils sont interrompus par la sonnerie du portable de Cupido. Il voit qu'il s'agit encore du major Mbali.

Si c'est à propos de Bennie, cette fois il est prêt.

59

FdT : Ce dont je me souviens le mieux de cette époque, c'est de mon sentiment de culpabilité.

Pour toute la communauté, ce fut un choc terrible. Peu de gens connaissaient le... problème de Paul. Pour la plupart, il était le rugbyman phénoménal, du coup ce fut un traumatisme, au lycée, au village, dans le monde du vin...

Mon père, tout le monde aimait mon père. Tout le monde savait qu'il avait vécu une période difficile avec le grand-père Jean, parce qu'il était différent, doux. On l'appréciait au travail, il était humble, ce viticulteur opprimé qui en avait bavé... Donc quand Paul a été arrêté, il y a eu un élan de sympathie pour lui et pour maman. L'atmosphère était... comme pour un deuil. Ce qui n'était certainement pas loin de la vérité...

Quant à moi... Je n'y pouvais rien, j'étais brisé, choqué, mais je ressentais en même temps une joie intense. J'ai pensé que j'allais pouvoir cultiver – Paul est en prison, c'est moi qui m'occuperai du domaine. Je me suis senti très coupable d'être aussi content. Je me suis demandé si je n'étais pas, moi aussi, un psychopathe, puis j'ai essayé de rationaliser...

J'avais seize ans, ce n'est certainement pas anormal de réagir ainsi à cet âge. J'ai pensé au fait que Paul ne s'intéressait aucunement au domaine, il ne l'aimait pas autant que moi, c'était donc une chose juste...

Mais ce sentiment de culpabilité me rongeait quand je voyais la douleur de mes parents.

Personne n'avait envie d'un procès. Les parents de la fille voulaient que justice soit faite, mais souhaitaient éviter qu'elle ait à témoigner... Mon père a fait appel aux meilleurs juristes, tous ont essayé de trouver un accord avec le procureur. Le problème, c'était Paul... Les psychopathes aiment les feux des projecteurs, c'est bizarre. Paul voulait de l'attention, être au centre des regards, que ce soit sur un terrain de rugby ou au tribunal.

Du coup il y eut un procès public, avec beaucoup de bruit autour. Je ne sais pas si vous vous en souvenez, c'était il y a dix ans... Il a coûté une fortune à mon père, ce procès. Une fortune qu'il n'avait pas. Ça l'a cassé. Dans tous les domaines, il me semble...

Ma vie en a été bouleversée. C'était au cours du premier trimestre, j'étais en première. C'était dur. Je n'étais plus le frère du futur Springbok Paul Du Toit, j'étais le frère d'un violeur détraqué.

En avril de cette année-là, je suis parti en pension. Le lycée agricole du Boland, à Paarl.

60

Le spécialiste informatique de l'IMC recherche dans sa base de données le numéro du directeur régional de la banque. Il n'y a aucun résultat.

— Nous n'avons introduit que les appels de l'année écoulée, explique-t-il à Griessel.

— Quand a-t-il téléphoné ?

— En mai de cette année. Le 8.

— En est-on sûr ?

— Oui.

— Alors il n'a pas appelé ce numéro de portable.

— Merci.

Il veut en parler à Vaughn, et comme cela arrive souvent de façon incompréhensible, son téléphone sonne au même moment : c'est Cupido. Griessel décroche et annonce qu'Ernst Richter détenait un autre téléphone portable.

Cupido demeure silencieux un petit moment.

— C'est génial, Benny. Mais on a un souci supplémentaire. Le major Mbali vient de m'appeler. Le *Son* a téléphoné à Cloete pour lui demander si tu étais impliqué dans une agression mercredi soir. Bien sûr que non, a répondu Cloete, tu étais sur l'affaire Richter. Le type du *Son* a demandé alors d'où vient l'ecchymose que tu as sur la joue. Parce que son petit doigt lui a dit…

Griessel ne réagit pas, il touche son ecchymose en quittant l'IMC pour regagner son bureau.

– Benny, tu m'écoutes ?

– Oui.

– Cloete a répondu qu'on ne faisait pas de commentaire sur ce genre de détail personnel. Il est allé voir Mbali, et Mbali vient de m'appeler. Pour être certaine qu'on était ensemble ce soir-là.

Bennie voit Mbali Kaleni au bout du couloir, à la porte de son bureau.

– Putain, lâche-t-il involontairement, et il s'arrête.

– Entièrement d'accord, Benny. Tu t'en tiens à mon histoire. Les gens du Fireman's ont promis de ne rien dire, mais j'aimerais savoir, le gars que tu as tabassé…

– Je ne l'ai pas tabassé.

– OK. Mais y a-t-il un risque qu'il sorte du bois ?

– Je ne sais pas. Mbali m'attend à la porte de mon bureau.

– Tu t'en tiens à mon histoire, Benny.

– Je le ferai.

– OK. Comment sait-on que Richter avait un autre portable ?

* * *

Ses relations avec Mbali Kaleni sont étranges. Griessel a commencé par être son mentor, jadis, quand il travaillait au département provincial d'investigation et elle au poste de Bellville. C'était après qu'il avait arrêté de boire. Elle l'a donc connu sobre et marchant à l'eau, même si elle a dû avoir vent de son alcoolisme.

Au cours de l'enlèvement d'une jeune touriste américaine, trois ans plus tôt, on a tiré sur Kaleni. Griessel fut le premier sur la scène. Par la suite elle a crié haut et fort qu'il lui avait sauvé la vie.

Depuis lors, il ne pouvait rien faire de mal à ses yeux. Ça le mettait mal à l'aise, car il provoquait toujours la déception autour de lui. Toutefois, il appréciait le respect qu'elle lui témoignait et les bonnes relations qu'ils entre-tenaient. Il l'admire. Elle est tout ce qu'un membre de la police doit être. Futée, ferme sur les principes, équitable. En dépit de sa personnalité parfois curieuse, et de son rapport à la nourriture. Elle a fait son chemin dans le milieu exclusivement masculin du Groupe Criminalité violente, ce n'est pas une tâche facile. Il l'aime bien. Derrière son caractère parfois peu élégant et trop honnête se cachent une fragilité, une incertitude qu'il a entraperçues.

Il ne tient pas à ce qu'elle sache combien il est veule au fond de lui.

– Salut, Bennie.

Il sent qu'elle a du mal à parler.

– Peut-on se voir dans ton bureau ?

– Bien sûr.

Il la laisse entrer en premier, soucieux de garder ses distances, car les tablettes mentholées ne sont pas efficaces de près. Il s'apprête à fermer la porte, mais se rend compte que cela ne ferait pas naturel.

– Bennie, je viens d'apprendre des rumeurs négatives te concernant. Les médias veulent encore nous coincer, mais je veux te dire que je ne le tolérerai pas. Notre métier est déjà assez difficile comme ça.

À cet instant, la vérité lui presse la poitrine. Il a envie de tout lui raconter, car quand elle découvrira le pot aux roses, elle sera consternée et leur relation en sera affectée. Ce qui le retient, c'est qu'il mouillerait aussi Cupido.

– Quel genre de rumeur ?

Il sent de la culpabilité dans sa propre voix.

– Des rumeurs stupides, tu n'as pas à t'en inquiéter. Je voulais simplement t'en avertir.

– Merci, major.

Elle lui paraît fatiguée, elle a maigri. Est-ce son régime ou le prix de ses responsabilités ?

– De rien…

Elle se dirige vers la porte, il fait un pas en arrière afin qu'elle ne sente rien.

– Je pense que Richter avait un second téléphone portable.

Il parle pour meubler le silence, pour changer de sujet.

– Oh ?

– Je...

Il regrette d'avoir dit cela, car il va falloir l'expliquer et elle le félicitera, ce qu'il ne trouve vraiment pas juste.

– Willem et moi avons vérifié son numéro avec celui qu'avait le directeur régional de la banque, le gars qu'il voulait faire chanter. Richter ne l'a pas appelé de son portable habituel. Il pourrait donc y en avoir un autre...

– Génial, Bennie. Si quelqu'un peut dénouer cette affaire, c'est bien toi.

* * *

Cupido s'est assis à côté de Bones Boshigo, concentré sur son laptop. Il essaie de classer dans Excel les dossiers CSV des relevés bancaires de Richter.

– Car on n'est plus à l'âge de pierre, n'est-ce pas ? Si on le fait manuellement, on en a pour une semaine.

– Et à ta façon ?

– Un jour ou deux.

Cupido ne dispose pas d'« un jour ou deux », mais qu'y faire ? Il regarde par la fenêtre du bureau de Desiree Coetzee les employés d'Alibi qui travaillent au rez-de-chaussée.

C'est ainsi qu'il voit arriver Desiree par l'entrée principale. Aujourd'hui, elle porte une robe d'été blanche. Elle est très belle, le cœur de Cupido bat plus vite. Elle se dirige vers les employés, parle avec les uns, s'attarde avec les autres. Elle s'exprime à sa manière avec ses mains fines, de petits gestes précis qui le charment.

Il y a de la réserve dans son comportement. Comme

elle s'approche de l'escalier, et donc de lui, il aperçoit son expression ; le sourire est figé, forcé.

Elle n'apporte pas de bonnes nouvelles à son personnel.

La voilà au pied des marches. Elle s'arrête, tourne la tête à gauche. Quelqu'un l'a appelée. Il suit la direction de son regard. Rick Grobler s'approche.

Cupido ne savait pas que le programmateur viendrait au bureau aujourd'hui.

La tension et la concentration se lisent sur le visage de Grobler. Juste avant d'arriver devant Coetzee, il lève furtivement les yeux vers la pièce où se trouve Cupido. Il dit quelque chose à Desiree. Elle fait un geste de réconfort.

Grobler parle avec animation.

Desiree hoche la tête. Elle tend une main apaisante, consolatrice vers l'épaule de Grobler. Il la regarde avec reconnaissance, Cupido remarque une certaine complicité. Il sent monter la jalousie, il sait que ce n'est pas le moment. Ce n'est pas malin, ni sur le plan professionnel ni sur le plan personnel.

Desiree s'adresse à présent à Grobler qui opine, opine encore. Elle lui tapote à nouveau l'épaule, comme pour l'encourager. Elle se retourne, monte l'escalier et aperçoit Cupido. Le regarde droit dans les yeux, dénuée d'expression.

– Ils vont fermer l'entreprise.

En prononçant ces mots, ses épaules s'affaissent, elle retient ses larmes.

Il voudrait la consoler, malgré ce qu'il vient de voir. Elle doit le sentir, car elle redresse les épaules, le contourne rapidement pour accéder à son bureau.

– Faut que je les fasse tous venir, même l'équipe de nuit. Faut que je leur dise…

Bones lève les yeux, il est captivé. Cupido sait qu'il a l'œil sur les belles filles. Il ne s'agirait pas qu'il se lance dans son baratin, Desiree est très fragile.

Il présente officiellement Boshigo.

– Bones est ici pour la compta.

Elle salue et s'assied, son poids écrase le fauteuil.

– Vernon, le directeur financier, sera là dans quelques minutes...

– Quand faudra-t-il fermer la boîte ?

– Ça prendra un mois ou deux. Il y a beaucoup de démarches légales. Mais ils veulent nous mettre offline avant Noël.

– Désolé.

Elle ne réagit pas, écarte simplement les cheveux de son visage.

– Je vois que Rick Grobler est en bas.

– Oui. Il veut choper celui qui fait fuiter la base de données... Il veut trouver qui est NoMoreAlibis.

– Comment va-t-il s'y prendre ?

– Rick est futé dans ce domaine. Il me dit qu'il a déjà commencé, il va suivre les empreintes numériques du type.

– Pour en faire quoi ?

– Pour se laver de tout soupçon vis-à-vis de vous, soupire-t-elle, comme si décidément c'était trop. Il affirme qu'il a fait des recherches. Il s'agit d'un crime. Vol numérique. Et pourquoi cela ne vous a pas inquiétés ?

61

Il raconte que sa grand-mère Hettie est décédée pendant son année de terminale. Elle n'avait que soixante-quinze ans, mais elle croulait sous le poids du malheur. Comme elle a dû regretter cette soirée où elle avait dansé avec le grand-père Jean ! Elle aurait pu avoir une vie bien différente.

Il saute sur les sept années suivantes, relativement ternes. Paul est en prison.

Lui, François Du Toit, termine le lycée et entame des études d'œnologie.

Le rêve de son père, son pauvre père, de produire un grand cru se dissout lentement à cause des dettes à rembourser, notamment à l'équipe de juristes qui a défendu Paul.

Il vend de plus en plus de parcelles de son vignoble à l'*oom* Dietrich Venske, son ancien collègue de la KWV qui a acquis le domaine voisin de Blue Valley en 1994.

Oom Dietrich lui a dit que son père n'est plus jamais redevenu le même. Il était comme vidé. Ne faisait plus que le minimum.

Pendant ce temps, les vins de Venske s'amélioraient. Son succès, d'abord local, a gagné petit à petit l'international. Ce qui démontrait à François que cette vallée et cette terre pouvaient donner des vins exceptionnels.

À la fin du lycée, pendant ses années à l'université, il a bien essayé de parler avec son père. D'abord parce que celui-ci sombrait dans un silence de plus en plus dépressif.

À cause du domaine ensuite, car il voulait savoir si son père lui permettrait de le reprendre. Le jour venu, quand il aurait achevé sa formation, naturellement.

Il n'obtenait pas de réaction claire. Tout ce qu'il glana, une seule fois, fut « on verra ».

Helena, sa mère, disait « laisse-lui du temps ».

Après ses études, François est parti en France pendant trois ans. Histoire de s'extraire de ce contexte, de commencer une nouvelle vie, d'attendre la réponse. Il a travaillé en Gironde, vendangé, pressé le raisin, nettoyé les chais, conduit des tracteurs, porté des caisses, servi dans un café et dans une boucherie de Bordeaux. Sur des domaines célèbres ou moins connus, il a demandé conseil, appris, observé intensément. Il a nourri son rêve. Plus exactement, il voulait réaliser celui de son père.

C'est dans la boucherie de Bordeaux qu'il a rencontré San, Susanne Taljaard.

François était en train de désosser la carcasse d'un porc dans la chambre froide. Bernard Gaudin, le propriétaire, est venu le chercher pour jouer les interprètes. L'anglais de Bernard était faible, la personne au comptoir posait des questions importantes dans un français chancelant.

Il a posé son couteau, essuyé ses mains à son tablier et a suivi Gaudin. Elle se trouvait dans l'échoppe, longiligne, de grands yeux verts, des cheveux blonds coupés très court, une bouche pulpeuse.

« Do you speak English ? »

Sa question était suppliante, son accent marqué.

« Je peux faire mieux que ça, répondit-il en afrikaans.

– Faut que je t'embrasse », dit-elle joyeusement. Son sourire ressemblait au soleil levant.

Elle est venue demander la recette du gratton de Lormont. C'est la véritable terrine de porc bordelaise qui fait la renommée de Bernard, une vieille recette traditionnelle. Le grenier médocain, cette roulade de panse de porc qu'il prépare lui-même, est sans conteste le meilleur du monde. Elle raconte tout ça avec l'intonation de Pretoria.

« Il faut que je lui dise pourquoi tu veux ces recettes.

– Parce que je veux en faire et en servir en Afrique du Sud. »

San, chef cuisinier. Elle a terminé ses études l'année dernière, elle fait un voyage culinaire à travers l'Europe avec pour but d'ouvrir un petit restaurant intimiste au Cap.

« Si tu acceptes mon invitation à dîner, je lui traduis.

– Cool. »

Elle ne devait rester que deux semaines à Bordeaux. Elle est rentrée chez elle quatorze mois plus tard, avec lui.

* * *

L'appel d'Helena, sa mère, tombe le 2 janvier 2012.

San et lui se trouvaient à Pau, dans le sud de la France. Elle cherchait auprès de deux frères dans les Pyrénées « la meilleure recette de foie gras du monde », ce pâté divin qui fond en bouche.

« Ton père est mort, François. Ton père est mort. »

C'est tout ce qu'elle parvient à dire avant de fondre en larmes et de passer l'appareil à Dietrich Venske.

Le voisin, la voix grave et lugubre, lui annonce que Guillaume et Paul sont décédés et lui demande de rentrer aussi vite que possible.

62

Ce vendredi traîne en longueur pour les Hawks.

Même pour le capitaine John Cloete, car les médias se focalisent désormais sur la publication de la liste des clients d'Alibi, une mine d'or qu'on exploite à cœur joie, le minerai est transformé en histoires croustillantes pour la une ou la page trois.

Bennie Griessel doit se rendre en ville afin que le directeur régional de la Premier Bank signe les documents pour une citation à comparaître, selon l'article 205 du Code de procédure pénale. L'IMC pourra ainsi obtenir la liste de ses appels téléphoniques et trouver le numéro qu'il a appelé le 8 mai.

Griessel va pouvoir en profiter pour avaler deux mignonnettes de whisky. Il a pris le véhicule des Hawks, il fait donc attention que la mignonnette soit bien cachée dans sa main quand il boit l'une, puis l'autre au feu rouge suivant.

Il se demande pourquoi, cette fois-ci, l'alcool le met mal à l'aise. Du temps où il buvait, voilà plus de six cent quatre jours, ça ne l'avait jamais turlupiné. À cette époque, il avait une épouse, un foyer, des enfants. Enfin, à peu près, parce que ce genre de lien ne pèse pas quand on boit. Même l'amour-propre ne compte plus.

À l'époque, personne n'espérait rien de lui. Anna, son ex, ne s'attendait pas à ce qu'il soit un époux modèle. Ses enfants n'attendaient pas de leur soiffard de père une stature paternelle. Pour ses collègues, il était de passage au Bureau régional des enquêtes — Bennie le pochard, un cas douloureux (cela peut arriver à chacun d'entre nous) mais aussi une source d'amusements tragi-comiques.

C'est son ancien collègue Matt Joubert, aujourd'hui enquêteur privé à Pinelands, qui l'a fait passer à l'eau. Le général John Afrika, à l'époque directeur provincial, a cru en lui. Et Musad Manie, et feu Zola Nyathi et Vaughn Cupido et Mbali Kaleni, toute l'équipe des Hawks lui a donné une seconde vie. Il est train d'évacuer tout cela d'un coup de glotte. Parce qu'ils misent sur lui, c'est pour ça qu'il se sent tellement mal à l'aise.

Il n'a rien demandé. Il ne leur a pas réclamé leur confiance, leur amitié et leurs attentes. Il n'y peut rien s'ils se sont trompés sur lui. Il n'y pourra rien le jour où ils seront déçus. C'est leur problème.

Il pense à cela tandis que la chaleur de l'alcool le traverse, comme le goût métallique des Fisherman's Friend dans sa bouche.

Mais il n'arrive pas à se débarrasser de ce malaise.

* * *

Vusi Ndabeni n'aime pas la confrontation, il repousse autant que possible sa tâche.

Lorsque l'équipe des experts forensiques en a fini avec la voiture de Rick Grobler, il s'en va frapper à la porte du responsable du poste de Stellenbosch.

Il se présente.

— Je suis venu pour le laptop disparu, colonel.

Son interlocuteur fronce les sourcils.

— Cela me met dans un grand embarras, capitaine. Je pilote cette place d'une main ferme. Ce genre de choses ne survient pas ici.

— Oui, colonel.

— Mes hommes ont fouillé le poste de fond en comble. J'ai consulté moi-même le registre des indices. L'ordinateur a disparu. Envolé. Je m'en excuse platement. J'appellerai le général Manie avant la fin de la journée pour m'excuser.

– Merci, colonel.

Ndabeni ne sait pas quoi dire d'autre.

* * *

Vernon Visser, le directeur financier d'Alibi.co.za, société sur le point de disparaître, est un métis de petite taille, avec un corps avachi et un bouc pour orner son double menton. Il s'exprime par salves rapides, comme si les mots s'accumulaient en lui et jaillissaient soudain. À chaque pause, il respire bruyamment par le nez. Vaughn Cupido et Bones Boshigo doivent d'abord s'habituer à cette façon de parler avant de se concentrer pleinement sur ses paroles.

Il assure que les comptes sont bien tenus. Le résultat n'est pas brillant, mais tout est là, « y compris les défauts ». Il va leur indiquer où il s'est montré créatif, selon les instructions d'Ernst Richter.

– Il n'y a pas de combines illégales.

La phrase claque. Deux battements de cœur plus tard fuse la suivante.

– J'ai inscrit les contributions d'Ernst comme des versements de clients.

Encore une pause.

– Afin de tranquilliser nos partenaires. Rien d'autre.

Les mots s'accumulent.

– Il voulait que j'étale ses versements et que je les transcrive comme des règlements de nouveaux clients.

Inspiration par le nez.

– J'ai dit non, c'est trop compliqué. On est à la limite de l'illégalité.

Visser regarde Boshigo.

– Desiree peut le confirmer. Elle est au courant de tout.

Cupido soupçonne le directeur d'être très nerveux, car il

n'imagine pas qu'il puisse parler tout le temps de la sorte. Visser et Desiree font partie des rares métis de l'entreprise, si l'on excepte le personnel d'accueil et les secrétaires. Une mesure pour obtenir les licences BEE*, à coup sûr.

– Pourquoi êtes-vous si nerveux, mon frère ?

– Vous ne le seriez pas à ma place ?

Les mots se télescopent à nouveau.

– Le patron m'ordonne de truquer les comptes et me voilà en face d'un policier des Crimes commerciaux.

Il désigne Boshigo.

– Je comprends ça, vraiment. Mais ne vous inquiétez pas. Je ne suis pas en train de rechercher une fraude. Je suis venu pour attraper un tueur.

Bones devient emphatique quand il travaille en équipe avec ceux de la Criminalité violente.

– OK.

Visser n'en semble pas moins nerveux pour autant.

– Donnez-nous une vue globale, demande Cupido.

– Dans son ensemble, cette société n'a jamais fait de bénéfices. Et vu la façon dont nous brûlions l'argent, on allait dans le mur. Je l'ai dit mille fois à Ernst. Vous pouvez le demander à Desiree.

Il jette un œil dans la direction de son bureau, dans l'espoir que ça l'aidera.

– Les locaux nous coûtaient trop cher. Il y avait trop d'employés. On les payait trop. L'argent personnel d'Ernst allait se tarir. Tôt ou tard. Mais il disait qu'on y arriverait. Voilà la vue globale.

– Combien de personnes a-t-il fait chanter ?

Visser se recroqueville à la question de Cupido.

– Je n'en sais rien.

– Vous n'avez jamais reçu de paiements curieux, de grosses sommes ? demande Boshigo.

– Seulement de la part d'Ernst.

Bones consulte Cupido.

– Je pense qu'on devrait se concentrer sur les finances personnelles de Richter, n'est-ce pas ? C'est par là qu'il faudrait commencer.

Cupido observe que Vernon Visser est visiblement soulagé.

* * *

Vaughn retourne au bureau et songe qu'il n'a pas confiance dans ce directeur financier. Il ne sait pas pourquoi, ce soulagement trop marqué à l'idée qu'on ne mette pas le nez dans ses comptes, peut-être.

Que cache-t-il ?

Il n'a pas aimé non plus ce dialogue entre Desiree Coetzee et Tricky Ricky Grobler. C'est plutôt ce dernier qu'il n'apprécie pas.

Elle en pince pour les Blancos ?

Ce n'est pas une idée agréable, mais on ne peut pas écarter cette option.

Le père de son gamin est blanc.

Il y en a des petites métisses qui se disent que sortir avec un Blanc permet de monter dans l'échelle sociale ; elles paradent à leur bras sur Long Street, regardez-moi, j'ai chopé un Blanco. Les Scandinaves et les Allemands viennent au Cap se lever une nénette café au lait pendant leurs vacances d'été, ils pensent qu'elles sont chaudes au lit, comme les Noires, et en prime ils ont le sentiment d'être antiracistes. Et ça, *jirre*, lui, Cupido, il ne le supporte pas.

Peut-être qu'il réagit trop vite. Il laisse parler son cœur et le petit monstre vert de la jalousie.

Il était présent quand Desiree Coetzee s'est adressée au personnel d'Alibi au grand complet. Il l'a écoutée, elle parlait bien, avec compassion, de la *vraie* compassion. Quelle éloquence ! Il ne serait pas parvenu à pondre un tel speech, juste avant Noël, dire aux gens qu'ils seront au chômage en janvier. Mais elle a réussi son coup, nombreux sont ceux qui sont venus la remercier.

Elle a de la classe, cette fille, une vraie classe. C'est ce qui lui fait peur.

Faut pas trop qu'il ressasse. Faut boucler le dossier, écouter ce qu'en dit Benny.

* * *

Benny dit que le directeur régional de la Premier Bank a signé le formulaire 205 de désistement. Cupido s'énerve.

— *Jissis*, ces bonbons à la menthe valent que dalle, je te renifle depuis mon bureau.

Griessel se rencogne sur sa chaise. Son visage trahit son embarras.

Cupido le fixe, immobile. Il lève les mains. Il va fermer la porte et râle.

— Que vas-tu faire le jour où le major Mbali va se rendre compte que tu sens l'alcool ?

— Elle n'a rien senti tout à l'heure, Vaughn.

— Pas encore. C'est à cause des choux-fleurs dans son bureau. Mais là, tu pues comme un débit de boisson… T'en as pris combien aujourd'hui ?

— Ce ne sont pas tes affaires.

Les frustrations accumulées par Cupido au cours de la journée éclatent, ainsi que son calme.

— Mais si, Benny. Ce sont aussi mes putains d'affaires. Mes fesses sont en jeu. Je suis le connard qui, avant-hier soir, a menti pour te sauver la mise pendant que tu cuvais ton vin dans une cellule du poste central du Cap. C'est moi qui ai répété cet après-midi au major Mbali que toi, Benny, tu étais avec moi ce soir-là, qu'on était côte à côte, que c'est une saloperie de complot des médias. Et voilà que tu te remets à boire, au travail, alors qu'on est sur mon affaire…

— Ton affaire, Vaughn, ton affaire ?

— Parfaitement, mon affaire, Benny. Je n'ai pas demandé à assurer le commandement opérationnel, mais voilà, c'est comme ça. Et en tant que commandant opérationnel, je te demande de transporter ton cul d'ivrogne chez toi, car sinon, tu vas nous couler tous les deux.

— Tu me renvoies chez moi.

— Sur-le-champ. Et je devrais même t'y conduire personnellement, histoire que tu ne te fasses pas arrêter pour conduite en état d'ivresse.

— Je ne suis pas ivre.

Griessel se lève.

— Je croyais que tu étais mon ami.

— Mais, putain, c'est précisément pour ça. Je suis ton ami, et quand tu seras sobre, ça te sautera aux yeux.

Griessel secoue la tête et s'en va.

— Et quand tu arriveras chez toi, penses-y bien. Où va te mener l'alcool ? Tu veux vraiment aller voir ?

* * *

Qu'il aille se faire foutre, Vaughn Cupido ! Le commandement opérationnel lui est monté à la tête.

Griessel rentre chez lui, outragé. Il n'est pas saoul. Il était en train de faire son travail, de faire son rapport, un travail qu'il suit à la lettre.

C'est lui qui a trouvé que Richter avait un second téléphone.

C'est lui qui s'est souvenu que le banquier avait envoyé un SMS au maître chanteur. Cela ne peut se faire que sur un téléphone portable, pas sur une ligne fixe. Lui, Bennie, jadis technophobe.

Et voilà que Vaughn le renvoie chez lui, comme s'il était le nouveau commandant.

Ils sont nombreux les enquêteurs qui se prennent une petite bière ou un verre de vin à midi, ça se sent. Mais on ne dit rien. C'est parce qu'il a une réputation, un passé, qu'on l'ostracise.

Il bout de colère tout au long du chemin. Arrivé en ville, il cherche un coin pour boire. Il va leur montrer.

63

Susan Peires se rend compte qu'elle s'est penchée en avant, captivée par l'histoire de François Du Toit.

Elle était certaine que l'assassin était son frère Paul. Mais voilà que le viticulteur lui apprend que son frère est mort en janvier 2012, il y a presque trois ans.

– J'aimerais bien un peu d'eau, dit-il.

Perdue dans ses pensées, elle réalise soudain qu'elle ne l'a pas entendu. Dommage qu'il cesse de parler.

– Excusez-moi. Naturellement.

Elle appuie sur le bouton de l'enregistreur, se lève. Après une longue séquence assise, ses jambes sont raides. Elle ouvre la porte et demande à son assistante une carafe d'eau et deux verres.

Quand elle revient, il est en train de regarder par la fenêtre.

– C'est une catastrophe pour un domaine.

– C'est pourquoi je vous disais qu'il régnait une malédiction sur Klein Zegen, « Petite Bénédiction ». Je me suis demandé si je ne devais pas changer le nom.

Il sourit.

Elle aimerait savoir comment son père et son frère sont morts, mais l'assistante va arriver d'un instant à l'autre avec la carafe d'eau. Elle va se planter à côté de lui et regarde les jardins de la Compagnie des Indes orientales en contrebas.

– On dirait qu'il y a plus de vacanciers cette année, dit-il.

– C'est sûrement plus agréable de subir les coupures d'électricité en bord de mer.

– Oui…

L'assistante arrive, il sert l'eau et va se rasseoir. Elle aussi.

Il inspire profondément.

Elle relance l'enregistreur, et hoche la tête.

– On y est presque.

Il y a de la fatigue dans sa voix, comme s'il s'agissait d'arriver au sommet d'une montagne.

Il est le seul fils survivant. C'est donc lui qui est impliqué dans l'affaire Richter. Elle ravale vite une vague déception et lui sourit pour l'encourager.

– Paul a été mis en liberté conditionnelle le jour de l'An. Papa est venu le chercher à la prison. En voiture.

Sa voix se fait plus grave sous la pression de l'émotion.

– À 20 heures ce soir-là, entre Drie Susters et Beaufort-West ils ont percuté un camion arrêté au bord de la route. À quelques mètres de la chaussée. Un tronçon tout droit. Large. Le chauffeur avait placé ses triangles d'avertissement devant et derrière. Il faisait à peine sombre. Papa roulait très vite. Les policiers ont dit qu'il était autour de deux cents kilomètres heure.

« Le rapport officiel indique que mon père s'est endormi au volant. D'aucuns ont dit qu'ils s'étaient disputés. Ils en seraient venus aux mains…

« Mais je ne le pense pas… Quand je rassemble les pièces du puzzle, les silences de papa quand je lui parlais de mon avenir, les circonstances de l'accident, et Paul, l'homme qu'était devenu Paul… L'assurance-vie qui comprenait une clause suicide… Je pense que papa s'est encastré exprès dans ce camion. Il a compris qu'il ne réaliserait jamais ses rêves, et il ne voulait pas que Paul continue à faire du mal. Envers lui, envers le domaine, envers moi, mais surtout envers ma mère.

« Ce fut tout à la fois un assassinat et un suicide. Une façon de nous protéger. En faisant payer l'assurance. C'est ce que je pense. C'est ce que maman soupçonne aussi.

64

Samedi 20 décembre. Cinq jours avant Noël.

Les enquêteurs n'aiment pas le samedi, car personne n'est disponible comme il le faudrait : les unités de soutien ont moins de personnel, il est difficile de joindre les juges si l'on a besoin d'un mandat d'arrêt, les suspects ne sont pas chez eux ni au travail, les sociétés ferment tôt dans le tertiaire, voire complètement. Les clients se bousculent dans les banques, on ne prête pas attention aux requêtes de la police.

Cela perturbe donc le rythme d'une enquête.

À 7 h 30 ils se retrouvent tous dans le bureau du major Mbali Kaleni – Cupido, Bones Boshigo, Vusi Ndabeni, Mooiwillem Liebenberg et Frank Fillander.

– Où est Bennie ? demande Mbali.

– Je lui ai demandé de jeter à nouveau un coup d'œil sur la maison et le bureau de Richter. C'est lui qui a prouvé l'existence d'un deuxième portable. Nous sommes peut-être passés à côté de cet appareil, ou d'une carte SIM, ou de quelque chose d'autre. Il va fouiller une seconde fois...

Elle le regarde, trop longuement à son goût. De quoi se doute-t-elle ?

– OK. Où en sommes-nous ?

Cupido fait un signe de la tête à Bones en train de rassembler ses documents.

– Concernant les relevés bancaires des douze derniers

mois, rien à signaler, je le crains, sauf ici et là, un cas éventuellement douteux. Le problème principal, c'est que la banque ne nous a envoyé que les relevés de l'année...

– C'est ce que nous avions demandé hier, mais je ferai le nécessaire ce matin, dit Cupido.

– Bon. La mauvaise nouvelle, c'est qu'il n'y a pas de recettes louches, comme provenant d'un chantage, au cours de cette période. En fait, il n'y a pas eu de rentrées d'argent sur ce compte, hormis les intérêts. Qu'il mettait dans un compte sur le marché monétaire, d'ailleurs, à la Premier Bank. Mais ces intérêts ont diminué de mois en mois, parce qu'il injectait de l'argent dans Alibi, n'est-ce pas. Et maintenant, un point intéressant : le petit gars était complètement à sec en novembre. Fin octobre, il n'avait pas payé l'eau et l'électricité de sa maison. Le mardi 25 novembre il avait atteint la limite des facilités offertes par sa carte de crédit. Pour la première fois, si l'on considère les relevés. Mon hypothèse : il était aux abois en novembre, car il savait qu'il était à court de temps. Il fallait réduire le découvert en décembre, la société ne dégageait pas assez d'argent et il n'avait plus de fonds personnels. Des moments désespérés, n'est-ce pas, nous savons que cela mène...

– ... à des mesures désespérées, complète Vusi.

– Exactement. Il nous reste à trouver ces mesures désespérées qui ont mené à son assassinat.

Boshigo balaie l'air de sa main, un geste qui lui est propre, comme s'il avait résolu l'affaire à leur place.

– Une grosse extorsion, peut-être, qui s'est mal terminée, avance Cupido. Nous savons que c'était un piètre maître chanteur. Tous ses plans ont foiré...

– Au moins au cours des douze derniers mois.

– C'est exact.

– Il s'agit de trouver l'autre téléphone, tranche Mbali Kaleni. Je suis contente que vous ayez mis Bennie sur le coup.

– Une chose, encore. Ce pourrait être très important.

Tout le monde se tourne plein d'espoir vers Boshigo.

– Hier soir dans mon lit…

– La lune de miel est finie, Bones ?

– *Hayi !* lance sévèrement Mbali à Cupido, car elle ne tolère pas les allusions sexuelles.

– Désolé, major.

– Continuez, Benedict.

Depuis sa promotion, Mbali est la seule à ne pas l'appeler « Bones ».

– Je songeais à sa situation financière. Le petit Visser m'a raconté hier qu'Alibi.co.za a démarré avec trois millions deux cent mille rands, n'est-ce pas. Les deux sociétés de capital-risque ont mis sept cent cinquante mille chacune et à un moment donné Richter a versé un million sept cent mille, car il voulait la majorité absolue dans le capital. Ça commence à devenir un peu compliqué, alors suivez-moi bien…

Tout le monde opine autour de la table.

– Bien. À un moment, Richter disposait de sept millions en cash. C'est un sacré paquet pour un garçon de son âge. J'ai demandé à Visser d'où Richter tenait son pognon. Il m'a raconté une histoire de société hébergeant et mettant en route des sites web, dont il a vendu ses parts en 2010.

« Maintenant, concentrez-vous bien, braves gens, car ça devient crucial. Il investit un million sept dans Alibi en juin 2013, il y a dix-huit mois. Mais il y a un an, il lui restait encore six cent mille rands sur son compte personnel. C'est cet argent qu'il a versé pour combler le déficit d'Alibi. Si nous additionnons ces deux chiffres, cela donne deux millions trois cent mille rands. C'est ça qui m'a tenu éveillé la nuit dernière, car en aucune façon une société mettant en route des sites web ne vaut sept bâtons.

– Sept millions ? D'où tires-tu sept millions ?

– Bonne question. Je vous ai dit que ça se compliquait,

n'est-ce pas ? Cela prouve une fois de plus que le quotient intellectuel du Groupe Crimes commerciaux est supérieur à celui du Groupe Criminalité violente, à l'exception du major Kaleni, bien sûr.

— Oui, oui, j'ai été assez futé pour te mettre sur l'affaire. Va donc à l'essentiel, grogne Cupido.

— C'est bon. Laissez-moi vous expliquer. Richter détenait cette société de sites web avec deux autres types. Un partenariat à trois. Il disposait d'au moins deux millions trois au début de 2013. Il aurait donc vendu sa part pour deux millions trois, un tiers de la valeur globale. Ce qui signifierait que la société valait presque sept millions. Trois partenaires. Trois fois deux virgule trois. Vous pigez ?

Ils comprennent.

— Voilà le problème. Des sociétés de ce genre ne valent pas tant que ça. Ce n'est pas logique, j'ai pensé que j'avais loupé quelque chose. J'ai donc appelé le petit gars Visser la nuit dernière. Marrant, ce type-là. Je lui ai demandé quelle était cette société que Richter codirigeait. Il m'a donné le nom : PixelPerfect. J'ai creusé un peu plus. D'abord, j'ai trouvé que ce n'était pas seulement une société de conception de web. Ils ont commencé très tôt à concevoir des applications pour iPhones, c'était leur principale source de revenus lorsque Richter a quitté la boîte. Mais tout de même, ce n'était pas le gros coup, cela ne valait pas plus de trois millions, à peu de chose près. J'ai fait des recherches dans les archives de *Business Day*, et j'ai découvert un entrefilet sur la transaction. PixelPerfect a été vendu à une filiale de Naspers en 2010. Richter est parti en prenant sa part. Le montant de la vente s'élevait à trois millions cent. La part de Richter dépassait donc à peine le million.

— Un million ? s'étonne Cupido.

— En effet. Cela fait nettement moins que deux millions trois.

— OK, je te suis, dit Vusi.

– Alors, qui va poser la prochaine question ?

Bones les regarde. Frank Fillander s'y colle.

– D'où vient le reste ?

– Bingo ! Où a-t-il été chercher son million trois cent mille ? Au bas mot. Je pense même qu'il avait plus que ça, car il s'est offert un chouette petit cabriolet, louait une maison cossue et menait grand train. À vue de nez, il devait détenir deux bâtons. Il les a bien trouvés quelque part.

Vusi siffle doucement. Cupido voudrait lâcher un juron, mais il n'ose pas en présence de Mbali. Il réfléchit et affirme :

– Ça s'est passé entre 2010 et 2013.

– Mais il n'a pas travaillé durant cette période, glisse Liebenberg. Sa mère m'a dit qu'il avait voyagé… pendant un an, si je me souviens bien.

– Où ?

– Elle ne l'a pas dit.

– Qu'a-t-il fait pendant ce voyage ?

– Je n'en sais rien.

– Va falloir que tu la revoies aujourd'hui.

– Compris.

Bones conclut.

– Et c'est pourquoi je vais me rendre à la Premier Bank dès l'ouverture ce matin. Je vais chercher tous ses relevés depuis 2010.

* * *

Soif. La première chose à laquelle il pense quand il émerge. Ensuite à la pression dans sa vessie.

Il se lève, va aux toilettes. Il chancelle un peu.

Grands dieux, il est encore saoul. Il ouvre le robinet du lavabo, avale de l'eau à grands traits et à grand bruit. Il s'asperge le visage, le torse nu. Il s'essuie la bouche du dos de la main, trébuche en direction du lit, s'accroche à la porte. Où est Alexa ? Son côté du lit n'est pas défait.

Il essaie de se rappeler la nuit passée. Il est entré dans le Dubliner, le pub irlandais de Long Street. Il a beaucoup bu. Aucun esclandre dont il se souvienne.

Mais comment est-il revenu chez lui ? Pas moyen de se le rappeler. *Jissis,* il devait être fin saoul.

Il jette un coup d'œil à sa montre. 8 h 20. Il est sacrément en retard.

Où est Alexa ?

Il sort dans le couloir, descend lentement l'escalier, il ne s'agirait pas de tomber et de se casser le cou.

Elle n'est pas dans la cuisine.

Il traverse la buanderie, vers le garage. Sa voiture n'est pas là.

Merde, que s'est-il passé hier soir ? Où est-elle ?

Il remonte avec difficulté vers la chambre à coucher, peut-être lui a-t-on envoyé un SMS. Il a la gueule de bois et mal au crâne.

Il tâtonne, trouve son portable dans une poche de veste, bien suspendue dans l'armoire.

C'est lui qui l'a accrochée hier soir ?

Il n'y a qu'un SMS, provenant de Vaughn : *Je te couvre une fois de plus. Tu as les clés de la maison de Richter. Va chercher des indices concernant le portable. Si tu es sobre. Sinon reste chez toi.*

Laconique et froid.

À présent, Griessel se souvient de l'après-midi, il a été renvoyé chez lui. Il se sent soudain très bizarre. Il se dépêche de filer aux toilettes, lève la lunette. Il a un haut-le-cœur, mais rien ne sort, à part des bruits de gorge. Son estomac ne cesse de se contracter.

Les choses se calment, mais l'état nauséeux demeure. Haine de soi. Il se traite de sinistre con.

Il se rince la bouche, boit encore de l'eau. Se dirige vers la fenêtre de la chambre pour voir si sa voiture est dans la rue.

Elle n'y est pas.

Où donc est sa voiture ? Où est Alexa ? Et merde, comment va-t-il se rendre à Stellenbosch ?

Il attrape son téléphone, tape le numéro d'Alexa. Une sonnerie, puis ça bascule sur la boîte vocale. Il lui laisse un message. « Alexa, je suis désolé. » Il reste longtemps les bras ballants avant d'ajouter : « Sais-tu où se trouve ma voiture ? »

* * *

Il a avalé des cachets contre le mal de tête et s'apprête à prendre sa douche quand sonne le bip de son portable.

Ta voiture est devant le Dubliner.

Rien de plus.

65

FdT : Ma mère a toujours été solide. C'est elle qui cimentait nos vies. Comme *ouma* Hettie avant elle. Mais après la mort de papa... Elle était accro à mon père. Un amour qui... je ne sais pas, c'est impossible à décrire. Elle se sentait obligée de défendre papa contre le monde extérieur. Son mari silencieux, doux, qui avait connu une vie difficile, dont l'étoile... Elle a... je sais, c'est une vue de l'esprit, mais papa était à ses yeux ce qu'elle attendait de tous les hommes. Aimant, juste et pas macho, je ne trouve pas d'autre mot. Elle se sentait responsable de lui. Elle était fâchée qu'il ne lui ait rien dit de son plan pour... éliminer Paul. Elle l'a aussi admiré pour cet acte, car elle savait pourquoi il avait agi ainsi.

Tous deux, nous avons traversé une période terrible. Les enterrements, le testament, la répartition des biens.

Maman a hérité de tout.

Mais elle ne voulait plus entendre parler du domaine. Elle ne voulait plus y habiter, mais emménager à Stellenbosch. À cinquante-neuf ans, elle se disait qu'elle pouvait encore enseigner. Ou s'inscrire dans une association caritative.

Elle a suggéré de vendre le domaine. C'était sage, car il valait de l'argent, beaucoup d'argent. Dont elle n'avait pas besoin, grâce à l'assurance-vie que mon père avait contractée et de son plan d'épargne retraite. Mais moi, j'avais toujours ce rêve de fabriquer du vin. Avec l'argent de la vente, j'aurais pu m'installer ailleurs, car tout ce concept d'exploitation familiale est médiéval, féodal. Obsolète.

Mais j'en avais décidé autrement. Je voulais ce domaine, je voulais qu'elle me le donne tout de suite.

J'étais très bouleversé. J'ai dit que je parviendrais à faire de Klein Zegen un succès commercial. Au nom de papa. Au nom du sang et de la sueur de mes ancêtres.

Ils sont tous morts, m'a-t-elle répondu. On n'a aucun capital. Rien.

J'ai opposé que dans deux mois nous recevrions l'argent d'*oom* Dietrich Venske, après les vendanges. C'était tout ce dont nous avions besoin.

Tu fais une erreur, a-t-elle affirmé.

Je ne sais toujours pas si elle avait raison. En revanche, si j'avais vendu le domaine familial, je sais que je ne serais pas ici.

Je lui ai demandé de me transmettre Klein Zegen. On a élaboré un trust familial, car c'était la meilleure chose à faire.

Mais j'avais oublié la malédiction. La mauvaise étoile, cette roue de la fortune inconstante et prise de vertige. Je me disais que ma vie, la vie de notre famille, ce domaine, c'était une histoire avec une issue heureuse.

J'avais tort.

66

Bennie Griessel connaît ce genre de sueur, le résultat de trois jours d'imprégnation, son comportement de la veille ayant fait déborder le vase. C'est une sueur acide, le corps entier pue l'alcool rance.

Il marche sous le soleil brûlant de ce samedi matin, la veste sur l'épaule, la cravate défaite. Les cachets contre le mal de tête sont inefficaces. Il ruisselle d'une transpiration de gueule de bois. Il sent son odeur tout le long du chemin entre la maison d'Alexa jusqu'à Long Street. Mais il n'a pas le choix. Il a bien appelé une compagnie de taxis, mais elle lui a demandé un montant énorme pour une course de trois kilomètres. Son portefeuille est vide depuis la veille.

Sa tête aussi. Vide et douloureuse. Vide d'excuses et de justifications. Vide de plans subtils pour boire en douce.

Il ne veut penser à rien, ne rien sentir, juste marcher et parvenir à sa voiture.

C'est en bas de Kloof Street, presque au carrefour de Buitensingel, que la chose lui tombe dessus. Un caprice du soleil, un accident, le hasard d'un reflet sur la vitre. Le nom du magasin est *o.live*. Le miroir fait partie de la devanture, encadrement doré. Quand il passe devant, il remarque un mouvement dans la glace, le reflet fugitif et trop éclairé d'une silhouette pathétique. Il réalise qu'il s'agit de lui. Il s'arrête, revient sur ses pas, se regarde.

Ce matin dans la salle de bains d'Alexa, la lumière était

tamisée, ses pensées ailleurs. Mais à présent, sous les rayons implacables du soleil, il voit une épave – cheveux sales en désordre, la sueur qui coule sur son visage, les taches humides sous ses bras, les ombres sous ses yeux injectés de sang et hagards, le réseau de veinules bleues sur son nez et ses joues. Les épaules tombantes, la chemise qui sort, dévoilant son nombril et un petit triangle de ventre velu.

Mon Dieu.

Où va te mener la boisson ? a demandé Cupido.

Maintenant il peut lui répondre : À ça, Vaughn. Un clochard, n'étaient la chemise et la cravate achetées par Alexa, l'anéantissement garanti à la prochaine cuite.

Les souvenirs l'assaillent d'un coup. Vaughn l'a renvoyé à la maison. Vaughn Cupido ! Celui qui l'a toujours couvert, malgré le fait qu'il ait picolé hier, malgré le fait qu'il peut nuire à la carrière de son collègue.

Alexa est partie. Elle l'a quitté. Comme Anna avant elle. Ça lui fait un grand trou dans l'âme, elle lui manque. Son amour excessif, son attention, ses manières caressantes, sa voix, ses formes pleines, sa présence, son parfum.

Il entrevoit la vérité, à cet instant devant la glace : s'il se remet à boire aujourd'hui, il n'arrêtera plus jamais. Son corps ne le supportera pas. Il le ressent à travers ses douleurs et la nausée, ce corps lui dit, vas-y, bois donc à en mourir. Il voit cet avenir, il se voit sans Alexa, sans enfants, sans voiture, sans travail. L'angoisse le submerge. Sa vie est devenue incontrôlable. Il se sent complètement impuissant face à l'alcool. Cette fois-ci, c'est le dernier coup de semonce.

Comme s'il ne lui restait qu'une chance ultime.

Il sait ce qu'il doit faire, même si cela semble impossible. Il faut qu'il surmonte son penchant pour la boisson. Cette envie profonde. Car là se trouve la racine du mal. Se remettre la tête à l'endroit, chasser les démons. Il lui faut réintégrer Alexa dans sa vie, il sait à présent qu'il ne peut pas vivre sans elle. Il lui faut essayer de conserver son emploi, avec ou sans le respect de ses collègues. Il ne tient pas à ce que ses enfants connaissent son état.

Mais le peut-il ? Le peut-il vraiment ?

Jissis, cette putain de peur le tenaille.

Il faut qu'il essaie. Une dernière fois.

Il s'arrache du miroir.

* * *

En arrivant à sa voiture, suant et puant, son premier geste est d'envoyer un SMS à Alexa. *Dis-moi juste que tu es en sécurité.* Ce n'est pas la peine de lui demander si elle va bien, il connaît la réponse.

Puis il appelle Doc Barkhuizen, son parrain chez les Alcooliques anonymes. Ce dernier le salue comme d'habitude, sans la moindre trace de jugement dans la voix, car lui-même a été dépendant de l'alcool, jadis. Il ne boit plus depuis des années.

– J'ai merdé, Doc.

– Tu veux un arrêt maladie ?

– Pas maintenant.

– Qu'est-ce qui ne va pas ?

– Le boulot. Je n'y arrive pas. Vraiment pas.

– Tu veux venir en parler ?

– Faut d'abord que j'aille réparer un truc au travail.

– Viens donc chercher des médicaments.

– OK.

Il sait que l'Ativan l'aidera à faire passer le mal de crâne, calmera son angoisse et atténuera le tremblement de ses mains. Voir le docteur lui fera du bien.

– J'arrive.

Il s'apprête à composer le numéro de la psychologue, mais à cet instant son portable vibre. Alexa : *Je suis en sécurité.*

Je viens d'appeler Doc, répond-il. *Je vais essayer de voir la psy aujourd'hui.*

Il attend quelques minutes, mais elle n'envoie pas de message. Il appelle alors la psy.

* * *

Mooiwillem Liebenberg et Frank Fillander toquent vers 9 heures à la porte de Mme Bernadette Richter dans le quartier de Schoongezicht à Durbanville.

Elle n'ouvre qu'à la seconde tentative. Elle est encore en robe de chambre, malgré la chaleur de la journée, elle a l'air désorientée et négligée. Liebenberg se présente à nouveau, elle finit par se souvenir de lui. Elle jette un petit regard inquiet sur Fillander. À cause de sa cicatrice, se demandent-ils, ou parce qu'il est métis ?

Elle les mène au salon.

– Asseyez-vous, le temps que je me prépare.

Liebenberg assure que ce n'est vraiment pas nécessaire.

Elle insiste, elle semble tellement sans défense qu'ils se sentent coupables.

Ils attendent vingt minutes qu'elle revienne. Elle a meilleure allure, les cheveux peignés, avec du rouge à lèvres, en robe et sandalettes. Elle leur offre du café. Le docteur lui a donné des anxiolytiques, explique-t-elle d'une traite, si bien qu'elle dort un peu, mais au réveil elle se sent un peu vague. Une longue phrase à circonlocutions.

Ils répondent non merci pour le café et l'assurent qu'ils comprennent.

– Avez-vous trouvé…

La phrase reste en suspens.

– Non, madame, mais nous progressons. Dans une affaire comme celle-ci, cela prend du temps d'éliminer une par une toutes les hypothèses. Nous sommes ici pour avoir un tableau complet de l'histoire de votre fils, si vous le permettez, bien sûr.

Fillander note la voix douce et sincère de Liebenberg ;

voilà d'où vient sa réputation, songe-t-il. C'est le grand talent de son collègue.

— Naturellement.

Elle se lève, perdue, puis comprend qu'il faut se rasseoir.

— Si je peux vous aider...

— Nous voudrions en savoir plus sur la période pendant laquelle Ernst est parti en voyage.

Elle regarde Mooiwillem, il voit bien qu'elle fait un effort de mémoire, puis se déconcentre. Ses yeux deviennent humides.

— Excusez-moi...

— Nous comprenons, madame, nous sommes vraiment désolés de vous ennuyer.

— Vous ne faites que votre travail. Je vais chercher des mouchoirs en papier.

Elle se lève et disparaît dans le couloir. Elle s'attarde, ils échangent des regards entendus. Liebenberg constate qu'elle ne va pas bien. Elle se portait mieux la veille. Mais elle revient, un mouchoir glissé sous son bracelet de montre et quelques autres à la main.

— Excusez-moi. Vous ai-je proposé du café ?

Ils répondent merci, non merci. Elle s'essuie le nez.

— Bon. Les voyages d'Ernst. Ça fait déjà un bail. J'étais... Mon enfant les avait mérités, il avait travaillé tellement dur. Pour moi, ce n'était pas facile, vous pouvez l'imaginer, pour la première fois de ma vie je me retrouvais toute seule, c'était un fils si attentionné, même quand il vivait en ville, il venait me voir trois ou quatre fois par semaine. Il téléphonait presque tous les jours, et tout d'un coup il disparaît outre-mer, ça m'a paru une éternité. Je n'ai rien dit, bien sûr, je l'ai laissé faire à contrecœur...

— Où s'est-il rendu ?

— Oh... en Orient. Il adorait l'Orient. L'art oriental. Il disait toujours que les calligraphies asiatiques étaient des créations bien plus belles que les nôtres.

– Dans quels pays d'Orient, madame ?

– Vous me posez une colle. Beaucoup de pays d'Orient. Thaïlande, Chine, le pays où les Américains ont pris une veste...

– Le Vietnam ?

– C'est ça, le Vietnam. Ernst était fasciné par le Vietnam. Une vie si simple. Des gens avenants. Un art splendide.

– Seulement dans ces trois pays, madame ? Thaïlande, Chine et Vietnam ?

– Non, je ne suis plus sûre. Il y en avait d'autres. La Corée ? A-t-il été en Corée ? Je ne crois pas... Quels autres pays y a-t-il dans cette zone ? Le Japon ? Je pense... Oui, oui, il s'est rendu aussi au Japon. Tokyo, il m'a envoyé une carte postale de Tokyo, ça grouille de gens par là, je me souviens qu'il a écrit sur les foules...

– Vous n'auriez pas conservé ses lettres ?

– Non. Ernst n'était pas épistolier. À peu près toutes les deux semaines, il me téléphonait des endroits les plus magnifiques. Il envoyait des cartes postales. Et des SMS. Il disait que c'était un scandale : il dirigeait une société de haute technologie, mais sa mère ne s'était pas mise aux courriels. Il m'a bien apporté un ordinateur, mais je n'ai jamais réussi à m'en servir.

– Vous avez gardé ses cartes postales ?

– Oui... Mais vous n'allez pas me les prendre, n'est-ce pas ?

Liebenberg jette un coup d'œil à Fillander.

– Si nous pouvions juste les regarder, pour commencer ?

67

FdT : La période qui a suivi la mort de mon père... Sans *oom* Dietrich Venske, je ne sais pas ce que nous aurions fait. Il nous a beaucoup soutenus. Il était d'accord pour nous racheter toute la récolte, à très bon prix.

Mais rien n'est simple. Les vendanges 2012 furent exceptionnelles. Toute l'industrie du vin en a glosé. Le climat a joué le jeu. Des vendanges de rêve. La tentation était grande de récolter le raisin et de se lancer dans un projet. S'endetter. N'importe quoi pour mettre cette récolte en bouteilles.

Mais ça, je ne pouvais pas le faire à Klein Zegen. Le chai que mon père avait construit jadis n'était plus en bon état. Il me fallait d'abord le rénover. Acheter de nouveaux fûts, en chercher d'occasion. J'avais une idée bien précise en vue d'un mélange pareil à ceux des bordeaux : environ cinquante pour cent de cabernet sauvignon, quarante pour cent de merlot et le reste en petit verdot, malbec et cabernet franc. Nous avions tous les cépages pour le réaliser.

J'ai donc décidé d'être raisonnable : vendre la récolte à *oom* Dietrich. De bonnes années, il y en aurait d'autres, il fallait réfléchir sur le long terme. Nous utiliserions l'argent d'*oom* Dietrich pour mettre en route le restaurant de San. Pour ce faire, nous voulions aménager la petite maison de *ouma* Hettie, une dizaine de tables, un bistro, de la cuisine traditionnelle française.

Nous avons fait nos comptes. Si elle arrivait à générer des revenus, l'affaire pouvait fonctionner.

En tout cas, j'étais sur le point de parler business avec *oom* Dietrich. Et voilà que débarque au domaine un type avec une offre. Incroyablement attrayante.

68

Le cabinet de Doc Barkhuizen se trouve à Bellville, dans une ancienne maison retapée.

Il ne reçoit pas de patients le samedi, car il a soixante-douze ans. S'il exerce encore, c'est seulement pour que le cabinet ne soit pas vide. Car « le vide, c'est l'oreiller du diable pour l'alcoolique ».

— Tu pues, dit-il à Griessel.

— Je sais.

— Tu ressembles à un cul de chien.

Il compte les pilules et les fait glisser dans un flacon.

— Je sais.

— J'ai entendu parler mercredi de l'affaire de ton collègue, le meurtre familial.

Griessel se tait.

— Je t'ai dit que je voyais venir la cuite. Mais tu n'écoutes pas.

Il pousse le flacon vers Bennie.

— Tu sais que tu ne peux pas prendre d'alcool avec ces pilules.

— Je sais.

— Alors, que vas-tu faire ?

— Je vois la psy cet après-midi.

— Bon.

— Je veux retrouver Alexa.

— Et que prévois-tu pour cela ?

– Je ne sais pas.

– Si tu peux rester sobre jusqu'à demain, j'essaierai de t'aider en ce sens. Ça va être coton, tu as fait beaucoup de dégâts. Mais tu la laisses tranquille jusqu'à ce que je te le dise. Tu m'entends ?

– Merci, Doc.

– Merci, Doc ! Ça ne sert à rien de dire merci. Tu aurais dû m'appeler avant d'aller picoler. À quoi ça sert d'avoir un parrain si on ne s'en sert pas ? Tu es un vaurien, un scélérat. Si j'étais Alexa Barnard, je t'enverrais au diable. Tu m'entends ?

Bennie opine.

– Tu ne peux pas aller au bureau dans cet état puant. Tu veux prendre une douche ?

– S'il te plaît, Doc.

– J'espère que ça va t'aider.

* * *

Pour Liebenberg et Fillander, il est de plus en plus compliqué de reconstituer les voyages d'Ernst Richter. Sa mère sort les cartes postales une à une, les lit à haute voix, l'émotion la gagne. Elle tient à leur raconter les histoires de son fils défunt et de ses pérégrinations, elle n'est pas très cohérente. Elle met du temps à leur passer les cartes postales.

Fillander annote un carnet pour établir une sorte de calendrier des mouvements de Richter durant cette période. Liebenberg étudie les cartes postales et les timbres, afin de les classer selon les dates et selon les pays. Cette reconstitution leur prend plus de deux heures.

Richter est arrivé en février 2011 à Bali, en Indonésie, où il est resté approximativement trois semaines. Il a passé ensuite plus d'un mois en Thaïlande. Début avril il a visité plusieurs endroits du pays avant de partir en mai pour le

Vietnam. Il y a séjourné six semaines. Puis trois semaines à Hong Kong, ensuite le Japon en juillet.

En août il a vécu deux semaines en Corée du Sud, puis est retourné à Hong Kong. En septembre il a parcouru la Chine. Il a amorcé son retour en octobre en repassant par Bangkok, suivi de Katmandou au Népal, Calcutta, New Delhi et Mumbai, en Inde. Il est rentré à la maison en novembre via l'île Maurice.

La correspondance de Richter était destinée à rassurer sa mère : tout va bien. Des messages courts, écrits à la va-vite, décrivant les gens, la nourriture, l'art et les beautés naturelles. Tout était « impressionnant », « cool », « exquis » et « mignon ». Il se plaignait parfois du climat. « Il pleut sans discontinuer » ou « le taux d'humidité est trop élevé », ou « on crève de chaleur ». Il espérait que sa mère se portait bien, il l'appellerait la semaine suivante… et « cela m'a fait du bien d'entendre ta voix ».

Rien qui éclaire l'enquête.

Ils lui demandent s'il a travaillé outre-mer.

Elle répond que non, juste ciel, le garçon était parti pour se reposer, il en avait vraiment besoin après ses années de labeur intensif, jour et nuit.

Au téléphone, parlait-il d'argent ?

En aucun cas.

En Orient, il a pu prospecter pour ses affaires ?

Pas qu'elle sache. Il a dû regarder les choses avec son œil d'entrepreneur, il était un homme d'affaires né.

Mais il n'en a pas parlé ?

Non.

En dehors de la vente de sa société de conceptions de sites, a-t-il jamais gagné un concours, hérité de quoi que ce soit ?

Qu'aurait pu avoir en héritage ce pauvre garçon ? « Je suis tout ce qu'il a », dit-elle, comme s'il vivait encore.

* * *

En chemin vers Stellenbosch, sur l'autoroute N1, Griessel se souvient de quelques épisodes de la nuit précédente.

Alexa était présente. Il en est certain. Il était fin saoul, mais elle était à ses côtés. Elle n'a pas dit grand-chose. Juste qu'elle resterait auprès de lui, jusqu'à ce qu'il s'écroule.

L'a-t-elle ramené à la maison ?

L'a-t-il appelée depuis le Dubliner ?

Il sort son téléphone et, tout en conduisant, consulte la liste de ses appels.

Mais non, aucun appel après son départ du bureau.

Comment a-t-elle su qu'il se trouvait au Dubliner ? Il n'y avait encore jamais mis les pieds.

Elle ne l'a tout de même pas fait suivre ?

* * *

– C'est une histoire de drogue, dit Fillander, tandis que, sur le chemin du retour au bureau, ils sont coincés dans un embouteillage sur Durban Road.

– Ouaip. Ça correspond avec les dates.

Ils savent tous deux que c'est la seule manière de se faire plus de deux millions de rands en dix mois.

L'Asie du Sud-Est revient sur le devant de la scène en matière de trafic de drogue. Jusque dans les années 1990, la Thaïlande – un côté du Triangle d'or dans la région – était considérée comme la Mecque de la contrebande d'héroïne. Mais la coopération internationale et l'action du gouvernement thaï l'ont largement freinée. Pendant près d'une décennie.

Puis, à partir de 2007, la culture du pavot a repris en Birmanie. En 2010 et 2011, le pays est devenu le plus gros fournisseur au monde de méthamphétamine – la principale composante du *tik* – grâce à l'isolement des régions du nord de la Birmanie et à la demande croissante de *tik* en Asie.

Les voyages d'Ernst Richter ont suivi, dirait-on, les grandes routes du trafic – Thaïlande, Vietnam, Chine et Inde.

– Mauvaise nouvelle. Bones ne trouvera rien. Tout ce business se règle en cash, jamais par le biais des banques.

* * *

Obtenir de la Premier Bank des relevés bancaires, sur papier ou dans un dossier numérisé, avec un mandat de perquisition avare de détails, n'est pas chose facile.

Cupido, Boshigo et Ndabeni se rendent ensemble à l'agence de Stellenbosch, car plus il y aura de Hawks, plus forte sera la pression, et plus la démarche paraîtra officielle et grave.

Il leur faut d'abord attendre avant de rencontrer le directeur local, « car c'est une période difficile de l'année, il est très occupé avec des clients ». Ensuite le directeur veut appeler le quartier général avant de remettre les relevés. Un samedi matin. Alors que le personnel de la direction nationale ne travaille pas le week-end. Il finit par joindre un des dirigeants sur son portable pendant son parcours de golf, qui lui intime l'ordre de coopérer. Une heure de perdue.

Surviennent ensuite des histoires de compatibilité de systèmes qui suscitent d'autres coups de fil à Johannesburg et brisent la patience de Cupido.

– Maintenant, je vous le dis, vous me remettez ces relevés ce matin ou je vous poursuis, vous et votre banque, pour entrave à l'enquête. Il s'agit d'une investigation pour meurtre, pas d'un client mécontent. Il ne faut pas jouer au plus fin avec les Hawks, *pappie*. Alors dites aux gens à l'autre bout du fil de mettre le turbo. Et tout de suite. Sinon ils vont voir rappliquer toutes les forces de la police nationale.

Il agite un index menaçant sous le nez du directeur local.

Ils ressortent à midi avec les relevés – imprimés et sur CD-ROM –, pleins d'espoir à l'idée que Bones va pouvoir décoder le tout. Mais Fillander les appelle pour leur dire qu'il s'agit de drogue en Asie du Sud-Est. Ce qui signifie des transactions en liquide.

Cupido s'est fait les dents à la Direction des stupéfiants. Il connaît le business. Il sait que Fillander a raison. En plein soleil, dans la grande rue passante de Stellenbosch, à côté du véhicule des Hawks, il lève les mains en l'air et crie : « *Jissis,* putain ! »

Une vieille métisse, sur son trente et un, lance : « *Haaï**, mon frère, faut pas dire ça. Ta mère pleurerait des nuits entières si elle t'entendait parler comme ça. »

69

Transcription d'entretien :
Maître Susan Peires avec M. François Du Toit.
*Mercredi 24 décembre, Huguenot Chambers 1604
40 Queen Victoria Street, Le Cap*

FdT : Avez-vous entendu parler de Gary Boom ?
SP : Non.
FdT : Et du Bordeaux Index ?
SP : Non.
FdT : Gary Boom est un Sud-Africain. Il est né ici, au Cap, dans les années 1950. Dans sa jeunesse, c'était un buveur de bière. Un soir, un ami l'emmène au restaurant et lui fait goûter du bon vin. C'est le coup de foudre. Mais comme il ne pouvait guère s'offrir d'excellents vins, il part pour Londres, il devient courtier et fait fortune.

Dans les années 1990, son insatisfaction à l'égard des marchands de vin londoniens ne fait que croître, leurs services, leur goût du secret, tout leur mode de fonctionnement. On dit qu'il a commandé un jour une caisse de Château Petrus, mais il était absent le jour de la livraison. Les livreurs ont laissé la caisse à la porte de derrière. Du Petrus ! C'est comme… Du vin valant des milliers de livres sterling. C'est la goutte d'eau, Boom décide d'agir.

Il va travailler un an chez un négociant pour apprendre le

métier et connaître l'industrie qui tourne autour. Puis il fonde sa propre société. Le Bordeaux Index. Avec une approche très différente. Le Bordeaux Index joue le rôle de bourse aux vins. Boom décide que tout sera transparent, tout le monde doit avoir accès aux données du marché. Ses clients peuvent acheter et revendre, car le vin, c'est, de fait, un investissement.

Et un bon investissement. Les cours du vin sont meilleurs que les cours de la Bourse depuis 1982, ils ont augmenté assez régulièrement jusqu'au début des années 2000.

Et voilà qu'un grand acteur perturbe le marché international : la Chine.

Il y a plusieurs hypothèses, mais elles en reviennent au même point : la croissance économique chinoise a donné naissance à une génération de nouveaux riches. Depuis 2000, pour afficher son statut social, elle a développé des goûts de luxe occidentaux. Les grands crus rouges, français et chers, font partie des produits les plus appréciés pour symboliser la réussite.

En 2011, la Chine était le cinquième importateur de vins français. On affirme qu'elle va devenir le plus grand consommateur de vin au monde.

Un autre phénomène est survenu. Dans le Bordelais, les crus 2005, 2009 et 2010 furent exceptionnels. La Chine qui achète, la quantité limitée de vin : les prix se mirent en conséquence à grimper. Et ils continuent. En 2011, un Château Lafite se vendait cinq cents euros la bouteille. Plus de cinq mille rands. En 2012, le prix était passé à huit mille rands la bouteille. Aujourd'hui, en ce mois de décembre, c'est monté à onze mille.

Les Chinois sont les principaux acheteurs. Londres et New York ont été pendant des décennies les deux grandes villes pour la vente aux enchères de vins. Depuis 2011, c'est Hong Kong qui a raflé le titre.

Il faut que vous compreniez tout cela.

Et puis, il faut vous souvenir que mon rêve de toujours était de fabriquer un mélange à la bordelaise, quelque chose approchant le Château Lafite Rothschild.

70

Bennie Griessel sait qu'il lui faut faire du bon travail dans la maison d'Ernst Richter. S'il trouve le téléphone manquant, voire caché – ou quelque chose de crucial pour l'enquête –, il aura au moins commencé à se montrer digne de la confiance de Cupido. Il pourrait même regagner son amitié.

C'est pourquoi il travaille lentement et méticuleusement, malgré les plaintes de son corps. Il étudie toutes les pièces, se souvient de toutes les cachettes qu'il a découvertes au cours de sa vie, se glisse dans la peau de Richter – dans cette maison, où aurait-il pu planquer quelque chose ?

Il commence par le garage, mais il n'offre aucune possibilité de cachette.

Il passe une heure dans la cuisine. Il vide chaque armoire, sonde chaque pot, enfonce un crayon dans la boîte de café instantané et dans le paquet de sucre, explore la machine à café DeLonghi PrimaDonna : ouvrir le clapet, dégager le réceptacle de grains de café, sortir le réservoir à eau.

Il passe en revue le four, le réfrigérateur et le congélateur, enlève les appareils du mur pour voir si rien ne se cache derrière. Il fait de même avec le lave-linge et le lave-vaisselle. Il se couche sous l'évier et se rend compte que l'Avitan l'a rendu somnolent. De surcroît il n'a pas beaucoup dormi et la gueule de bois n'a pas disparu. Il se sent la tête lourde. Il jure à voix haute, l'écho répercute ses mots dans la maison vide.

Il ne trouve rien dans la cuisine ni dans la buanderie.

Dans le salon, il évite le buffet contenant les alcools. Il est en train de pétrir les coussins un à un quand Cupido l'appelle.

– Salut, Vaughn.

– Où es-tu, Benny ?

– Dans la maison de Richter.

– Dieu soit loué.

Griessel se tait.

– Benny, essaie de mettre la main sur son passeport. Et de la drogue.

Cupido lui raconte les nouvelles hypothèses sur le voyage de la victime en Asie du Sud-Est et sur les deux à trois millions de rands de revenus inexplicables.

Griessel répond qu'il va regarder.

– Mais jusqu'à présent tu n'as rien trouvé ?

– Rien encore.

La voix de Vaughn se change en murmure.

– Tu es à jeun, Benny ?

– Oui.

Il reprend une voix normale.

– Nous sommes dans les bureaux d'Alibi. Vusi et moi passons son bureau au peigne fin. Bones étudie les relevés bancaires. Quand tu auras fini, fais un tour par ici...

Pour voir si je suis vraiment à jeun, songe Griessel. Il raccroche et termine l'examen des coussins et du dessous des sièges. Il cherche dans le meuble de la télévision, ouvre chaque boîtier de jeu électronique, fouille derrière le décodeur, les consoles de jeux et dans les tiroirs à la recherche d'un éventuel double fond, sous les télécommandes et les manettes des jeux.

Rien.

Le placard à liqueurs, à présent.

Il sort un moment pour griller une cigarette, contemple la montagne derrière la maison.

Il est rongé par le sentiment d'avoir manqué quelque chose. Un truc qui ne colle pas. Il se concentre à grand-peine. Qu'est-ce donc ?

Il ne voit pas. Mais ce sentiment ne le quitte plus.

Il respire à fond, entre et s'attaque au buffet où est rangé l'alcool. Sort tout. Treize bouteilles de rouge. Cinq viennent de France. Du Château Lafite Rothschild. N'en a jamais entendu parler. Le reste, c'est du vin local. Deux boîtes cylindriques contenant un whisky cher. Il est intrigué, mais les bouteilles sont à l'intérieur, la capsule n'est pas brisée.

Le buffet vidé, il l'inspecte lentement et minutieusement. Pas d'espace caché. Il soulève le meuble avec difficulté et regarde en dessous.

Rien.

Il remet tout en place, méthodiquement, les mains trem-blantes, la tête dans le coton. Une bouteille de Jack Daniel's dans la main. Il la remet en place. Ferme la porte.

Il sort fumer.

Il ressent cela comme une victoire. Même s'il a la peau moite de sueur froide.

* * *

À 13 h 16, il reçoit un SMS de Cupido. *Passeport retrouvé au bureau.*

À 13 h 30, Griessel a une faim de loup, car il n'a pas pris de petit déjeuner. Il roule sur la R44 jusqu'à la station-service Engen, retire de l'argent au distributeur et s'achète un litre de Coca et deux sandwichs. Il en dévore un en chemin, l'autre au comptoir de la cuisine de Richter.

Il lui reste à sonder le grenier. Et puis le jardin.

Il a examiné les salles de bains, soulevé le réservoir des toilettes, visité les chambres à coucher, inspecté chaque recoin des armoires, chaque coussin, chaque matelas. Il a ôté chaque œuvre d'art, l'a remise en place. Rien trouvé.

Mais il a vraiment l'impression d'avoir loupé un détail.

Richter avait-il un autre domicile ?

Bones l'aurait découvert dans les relevés.

Quelque chose le titille dans cette maison, mais quoi ?

Il jette un regard circulaire sur la cuisine et le salon. Il pense aux chambres à coucher. Un soupçon prend vaguement forme. Il songe que Richter vivait pour et par la technologie. C'était sa vie.

Mais il n'y a pratiquement rien de cet ordre dans cette maison. Juste les deux consoles de jeux et la machine à café. Il se lève, va la mettre en marche.

Un petit écran s'éclaire. La machine commence un cycle, fait du bruit et crachote un peu de vapeur.

Elle fonctionne. On ne saurait y avoir caché le moindre objet électronique.

Il se rassoit, boit du Coca.

Richter a vécu par la technologie.

Un téléphone portable. Il en possédait plus d'un. Ainsi qu'un ordinateur portable qui a disparu.

Une technologie transportable. Qu'on rapporte chez soi après le travail, pour prolonger sa vie.

Un téléphone portable manquant. Un laptop manquant.

Non, il ne voit pas ce que ça signifie. Il a la tête pleine de coton : les médicaments, le manque de sommeil, le sevrage d'alcool.

Il avale la dernière gorgée de Coca, se lève et va chercher une torche dans sa mallette. Il cherche la trappe d'accès au grenier.

* * *

De la poussière, c'est tout ce qu'il récolte. Il fait une chaleur étouffante sous le toit, il dégouline de sueur. Deux réservoirs d'eau chaude qu'il inspecte de haut en bas. Aucune trace.

Il descend, sort dans le jardin, et commence par le fond. Une longue piscine bleue, agréable. Il fouille derrière le filtre, étudie l'aspirateur robot, puis tout le système de pompage et de filtrage. Traverse le jardin, observant tous les endroits où le sol aurait pu être dérangé.

À 2 heures et demie, il prend une douche dans la troisième salle de bains d'Ernst Richter pour se débarrasser de la poussière et de la sueur accumulées en chemin. Il a envie d'arriver impeccable aux bureaux d'Alibi et avec la meilleure mine possible.

Il se repasse toute l'affaire tandis que l'eau ruisselle. Le cadavre du côté de Blouberg, la voiture dans la zone industrielle. Les recherches des légistes indiquant qu'il a été étranglé dans les environs, sous un jacaranda, près d'un vignoble. Cupido dit que les grosses sommes dont disposait Richter venaient de la drogue.

La drogue.

Beaucoup d'argent. Des réseaux à longs tentacules. Un business qui n'hésite pas à éliminer les maillons faibles.

Richter avait un portable officiel, un autre pour faire chanter et probablement d'autres combines.

L'ordinateur portable a disparu.

C'est tout ce qu'ils ont.

Il tourne le robinet, se sèche, se rhabille. Il ferme la maison avec soin et démarre.

* * *

Sur la R44 encombrée, en route vers les bureaux d'Alibi, il se sent au point mort.

Et puis cela lui vient, de loin dans son inconscient, du fin fond de son cerveau, il ne sait d'où.

Ce n'est pas un sentiment nouveau, il l'a déjà souvent

ressenti. On accumule toutes les informations, on les étudie, on les laisse mariner, elles s'effritent, elles coulent. Et parfois, la nuit, quand on est sur le point de s'endormir, ou au petit matin, ou sous la douche, ou dans l'épuisement d'une gueule de bois, cela ressort – à un moment où les pensées sont relâchées.

Il se souvient de sa dernière gueule de bois. Jeudi matin. Cupido et lui roulaient, ils allaient de Bellville à Stellenbosch. Il avait essayé d'expliquer à Cupido que si Vollie Vis avait bu, il ne se serait pas suicidé. Vaughn avait juste reniflé, lui avait demandé de jeter un coup d'œil au rapport sur le siège arrière. C'est alors que Griessel avait pris connaissance du dossier des enquêteurs de Stellenbosch.

C'est ce qui lui donne à présent une idée.

Ce n'est pas une idée à déclencher la sirène ou à sauter sur son portable pour appeler Vaughn. Ce n'est qu'une possibilité, un truc à prendre en considération, qui a besoin d'être creusé.

Une chose qui montrera à Cupido qu'il a le cœur et le cerveau au travail. Et peut-être même que cela donnera un résultat.

Il ne fonce pas directement vers les bureaux d'Alibi. Il se dirige d'abord vers le poste de police de Stellenbosch, au dépôt des plaintes.

* * *

Griessel rejoint ses collègues dans le bureau de Desiree Coetzee. Elle n'est pas là. Mais Vusi, Bones et Vaughn sont tous autour de la table, les yeux rivés sur le laptop de Boshigo.

Ils le saluent sans lever le nez.

Cupido demande, résigné :

– Tu n'as rien trouvé ?

– Non. Et vous ?

— On le saura dans quinze minutes, dit Bones, la main sur la souris et les yeux sur la page Excel.

Griessel s'adresse à Cupido.

— Tu peux venir un moment avec moi ?

Vaughn le fixe, d'un regard interrogateur, évaluateur.

Il attend un peu.

— Certainement, Benny. On revient vite, lance-t-il aux deux autres.

71

François Du Toit raconte que fin janvier 2012 à 11 heures du matin, un homme s'est arrêté devant sa maison. Une Toyota Corolla blanche.

À la main un sac en papier, dans le sac une bouteille. L'homme s'est montré aussitôt charmant et amical, mais avec discrétion, pour respecter le deuil récent. Il a présenté ses condoléances avec une compassion qui semblait sincère. Il avait de l'aisance, un ton professionnel et pourtant informel. Si jeune, si sûr de lui : c'était impressionnant. Il s'est présenté.

– Je m'appelle Ernst Richter. Je suis chef d'entreprise. J'aimerais bien vous parler d'une affaire.

– Quel genre d'affaire ?

– Il y a un endroit où nous pourrions être tranquilles ?

– Bien sûr, venez dans mon bureau.

François Du Toit a pensé qu'il s'agissait de lui vendre une assurance sur la récolte ou sur la vie. Ou encore des pesticides. Il était encore écolier que les représentants se pressaient déjà par ici. À cet instant il s'est dit qu'il pouvait toujours recueillir des informations, même s'il n'avait pas envie d'acheter quoi que ce soit.

Cela ne pouvait pas faire de mal.

Ernst Richter s'est assis dans le bureau. C'était encore celui de son père, avec son atmosphère, il n'avait pas eu le temps de modifier le décor.

Richter a posé le sac contenant la bouteille sur le bureau. Calmement, il a déroulé son projet, bien préparé et bien argumenté. Il a expliqué qu'il avait fait ces derniers mois de nombreuses recherches dans le domaine du vin, car, rentré récemment d'Orient, il avait repéré d'incroyables affaires à réaliser. Il cherchait quelqu'un pour exploiter avec lui une de ces opportunités.

Il a donné des informations sur le marché chinois du vin, des statistiques et des chiffres que Du Toit connaissait en gros, car en Gironde, comme dans tout le monde vinicole français, le marché chinois était un sujet largement commenté.

– Je veux vous parler d'une opportunité exceptionnelle qui se présente justement sur ce marché, a dit Richter.

Il a commencé par citer les montants, comme tout bon commercial qui aurait fait des recherches sérieuses sur François Du Toit et la situation de Klein Zegen.

– Je peux vous garantir deux millions de rands de bénéfice. Cinq cent mille dès la semaine prochaine. Un acompte. Cinq cent mille dans les six mois. Et un million à la livraison.

– Qu'attendez-vous de moi ?

– J'ai besoin d'investir votre vendange dans l'opération. Je voudrais que vous fassiez du vin.

– Quel genre de vin ?

Ernst Richter a hoché la tête, pris le sac en papier, en a sorti la bouteille qu'il a déposée entre eux.

Il s'agissait d'un Château Lafite Rothschild 2010.

– Ce vin-ci, a dit Richter.

72

Griessel entraîne Cupido vers sa voiture.

– On roule ?

– Oui, on va à Jonkershoek.

Nouveau regard interrogateur. Vaughn monte. Ils démarrent.

– Le seul rendez-vous que j'ai pu obtenir chez la psy est à 18 heures. Juste pour te dire où j'irai après.

– C'est bon, Benny. Je suis fier de toi.

Cupido le regarde sans soulagement, comme s'il ne brûlait pas de le croire. En centre-ville il demande :

– Qu'est-ce qui se passe à Jonkershoek ?

– Le *braai* de Noël chez le responsable du poste de Stellenbosch. Pour le personnel.

– Vas-tu me dire ce que nous allons y faire ?

– On va parler avec lui… Voilà, je te dis ce qui me chiffonne : le dossier des enquêteurs de Stellenbosch sur la disparition de Richter, tu en penses quoi sur la forme ?

– Solide. Présenté selon les règles.

– Oui, en effet. Du bon travail. L'investigation qu'ils ont menée quand on a signalé la disparition, c'était du bon travail. Ils ont enlevé la voiture de Richter, l'ont mise en lieu sûr. Quand Vusi et les experts scientifiques sont arrivés, tout était en ordre et utilisable. Les enquêteurs se sont rendus dans la maison de Richter, et ils n'ont rien dérangé. Les clés de la maison – c'est moi qui suis allé les chercher au poste. Pas de problème, ils savaient où elles étaient. « Selon les règles » ? Tu sais où commence le bon travail ?

— Avec le colonel. Bonne réputation, solide.

— Précisément. Nous savons où se trouvent les éléments pourris de la police aux alentours du Cap. Pas à Stellenbosch. C'est un bon poste de police. Si tu es un bon colonel et que tes équipes recherchent un disparu qui attire les médias de tout le pays, alors tu parles haut et fort et tu fais en sorte que rien ne merde.

— OK. Où veux-tu en venir ?

— Une bonne enquête, mais ils perdent un ordinateur portable ?

Cupido digère l'information.

— Tu dis bien ce que je crois que tu dis ?

— Si nous parlons en millions de rands, quand nous parlons drogue... Où vivent les grandes pointures des cartels de drogue nigérians ?

— À Parklands...

— Près de Blouberg.

— OK...

— Cette tempête, mercredi matin... les malfaiteurs n'ont jamais pensé qu'on tomberait un jour sur le cadavre de Richter. Mais on le trouve quand même, les Hawks interviennent et les médias deviennent fous. Les mecs s'inquiètent. Combien ça coûte de soudoyer un enquêteur ? Va nous chercher ce laptop, il y a des preuves qu'on n'aimerait pas voir tomber dans les mains des Hawks. Cinquante mille rands, cent mille rands, c'est de la menue monnaie pour ces types-là.

— *Jirre*, Benny, t'es vraiment à jeun.

— À peine.

Cupido sourit, et pour la première fois regarde Griessel avec un mélange de soulagement et d'étonnement.

À l'entrée du domaine de Jonkershoek, Griessel dit :

— Ce matin il n'y avait rien dans le journal sur l'affaire chez Fireman's...

– On s'en tient à notre version, Benny.
– Merci, Vaughn. Pour tout.

* * *

Le *braai* de Noël de la police de Stellenbosch est festif. La musique sort d'un coffre ouvert de voiture, des gens parlent, rient un verre à la main. Des assiettes en carton contenant des restes de côtelettes d'agneau et de pommes de terre sur une table, à côté de deux cubitainers de vin. De la fumée qui s'échappe paresseusement des braises déclinantes, une vague odeur de *boerewors** plane encore dans l'air.

Le silence se fait quand les convives voient arriver les Hawks.

Griessel et Cupido demeurent en retrait en attendant que le colonel approche.

Griessel pense que la manœuvre fonctionne bien. Que tous les services se rendent compte. Que les coupables commencent à prendre peur. Car chat échaudé...

Le colonel dépose sa cannette de bière et s'avance vers eux. Ils le connaissent, et il les connaît depuis des séminaires sur la prévention de la criminalité et des sessions de formation provinciales.

– Messieurs...

Le colonel est soucieux, il sait que les ennuis arrivent.

– Colonel, nous sommes désolés de vous déranger...

– Que se passe-t-il ?

– C'est à propos de l'ordinateur portable, colonel.

– C'est bien ce que je supposais.

– Nous pensons qu'il a été volé. Et pas pour être revendu.

Il ne réagit pas, mais ils voient à son froncement de sourcils qu'il soupèse toutes les éventualités.

Ils attendent qu'il dise quelque chose.

– C'est difficile. J'ai quarante-cinq personnes ici.

– Nous pensons qu'il faut commencer par les deux enquêteurs.

Il fait immédiatement un geste de dénégation.

– Ce n'est pas l'un d'eux.

– Colonel, nous savons qu'il s'agit d'une situation inconfortable...

Le colonel interrompt Griessel avec assurance.

– Ce ne sont pas eux. Je connais ces deux hommes et, je vous l'affirme, personne ne peut les soudoyer. Ce sont mes meilleurs éléments. C'est pour cela que je les ai mis sur l'affaire Richter.

– Il faut qu'on vérifie. Nous allons introduire leur numéro de portable dans le système...

– Vous pouvez le faire, mais c'est une perte de temps.

– Qui devrions-nous alors interroger ?

– Je ne sais vraiment pas. Il va falloir que vous preniez les numéros de tout le monde.

Griessel opine.

– Colonel, si vous pouviez nous fournir cette liste...

La nuque raide du colonel indique que l'idée ne lui plaît pas. Ils le comprennent parfaitement. Quand on est bon policier, à la tête d'un bon poste, on n'a pas envie de s'entendre dire ce genre de choses. Car cela rejaillit sur soi, ça reste écrit sur sa fiche professionnelle. Cela casse le moral en ces temps difficiles où la police est méprisée.

Avant qu'il ne réagisse, le portable de Cupido sonne. Il regarde l'écran.

– C'est Bones.

* * *

– Bones nous dit : Bingo, venez voir, explique Cupido tandis qu'ils remontent dans la voiture.

Le portable de Griessel sonne. C'est le capitaine Philip Van Wyk de l'IMC.

– Nous avons trouvé le numéro que votre directeur de banque a appelé le 8 mai. Nous l'avons introduit dans le système. Ça devient intéressant...

— Très intéressant ?

— L'appareil est bien enregistré au RICA, mais avec une carte d'identité falsifiée et une fausse adresse – une adresse de chez Telkom. Mais il s'agit effectivement d'Ernst Richter sur la photo, un peu trafiquée, mais c'est une belle contrefaçon. Cela concorde quand on note la date d'activation du numéro. D'après les données IMEI liées au numéro, l'appareil a été acheté en novembre de l'année dernière chez Pep Stores à Brackenfell, et activé sur-le-champ. C'est pendant ces premières minutes qu'on contourne le mieux le RICA. À l'époque déjà, on ne pouvait plus acheter de carte SIM sans pièce d'identité.

Griessel songe aux falsifications pratiquées par Alibi sur les billets d'avion ou les notes d'hôtel. Ernst Richter portait une grande attention à ce département.

Tout colle.

— Et la liste des appels ?

— De novembre l'année dernière à mai de cette année, on ne note que dix-sept appels et onze SMS à partir de ce numéro. Un appel et un SMS à l'intention de ton banquier. Nous sommes en train d'analyser les autres numéros. Ah ! Zézaie Davids nous a apporté hier soir une copie de la base de données d'Alibi. On est en train d'étudier tous les numéros.

— Pas d'appel depuis le mois de mai ?

— Rien. C'est comme si on s'était débarrassé du téléphone.

* * *

Quand ils s'arrêtent chez Alibi, Griessel rappelle son programme à Cupido.

— Je dois aller voir la psy. Mais je vous rejoins dès que j'ai terminé.

— Prends ton temps, Benny.

Cupido sort de la voiture et garde la porte ouverte.

— Hier soir dans mon bureau, j'étais salement emmerdé par ton cas. Je me disais : « Pourquoi, mais pourquoi, s'il veut vraiment boire, pourquoi est-ce que je m'en mêle ? » C'est ta vie. Et puis j'ai compris, Benny. C'est de la camaraderie, et toutes ces conneries, mais le fond de la question est le suivant : Je ne peux pas être Vaughn le Terrible si tu n'es pas Benny le Sobre. C'est comme ces duos dans les films. Tu me complètes.

– Tu vas me donner un bisou ?

– Voilà le Bennie Griessel que je connais et qui me plaît. Fous le camp. Va régler tes emmerdes.

* * *

– Regardez.

Bones Boshigo pointe l'index sur son écran.

– L'année 2012 a été prospère pour feu M. Richter.

Cupido se penche sur son épaule. Il se rapproche encore et siffle.

– C'est exact ?

– Bien sûr, c'est exact. J'ai un diplôme et tout le toutim. Et puis, Excel ne saurait mentir.

– Quatre millions trois cent mille.

– C'est ce qu'il avait en octobre 2012. Mais attends, il y a mieux. Il est rentré d'Asie en 2011, n'est-ce pas ?

– Oui, en novembre.

– Regardez, voilà l'état de son compte en novembre 2011. Six cent mille soixante-dix rands. C'est ce qu'il lui restait, il avait dû pas mal dépenser en voyage. Et voilà, un an plus tard : quatre millions deux. Qu'il a reçus en trois paiements seulement. Août 2012 : un million trente et un mille et des poussières. Septembre 2012 : un million trente et un mille et des poussières. Octobre 2012 : deux millions cent soixante mille et des poussières.

– D'où a-t-il tiré tout ça ?

– Il y a toujours un chouïa de mauvaises nouvelles, n'est-ce pas ?

73

Ernst Richter a demandé à François Du Toit de produire dix mille bouteilles de Château Lafite Rothschild 2010.

– Impossible, répond Du Toit. Le Château Lafite, c'est un mélange unique, un vignoble très ancien, un terroir unique, et 2010 un cru exceptionnel. Impossible.

– Regardez cette bouteille, insiste Richter. Que voyez-vous ?

Du Toit l'examine sans rien comprendre.

– Vous voyez la capsule rouge avec un logo noir et blanc qui représente le château. (Richter les désigne.) Vous voyez la forme de la bouteille, l'année, la capsule imprimée et cinq petites flèches incrustées dans la bouteille au-dessus de l'étiquette. Vous voyez l'étiquette, une vieille gravure représentant des gens qui travaillent dans un champ en face du château, et vous lisez les mots *Mis en bouteille au château*, en dessous *Château Lafite Rothschild*, en dessous *Pauillac*, et le millésime. Voilà ce que vous voyez. Vous avez un tire-bouchon ? Et deux verres ?

– On ne peut pas le boire maintenant… Il faut le laisser reposer quelques années.

– J'en ai encore onze. Vous avez un tire-bouchon ?

Richter ouvre la bouteille et verse le divin liquide dans les verres.

– Observez maintenant la couleur de la bouteille. Nous allons faire fabriquer exactement le même type de bouteille.

Je vais personnellement reproduire l'étiquette et la capsule. À l'identique, personne ne verra la différence. Tout ce que vous devez faire, c'est d'arriver à produire une robe qui ressemble précisément à celle de ce cru. Il faut fabriquer le meilleur vin possible. Pensez-vous vraiment qu'un millionnaire chinois qui aura acheté vingt caisses de notre Château Lafite fera la différence entre deux, cinq ou dix ans d'âge ? Et même si l'un ou l'autre se doute qu'il s'est fait gruger, pensez-vous qu'il ira le clamer ? Ces types-là ne voudront jamais perdre la face. De plus, en aucune façon ils ne pourront retracer la filière jusqu'à vous.

— C'est... illégal.

— De faire du vin ?

— De tricher sur le vin.

— Vous ne trichez pas. Vous imitez. Vous imitez le meilleur vin au monde. N'est-ce pas ce que chacun s'efforce de faire ? Fabriquer du vin comme les Français ? Faire aussi bien, faire mieux ? C'est pourquoi vous êtes tous partis en France pour apprendre et travailler. Je vous demande simplement de produire le meilleur assemblage possible afin que le cru ressemble à ce bordeaux. C'est moi qui me charge de tricher. Et du transport.

François Du Toit en reste abasourdi.

— Vous n'avez pas besoin de me répondre tout de suite. Réfléchissez-y cette nuit.

Du Toit goûte le vin.

— Deux millions, c'est ce que vous allez vous faire. Deux millions. Dans les huit jours vous recevrez cinq cent mille rands pour réparer votre chai et acheter vos fûts.

— Comment savez-vous...

— Je suis un homme d'affaires. Je fais mes recherches.

74

— Les règlements ont été effectués à partir d'une banque étrangère.

Le major Bones Boshigo explique.

— Les relevés ne donnent que le code SWIFT, mais si on va sur le site swiftcodes.com, on peut les retrouver. Ce que j'ai fait.

— Richter a reçu ces sommes de la Guangdong China Banking Corporation à Guangzhou. C'est une ville de Chine. Et ça, c'est vraiment une mauvaise nouvelle, car il y a très peu de chances qu'on nous fournisse des informations sur l'origine de cet argent. Ou sur le titulaire du compte, n'est-ce pas. J'ai étudié les montants, je suis presque certain qu'ils étaient libellés en dollars. Si l'on multiplie cent vingt-cinq mille dollars avec le taux de change d'août 2012, on trouve un million trois cent mille rands et quelques centimes. Même topo en septembre. Et si l'on change deux cent cinquante mille dollars en octobre 2012, cela donne deux millions cent soixante mille rands.

— Il était donc payé en dollars ?

— *Yebo,* acquiesce-t-il en zoulou.

— Par une banque en Chine ?

— Ouaip.

— Mauvaise nouvelle.

— C'est ce que je viens de dire.

* * *

Bennie Griessel contemple l'ours en peluche dans le bureau de la psychologue pendant qu'elle lui lit un texte extrait d'un gros livre.

— « Sans traitement, une personne souffrant du syndrome du survivant et incapable de surmonter ce sentiment de culpabilité peut sombrer dans une spirale caractérisée par de l'automédication avec de la drogue et/ou de l'alcool, par du retard dans la guérison du stress post-traumatique, par une dépression grave, un surcroît d'angoisse, voire un suicide. »

La jolie femme à la voix apaisante lève les yeux sur lui.

— Cela a un petit air familier ?

Griessel opine à contrecœur.

— Vous essayez de vous en sortir en buvant. Automédication. Vous avez raison quand vous dites que votre collègue, l'adjudant Van Vollenhoven, n'aurait pas tué sa famille s'il s'était adonné à la boisson. Mais l'abus d'alcool n'est pas un moyen imparable pour...

— Vollie ne souffrait pas de la culpabilité du survivant, il...

— La culpabilité du survivant n'est qu'un des quatre échelons que nous associons avec la crainte de nuire à autrui. Les trois autres sont la culpabilité due à la séparation, la culpabilité de responsabilité omnipotente et la haine de soi. Les policiers et les soldats sont à peu près les seuls à être exposés aux quatre possibilités. Je pense...

— Je ne sais pas ce que signifient ces termes.

— Je pense que vous les connaissez, mais que vous ne voulez pas les connaître, parce que vous avez peur de souffrir des quatre syndromes à la fois. Comme Van Vollenhoven. La culpabilité de séparation en l'occurrence, c'est la crainte pathologique qu'un malheur puisse survenir à ses proches si on s'éloigne d'eux. La plupart des mères en souffrent sur un mode mineur quand leurs enfants sont loin...

« La culpabilité de responsabilité omnipotente, c'est le même syndrome puissance dix. L'omnipotence, c'est ce sentiment d'avoir le pouvoir de tout faire pour protéger les autres. Cela se retrouve fréquemment chez les policiers, vous vous êtes habitués au pouvoir afin de protéger, d'imposer la justice, jusqu'à tuer des gens s'ils bafouent la loi. Mais quand on en vient aux êtres chers, cette surpuissance vous laisse en plan. On se rend compte de toutes les abominations, mais face à elles, on se sent impuissant à protéger ses proches. La haine de soi, enfin... La combinaison de ces quatre facteurs, voilà ce qui a conduit l'adjudant Van Vollenhoven à éliminer toute sa famille, et lui-même après.

— *Jissis.*

Il jure doucement. Car elle a raison. C'est exactement le combat qui fait rage dans son foutu crâne.

— On ne doit pas oublier d'ajouter à ce cocktail désagréable le stress post-traumatique. Vous n'avez pas choisi un métier facile.

Il s'interroge subitement.

— Mais un de mes collègues, je pense spécialement à l'un d'eux, semble ne souffrir d'aucun de ces maux...

Elle sourit avec sympathie.

— Ce que vous exprimez là, c'est le syndrome « pourquoi moi ? ». C'est parfaitement normal. Je vais vous donner mon hypothèse. Voilà six ans que je soigne des policiers. Je crois que tout cela tient à vos qualités altruistes. Nous ne sommes pas tous capables d'un tel niveau d'altruisme. Phénomène intéressant, ce sont les enquêteurs les plus altruistes qui d'une part travaillent le mieux dans certaines circonstances, pour cette raison, et d'autre part sont le plus souvent sujets aux dépressions. Une épée à double tranchant.

— Je ne suis pas meilleur enquêteur que Vaughn.

— J'ai dit dans certaines circonstances. C'est un vaste sujet, mais arrêtons-nous là-dessus un moment : vous avez une bonne capacité à vous glisser dans la mentalité d'un assassin, n'est-ce pas ?

Il hausse les épaules. Elle sourit.

— Voici venir la haine de soi. Acceptez donc vos talents.

Il se tait.

— Cette faculté à s'identifier au criminel est une forme d'altruisme. Dans certaines circonstances, cela vous donne un atout pour l'approche et la résolution d'une affaire. Mais ce n'est pas la seule flèche que l'enquêteur doit avoir dans son carquois. Une pensée analytique, la faculté de savoir trier énormément de données, le sens du contact social, la capacité de lire dans la pensée des autres, de les mettre à l'aise...

— C'est typiquement Vaughn, ça...

— Précisément. Pourquoi croyez-vous qu'il est d'usage, partout dans le monde, de faire travailler les enquêteurs en équipe ? Parce que deux personnes n'ont jamais exactement les mêmes talents.

Le fond de la question, c'est que je ne peux pas être Vaughn le Terrible, si tu n'es pas Bennie le Sobre. C'est comme ces duos dans les films. Tu me complètes.

— D'accord, dit Bennie Griessel.

— Dois-je comprendre que vous m'approuvez ?

— Je n'ai certainement pas le choix.

— C'est un grand pas en avant.

— Comment je m'arrête de picoler ?

— Une psychothérapie, c'est le seul traitement efficace contre les quatre échelons que nous associons à la crainte de faire du mal aux autres. On peut aussi envisager des antidépresseurs comme une mesure provisoire, mais vous y étiez farouchement opposé la dernière fois qu'on s'est vus.

— Je ne suis pas à la recherche de pilules. Ce n'est qu'une autre forme d'esclavage.

— Dans ce cas-là, il faut suivre une psychothérapie. Intense.

— Pendant combien de temps ?

– Combien de temps comptez-vous rester enquêteur ?

– *Jissis…*

– L'objectif d'une psychothérapie, c'est d'analyser ensemble les événements traumatiques jusqu'à ce que vous compreniez que vous n'êtes pas responsable des dommages causés. Le dilemme, c'est que votre travail n'est qu'une longue suite d'événements traumatiques. Vous m'avez même raconté que vous reviviez les derniers instants des victimes, chaque fois que vous arriviez sur la scène du crime. Mais on peut s'en sortir. Avec beaucoup de travail, on arrive à maîtriser les techniques qui permettent de gérer les choses tout seul. Mais j'insiste sur « beaucoup de travail ». De la psychothérapie. Deux fois par semaine au cours des deux mois à venir. Après quoi on pourra diminuer la fréquence des séances.

Est-il prêt à cela ?

– Ah ! oui, une autre chose efficace, c'est d'impliquer vos proches.

– Il faudrait qu'ils viennent aussi ici ?

Elle sourit.

– Non. Bien qu'une session, une seule, avec votre famille serait très utile. Mais surtout il faut que vous leur expliquiez votre état. Leur amour et leur soutien peuvent largement peser dans la balance.

* * *

Le crépuscule est tombé quand il sort. Le vent de sud-est s'est levé, un vent sans pitié. Sur son portable, un SMS de Cupido. *Viens au bureau dès que tu as fini.*

Il faut quinze minutes pour aller en voiture du cabinet de la psychologue aux bureaux de la DPCI à Stellenbosch, mais il en met vingt. Il se sent vidé, hyperfatigué, éteint.

Il va falloir raconter tout ça à Alexa et aux enfants. Si Alexa veut bien l'accueillir à nouveau.

Anna ne l'a pas fait. Même après qu'il avait cessé de boire, autrefois, elle l'a quitté pour cet avocaillon, avec sa BMW chromée et ses costumes voyants. Alexa a peut-être déjà un plan B, qui sait ?

Merde, pourvu qu'il n'y ait pas anguille sous roche.

Il va falloir en parler à Mbali.

Selon l'avis de la psy, il ne peut pas se lancer dans ce long chemin sans le soutien et la compréhension de sa supérieure.

— Je l'appellerai, mais seulement avec votre autorisation.

Encore des complications. Cette intervention provoquera des histoires, et il n'aime pas faire de vagues. Il aimerait continuer à mener sa barque, sans que les gens tournicotent autour de lui. Mbali va le surveiller comme le lait sur le feu. Elle est aussi du genre altruiste, même si elle le dissimule mieux que lui.

Le problème, s'il va parler à Mbali, c'est qu'elle saura que Vaughn lui a menti à propos de l'autre soir.

Le saura-t-elle vraiment ? S'il présente les choses de façon subtile et prudente... Ils peuvent dire qu'ils étaient ensemble mercredi soir, mais qu'il était légèrement pompette, ce qui explique qu'il se soit cogné le visage.

Il s'agit d'abord d'en parler à Vaughn.

À Doc Barkhuizen aussi. Ça, c'est plus facile, car Doc dira : « Ça fait longtemps que je te supplie d'aller voir un psy régulièrement. Mais non, tu joues au mâle afrikaner. Trop futé, trop fort, trop macho. »

Ils savent bien que ce n'est pas vrai. Mais Doc le met en boîte.

Il n'aime pas l'idée que quelqu'un explore ce qu'il a dans la tête. Il ne s'est jamais considéré assez important pour en arriver là.

Deux sessions par semaine. Lui, l'ours en peluche et la psy.

Jissis.

75

Transcription d'entretien :
Maître Susan Peires avec M. François Du Toit
Mercredi 24 décembre, Huguenot Chambers 1604
40 Queen Victoria Street, Le Cap

FdT : On gamberge quand on a deux millions à portée de main, la solution à tous les problèmes. On prend ça pour un clin d'œil du destin, après deux générations malheureuses. La bonne étoile trace la voie. On pense à faire du vin, un défi incroyablement stimulant. On pense à ce que cet homme vient d'expliquer. Qui saura ? Qui sera désavantagé ? Quelques nouveaux riches chinois, incapables de faire la différence entre du Château Lafite et du Kiravi. On songe à sa fiancée qui a débarqué dans une famille à soucis, à ses rêves qu'on aimerait bien soutenir. On songe qu'on va se marier l'année suivante, on aimerait bien lui offrir un cadeau.

On gamberge donc.

Et puis on se décide. On ment à sa fiancée, on ment au fidèle voisin, le bon Dietrich Venske. On se sent mal le jour où l'on lit la déception dans ses yeux en lui annonçant qu'on ne lui vendra pas sa récolte. Le surlendemain, on se souvient que c'est un viticulteur reconnu, avec des crus qui retiennent de plus en plus l'attention en Amérique et en Angleterre. Il peut donc s'en passer.

Et puis on se met à produire du vin.

Vous savez, c'était bien agréable. Si je dois aller en prison, je vais essayer de m'en souvenir. Une expérience incroyable. Une école fantastique. Car Ernst Richter avait raison. Nous essayons tous d'imiter les meilleurs vins français. Tout le monde. La Californie, le Chili, l'Australie, la Nouvelle-Zélande, car c'est seulement en imitant que nous trouvons notre tonalité en matière de vin.

Espérons-le. Enfin.

Et voilà, je l'ai trouvée, ma tonalité en matière de vin, mais il y a de fortes chances que je n'arrive plus à chanter.

76

Ils se dirigent en groupe vers le bureau de Mbali qui les attend. Ils s'asseyent autour de la table de conférence. L'équipe est au complet, Bones Boshigo en plus.

Cupido annonce qu'ils ont récolté beaucoup d'informations, mais rien qui soit encore véritablement enthousiasmant. Il résume.

Primo. Les heures financières de Richter étaient comptées. En ce mois de décembre, la banque allait clore le compte débiteur d'Alibi. Les fonds privés de Richter étaient épuisés. Alibi allait devoir fermer, Richter courait à la banqueroute personnelle. Il était sur le point de tout perdre – sa société, sa voiture, sa grande maison. Pire encore pour un homme qui tenait à son statut : il allait perdre sa réputation. Un coup trop dur pour son ego.

Secundo. Pour sauver sa peau, il a entrepris des actions délictueuses. Depuis novembre de l'année passée, Richter a essayé de faire chanter ses propres clients. Il a trafiqué une carte d'identité et une attestation de domicile pour obtenir un téléphone. Deux méfaits établis. Il y a de fortes chances, selon le vieux dicton policier, que « le comportement de jadis détermine le comportement futur » ; il a probablement commis d'autres délits. D'autres chantages ?

Tertio. Depuis novembre de l'année dernière, il n'a reçu aucun virement sur son compte personnel. On peut en déduire qu'aucune de ses tentatives de chantage n'a abouti.

Quarto. Entre février et novembre 2011, Richter s'est promené en Asie du Sud-Est. En juin et juillet 2012, une banque chinoise effectue trois versements sur son compte, d'une valeur totale de quatre millions deux cent mille rands. En dollars. À l'insu de sa mère. C'est significatif. Il est donc hautement probable qu'il a obtenu ces fonds de façon illégale, vraisemblablement lors d'une transaction liée à la drogue.

Quinto. Il découle de tout cela qu'Ernst Richter a fait quelque chose le mois dernier, en novembre, pour obtenir rapidement un bon paquet d'argent en vue de sauver Alibi. Cette manœuvre a causé sa mort, mais on ne l'a pas encore identifiée.

Jusqu'ici, tout le monde est d'accord ?

Oui, ils approuvent tous. Cupido reprend :

— Bon, nous en sommes là. Comment découvrir ce qu'il a fait ? Où s'est-il rendu ? Qui a-t-il rencontré ? Fondamentalement, nous disposons des analyses scientifiques sur ce que nous pensons être la scène du crime, mais cela reste général. Nous savons qu'il y a un ordinateur portable volé dans le casier des indices à Stellenbosch qui peut nous mener à l'assassin ou aux assassins. Il nous reste les coups de fil avec la banque chinoise qu'il a passés sur le téléphone portable obtenu grâce à une carte d'identité trafiquée. Ce dernier point n'est pas très utile, autant le laisser tomber...

— Pourquoi ?

— Major, cette banque se trouve tout là-bas en Chine. C'est un État communiste. On ne peut pas les appeler en disant, les copains, on a un gars qui pilotait un site pour maris volages et qui s'est fait tuer, pourriez pas nous filer vos relevés bancaires confidentiels...

— Je pense que vous avez tort, coupe Mbali.

Cupido se retient. Il hausse un sourcil sceptique.

— La Chine est notre premier partenaire commercial. Notre président s'y est rendu l'autre jour. Elle veut construire des centrales nucléaires. Je pense que si le général parle au directeur national, si ce dernier parle au ministre et que le ministre aborde la question avec l'ambassadeur de Chine, vous pourriez être surpris par le résultat.

Les sourcils de Cupido se froncent.

— Major, avec tout mon respect, cela fait beaucoup de « si ».

— Il est arrivé des histoires bien plus étonnantes.

Elle affiche une tranquille confiance en elle.

— Nous… Ce serait génial…

Il rattrape le fil de ses pensées.

— Entre-temps il nous faut chercher les appels du portable trafiqué et retrouver le laptop volé. *Oom* Frankie, tu as une famille, si tu veux prendre ton dimanche. Benny, toi aussi…

— Non.

Bennie Griessel intervient plus fort qu'il n'aurait voulu, car il ne veut pas prendre le risque d'être tout seul dans la maison vide d'Alexa. Un coup à déprimer et à retâter de la bouteille. Il ajoute un « s'il te plaît » bien souligné. Cupido conclut.

— Cool. Les gars, je vous revois demain. On se retrouve à 9 heures.

* * *

Une fois qu'ils sont tous partis, le major Mbali Kaleni ferme la porte de son bureau. Par la fenêtre elle voit le ciel doux et doré qui se découpe derrière Boston Street et la bibliothèque de Bellville. Elle s'assied et ouvre le troisième tiroir de son bureau. Sous la pochette où elle conserve son maquillage de secours se trouve une tablette de chocolat. Lindt Excellence, 70 % cacao. Du chocolat noir. D'après d'innombrables études, c'est recommandé pour la santé. Pour le cœur, pour le moral.

Elle respecte le professeur Tim Noakes. C'est un homme intelligent, mais il ne faut jamais oublier qu'il est d'abord un homme. Les hommes ne comprennent pas le cœur des femmes. Une fois par semaine, elle a besoin de nourrir son cœur, après avoir observé son régime : yaourt crémeux, viande, poisson, poulet et chou-fleur.

Elle pose la tablette sur le bureau. Elle y touchera dans un instant.

Une dernière tâche à accomplir.

Elle prend son portable et appelle le général Musad Manie.

– Bonsoir, Mbali.

Il a une voix profonde. En arrière-fond, on baisse le son d'une télévision.

– Bonsoir, général. Je suis heureuse de vous annoncer que nous avons un nouvel indice dans l'affaire Richter. Il est peut-être important, ou il ne mènera à rien, mais nous aimerions votre appui pour l'exploiter au mieux.

– Oui ?

Elle lui détaille les versements effectués à Richter par une banque chinoise. Elle lui demande d'appeler le directeur général de la police, afin que la demande de coopération parvienne par ce biais à l'ambassadeur de Chine.

– Je vais voir ce que je peux faire.

Elle peut enfin commencer le rituel, l'ouverture de la tablette de chocolat.

* * *

Griessel ne tourne pas à droite au carrefour entre Voortrekker et Mike-Pienaar pour prendre la N1. Il file tout droit en direction de Parow.

L'inspiration du moment. Il est magnétisé, trop las pour résister. Il quitte Voortrekker, vire à droite sur Tallent Street, puis à gauche sur Second Avenue. Il s'arrête devant la maison où il a grandi. Coupe le contact, descend la vitre.

Le vent et les sons pénètrent dans la voiture. Dans la banlieue de Parow, les pavillons et les jardins sont petits, mais accessibles aux ouvriers en bleu de travail comme son père.

Sa maison, qui appartient depuis longtemps à d'autres,

entourée désormais d'un mur en béton couleur crème, est restée la même. C'est dans cette rue qu'ils jouaient au cricket, tard le soir sous les réverbères. Là, dans la chambre du milieu, il a passé des heures à s'entraîner à la guitare basse. À câliner ses amours d'adolescent. Seigneur, combien d'heures ? Rêves de gloire, de richesse, de bonheur à venir.

Il reste pendant presque quarante minutes à se souvenir. Il fume deux cigarettes dans la nostalgie de cette existence simple, et il s'interroge sur le chemin qu'il a suivi. Sur les déceptions de sa vie.

Puis il repart à la maison. En fait, celle d'Alexa, même si elle dit toujours « notre maison ».

Dans tout le quartier scintillent les lumières de Noël. Il se souvient du dernier Noël du temps où son foyer était au complet et qu'il était assez sobre. Il y a dix ans ? Il a emmené Anna et les enfants par ici pour admirer les illuminations.

Cette année-ci, il a hâte que Noël se passe. Ce sera une fête solitaire. Les enfants sont avec Anna, car chez elle et son avocaillon règne « une atmosphère familiale chaude, personne ne vit dans le péché ». Comme si l'avocaillon n'avait jamais fricoté dans le noir avant qu'ils ne se marient. Comme si Alexa et lui ne pouvaient pas constituer un foyer.

* * *

Un plat de poulet aux brocolis de chez Woolies l'attend sur la table de la cuisine, avec une note : *35 minutes à 180 degrés. Faut que tu manges.* L'écriture d'Alexa.

Elle est passée par ici, elle est repartie.

Il ressent un peu d'espoir au creux de cette grande fatigue. Demain, Doc appellera Alexa…

Assis près du four, il attend que la nourriture chauffe. Il mange directement dans la barquette. Il va se doucher et se coucher.

Il envoie un SMS à Alexa, même si Doc lui a demandé de « la laisser en dehors de tout ça ». *Une journée sans alcool,* tape-t-il. Il attend. Peut-être va-t-elle répondre.

Le portable se tait. Il dort d'un sommeil agité en dépit de sa fatigue, à cause du manque et de la rude journée.

* * *

Mbali est déjà au lit avec son iPad quand Musad Manie rappelle.

— Major, nous avons un léger problème.

— Quoi donc, général ?

— Le directeur de la police nationale a parlé au ministre, et le ministre apparemment à certains de ses collègues. Il voulait s'assurer de passer par les bons canaux, cela a pris du temps avant que le message ne revienne au directeur général. Mbali, vous savez qu'il y a désormais un député de l'ANC, deux ministres provinciaux, le secrétaire général adjoint des Affaires étrangères et un maire ANC qui sont impliqués comme clients dans cette affaire d'Alibi ?

— Cloete m'a tenue au courant, général. Plein d'autres personnes aussi.

— Eh bien, en haut lieu, on ne s'inquiète pas des autres. Mais on s'inquiète vraiment de toute cette pagaille. Le message que je vous transmets est le suivant : On va demander l'appui des Chinois, mais on attend de nous que nous arrêtions la personne, ou les personnes qui ont publié la liste des clients sur Internet. On nous demande de les poursuivre avec toute la rigueur de la loi. On surveillera nos progrès, m'a-t-on dit. On évaluera nos résultats. Les miens, les vôtres, et ceux de votre équipe.

— Oui, général. Nous allons voir ce que l'on peut faire.

Après avoir raccroché, elle hurle : « *Yes !* » Elle décide qu'elle annoncera la nouvelle à Vaughn Cupido demain matin. Qu'il passe d'abord une nuit reposante.

77

Transcription d'entretien :
Maître Susan Peires avec M. François Du Toit
Mercredi 24 décembre, Huguenot Chambers 1604
40 Queen Victoria Street, Le Cap

Dossier audio 16

SP : Les bouteilles Château Lafite sont-elles uniques ?

FdT : Oui. À cause des cinq flèches croisées, fondues dans le verre. Et puis leur forme, leur couleur…

SP : Comment s'est-il procuré les bouteilles ? C'est possible… ?

FdT : C'est possible et facile. Il suffit d'acheter une bouteille et de la montrer à quelques fabricants, et d'exiger exactement la même chose. Il a fait fabriquer les fausses bouteilles ici. C'est…

SP : Mais les fabricants, ils ont bien vu…

FdT : Les bouteilles de Château Lafite sont inconnues par chez nous. Je me demande s'il existe dix personnes dans le pays capables d'identifier une bouteille de Château Lafite sans sa capsule et son étiquette. Les chances sont extrêmement minces qu'un verrier les connaisse. En outre, si l'on vous commande dix mille bouteilles, on ne pose pas trop de questions. Problème plus sérieux : les bouchons, car Château Lafite imprime son tampon sur chacun d'eux. Richter n'a jamais dit où il les avait fait faire, mais il m'en a livré dix mille. Je suppose qu'ils ont été fabriqués en Chine. Ou peut-être au Portugal, parce qu'ici, chez nous… il faudrait soudoyer l'un des fabricants de bouchons à Stellenbosch pour en produire la nuit. Ouvrir une usine, je ne pense pas… le risque est trop grand, me semble-t-il. Mais l'argent est chose curieuse… À coup sûr, les capsules et les étiquettes viennent de Chine, la nuit où nous avons embouteillé, il a fait une allusion sur le côté bon marché…

SP : Et vous avez tout simplement versé le vin dans les bouteilles ?

FdT : On l'a fait à Klein Zegen, grâce… Plusieurs types disposent aujourd'hui d'une unité mobile d'embouteillage. Ils viennent au domaine et embouteillent sur place. Richter connaissait un type, un gars qui avait autrefois travaillé avec mon père. Richter l'a certainement bien payé, car il a amené l'unité mobile de nuit… Nos exportations de vin se font en vrac, de moins en moins en bouteilles, les fabricants de bouteilles sont donc sous pression, ils ont moins de travail. Ils ne posent pas de questions…

SP : Comment… Il devait travailler la main dans la main avec des gens en Chine, n'est-ce pas ? Pour livrer le vin là-bas, pour le vendre… ?

FdT : Sans aucun doute. Pas seulement pour la distribution et pour la vente, mais… L'argent, plusieurs fois il m'a dit qu'il attendait tout simplement l'argent. Je pense que quelqu'un a financé toute l'opération. Un énorme montant, pour que tout fonctionne correctement. L'argent que j'ai reçu, deux millions de rands, est arrivé par une banque chinoise.

SP : Les dix mille bouteilles, combien ça lui aurait rapporté ?

FdT : Je ne peux que le supposer. À l'époque, un Château Lafite se vendait entre cinq mille et huit mille rands la bouteille. Disons que son investisseur et lui ont dû toucher mille rands pièce. Cela fait un revenu de dix millions, et un gain de trois à quatre millions, sachant qu'il faut couvrir les frais des fabricants et les frais de transport. Je pense que Richter n'était qu'un intermédiaire, je ne crois pas qu'il était le big boss.

SP : Pourquoi ?

FdT : Quand il est parti avec son vin, j'ai été payé et je n'ai plus entendu parler de lui, pendant plus d'un an. Un dimanche, j'achète *Rapport*, et je vois sa photo en une. J'ai eu très peur. Mais je lis qu'il a monté un site pour dragueurs. Je me suis dit qu'on ne se lançait pas dans ce genre de business si l'on détenait dix ou vingt millions sur son compte. Je crois qu'il n'a peut-être pas touché beaucoup plus que moi, c'est ce qu'il pouvait espérer de mieux.

SP : Et alors ?

FdT : La vie a suivi son cours. Jusqu'au lundi 24 novembre. Il y a juste un mois. Ernst Richter débarque au domaine. Cette fois-ci dans une Audi TT, il a dû revendre la Corolla depuis longtemps. J'ai eu peur que San ne le reconnaisse, à cause du battage médiatique, je l'ai emmené dare-dare dans mon bureau pour lui demander ce qu'il faisait là.

Il m'explique qu'il cherche de l'argent. Il a besoin de cinq cent mille rands. Je lui dis que je n'ai pas cette somme sous la main. Il me balance que je ferais mieux de la réunir. Sinon, il racontera au monde entier ce que j'ai fait.

78

Dimanche 21 décembre. Quatre jours avant Noël.

Dimanche, jour de repos. Le jour du Seigneur, des visites familiales, des repas qui s'éternisent et des longues siestes profondes.

Mais pas pour le Groupe Criminalité violente de la Direction des Enquêtes prioritaires. Il s'agit d'un jour malaisé dans leurs enquêtes, car personne n'aime être dérangé, ni les témoins, ni les suspects, ni les informateurs, ni les policiers en congé.

Un jour de solitude, cela colle aussi au dimanche, comme l'a chanté Kris Kristofferson, on se sent le corps solitaire. On le ressent quand on s'appelle Bennie Griessel, on se lève seul, on mange ses céréales seul – car Alexa n'est pas là pour lui préparer une omelette. Elle ne sait pas cuisiner, ses omelettes sont trop baveuses ou trop cuites ou trop salées ou insipides, mais elle le fait avec tant de cœur que ce n'est pas important. On les avale malgré tout, et deux heures plus tard, au bureau, on a encore un goût bizarre au fond du palais, du coup, on pense à elle.

Mais pas un dimanche de solitude.

On traverse les rues silencieuses, on voit les titres de la presse affichés aux réverbères : Un paysan descendu par sa femme à cause d'Alibi ou bien Un maire nie s'être inscrit chez Alibi. Mais on ne rumine pas ces informations. On désire Alexa de toutes ses forces – sans mal à la tête, ce matin, mais la démarche gauche à cause des médicaments, du sevrage, de la crainte de l'envie d'alcool. Toutes ces choses qui irritent parfois terriblement n'ont aucune importance en ce dimanche matin. Comme la façon d'Alexa de le présenter comme « enquêteur en chef » auprès de ses collègues du monde musical. Ou ses crèmes, son mascara, ses rouges à lèvres, ses flacons mystérieux, ses tubes, ses crayons dispersés comme des amibes dans la salle de bains. Chaque jour ils prennent une place plus grande, il lui faut pousser ses quelques affaires de toilette dans un petit coin du placard sous le lavabo.

Ce matin, il y a plus de place que d'habitude pour les étaler, et il se dit : « Reviens, ça m'est égal. Il y a trop de place quand tu n'es pas là. »

* * *

C'est aussi un jour de solitude quand on s'appelle Vaughn Cupido. Il se pointe aux aurores au travail pour combattre ce sentiment. Pour se libérer l'esprit de la sculpturale Desiree Coetzee. Elle a peut-être un penchant pour les Blancos, peut-être pas. Comment faire, aujourd'hui, pour la voir, hier ce n'était pas possible. Un grand trou noir lui envahit le cœur, il ne comprend pas, car la dernière fois qu'il a ressenti ce genre de chose, c'était dans ce bahut merdique de Mitchells Plain, face à Elizabeth « Bekkie » November. Qu'est devenue cette fille ?

Il voit entrer dans son bureau le *major* Mbali Kaleni avec un joli cadeau de Noël : une raison d'appeler Desiree Coetzee.

— Capitaine, on nous donne l'ordre d'enquêter sur la personne qui a publié les données d'Alibi. C'est le prix qu'il faut payer pour atteindre les Chinois.

Un soupçon d'excuses dans la voix.

— C'est cool, major.

Un peu trop d'enthousiasme, coup d'œil bizarre de la supérieure hiérarchique, mais il ne s'en fait pas, parce qu'il ne se sent plus si seul. Le dimanche s'éclaircit.

Il appelle. Desiree répond, la voix endormie, rauque, sexy. Il s'excuse, se dit vraiment désolé, mais il faut se voir. À propos de l'affaire.

Elle lui répond de venir chez elle, elle a la garde de son enfant.

* * *

Dans une enquête normale, les premières soixante-douze heures fonctionnent à l'adrénaline : tension, action, rapidité, concentration. Un chaos organisé, une équipe d'enquêteurs motivés qui foncent comme la tempête pour sortir le bateau de la justice des eaux troubles.

Mais si l'enquête n'avance pas, si les vents tombent au bout de trois jours, arrive, hélas, le pot-au-noir tant redouté. Le calme plat. Le navire dérive ; commencent alors les corvées, les déplacements à pied, les séries d'appels, le boulot administratif. S'estompe l'espoir d'un résultat, d'une solution, d'une arrestation.

C'est une situation que détestent tous les enquêteurs du monde. Passer son temps à écrire des rapports, remplir des formulaires, constituer des dossiers, rassembler des documents.

Griessel et Liebenberg doivent rédiger un texte qui sera expédié à Durban, à Bloemfontein et à Johannesburg. Ce document servira de fil conducteur aux enquêteurs de ces trois villes en cas d'interrogatoire. Car un adjudant de l'IMC (le capitaine Philip Van Wyk est en famille le dimanche) vient d'expliquer à Bennie et à Mooiwillem qu'Ernst Richter a passé dix-sept appels depuis son portable « secret ».

L'un d'eux était destiné au directeur régional de la Premier Bank.

L'IMC a comparé les seize autres appels avec les coordonnées des clients d'Alibi. Quinze ont livré des résultats positifs.

Le seizième n'était pas un client d'Alibi. C'était l'avant-dernier numéro composé par Richter sur ce portable « secret ». L'appel n'a duré que quatre-vingt-quatorze secondes, nettement plus bref que tous les autres. Le propriétaire de ce numéro est un certain Peter McLean, de Kuilsrivier. Il n'a pas d'antécédent judiciaire.

D'ailleurs, aucune des seize personnes contactées par Richter n'a de casier.

Cinq appels sont localisés au Cap, neuf dans le Gauteng, un à Bloemfontein et un à Durban.

C'est ainsi que commence la corvée, car il faut rédiger un document sur la nature de l'interrogatoire. Il leur faut ensuite appeler les antennes de la DPCI dans les trois villes pour entrer en contact avec leurs collègues, et cela le jour le plus difficile de la semaine. Pour demander ensuite un coup de main qu'aucun Hawk, juste avant Noël, n'a envie de donner, car chacun se dépêche de boucler ses dossiers en aspirant aux vacances. Ensuite, Griessel et Liebenberg doivent expliquer par téléphone ce dont ils ont exactement besoin, puis envoyer le texte.

Seul un Hawk de Durban au KwaZulu-Natal se montre enthousiaste.

— Shane Pillay ? Je connais ce type. Très riche. Possède quatre concessions de voitures. Un vrai trou du cul. Ainsi, il trompait sa bourgeoise ? Bien sûr que je vais lui parler.

Juste avant l'heure du déjeuner, Bennie et Willem commencent à composer les cinq numéros du Cap.

* * *

En route vers Stellenbosch, Cupido appelle Zézaie Davids.

— *Cappie,* le dimanche, c'est sacré.

— Pas de repos pour les mauvaises graines. Dis-moi, petit génie, tu peux retrouver les types qui ont fait fuiter la liste des clients d'Alibi ?

— Les retrouver et les identifier ?

– Suivre les empreintes numériques, j'ai entendu dire que les technos comme toi pouvaient le faire.

– *Cappie*, je ne suis pas trop nul, mais ça, c'est le niveau au-dessus, ça relève d'un spécialiste des réseaux et d'Internet. Je bidouille pas mal dans ce genre de trucs. Je peux toujours essayer, mais il va me falloir en gros un mois.

– On n'a pas tout ce temps.

– Alors, je ne suis pas l'homme de la situation, et ça me fait plaisir.

– Bon dimanche, Zézaie.

* * *

Desiree Coetzee habite à Welgevonden Estate, au nord de Stellenbosch, sur la route R44 qui mène à Paarl. Parmi les Blancs.

Cupido s'arrête devant cet ensemble de maisons mitoyennes. Il s'agit d'un lotissement récent, très compact, doté de minuscules jardins. Au moins, dans sa petite maison de Bellville-Sud à lui, il y a un espace où le gamin pourrait jouer.

C'est justement le gamin qui ouvre. Long, maigre, grosses rotules. Des yeux bleus pleins de curiosité, peau café au lait, les cheveux sombres de sa mère.

– Je m'appelle Vaughn Cupido.

Il tend la main.

– Le policier !

L'enfant le toise tandis qu'ils se serrent la main.

– On doit dire son prénom, Donovan.

La voix de Desiree précède son pas pressé.

– Je m'appelle Donovan.

– Enchanté.

Cupido répond en regardant Desiree, ses cheveux encore humides, le rouge à lèvres qui vient juste d'être appliqué.

Elle a fait un effort, songe-t-il, malgré le peu de temps. Chemisier blanc, jean, pieds nus. À couper le souffle.

Ils se saluent. Il renouvelle ses excuses.

— C'est bon, dit-elle, ce dimanche est lent à démarrer.

— Vous le méritez bien, votre semaine a été rude, estime-t-il.

Donovan le fixe bouche bée.

— Tu as un pistolet, *oom* ?

Cupido a envie de répondre oui, je vais te le montrer, car il aimerait lui faire ce plaisir. Mais les filles sont bizarres, et peut-être que Desiree n'appréciera pas l'idée qu'on exhibe une arme devant le garçon. Il répond simplement :

— J'en ai un.

— Est-ce que tu me le montreras, *oom* ?

— Donovan, as-tu fait ton lit ?

— Non, maman.

— Fais-le. *Oom* Vaughn n'est pas venu ici pour rigoler, il est en service.

Donovan s'éloigne lentement. Il jette un coup d'œil de biais dans l'espoir d'apercevoir un bout du pistolet. Il monte l'escalier.

— Tu as une jolie maison.

— Merci. C'est une location, mais on l'adore. Si je pouvais retrouver du travail dans les environs... Donovan est dans une bonne école. Du café ? Je n'ai que du soluble, désolée.

— C'est sympa, merci.

Elle remplit la bouilloire.

— Vous avez trouvé quelque chose ?

— Peut-être. Richter...

Il change de vitesse, accorde sa voix, car si à ses yeux la victime est désormais un escroc, pour elle il demeure son employeur assassiné.

— Il nous semble qu'il a fait venir de grosses sommes de Chine...

— De Chine ?

Elle fronce les sourcils, étonnée, de telle sorte que l'eau déborde du bec de la bouilloire.

– Il n'en a jamais parlé ? De ses voyages ?

– Il a beaucoup parlé de ses voyages. De sa fascination pour l'Orient. Des gens si bien organisés. Mais pas un mot d'argent.

Elle ferme le robinet.

– En tout cas, ce n'est pas pour ça que je suis ici. C'est au sujet de Rick Grobler.

À nouveau, elle s'arrête et le regarde.

– Tu plaisantes.

– Non, il n'est plus le suspect numéro un. Sa voiture et son téléphone ont été analysés par le menu. C'est à propos de la base de données. Sais-tu s'il a avancé ? Dans sa recherche pour retrouver l'auteur de la fuite ?

– Pourquoi ?

La question fuse, sévère.

– Parce que maintenant cette question est liée à l'affaire.

– Liée comment à l'affaire ?

– C'est compliqué…

– Pourquoi ne vas-tu pas lui demander directement ?

– Après ce qui s'est passé jeudi… Il ne va pas me tomber dans les bras, si tu vois ce que je veux dire.

– Jeudi, vous ressembliez à la Gestapo. Cet enquêteur blanc qui vient me dire que je ne suis pas assez émue par la mort d'Ernst…

– Il a eu une mauvaise semaine…

– C'est ce que tu n'arrêtes pas de répéter.

– Peux-tu me filer un coup de main ? Pour Grobler ?

Il aimerait dire « vous avez une sorte de complicité », mais elle se douterait qu'il y met un zeste de jalousie, et elle découvrirait le pot aux roses.

Elle est en train de doser le café avec une cuiller dans les deux mugs.

– Il va falloir que tu en rabattes un peu. Et tu ne me sembles pas un gars doué pour ce genre d'exercice.

79

FdT : Je lui ai dit que je ne pouvais rien y faire. Je n'avais plus cet argent. Je l'avais investi dans le restaurant de San, dans le domaine et dans les vendanges suivantes. Il me serait possible de l'aider dans les années à venir, avec l'amélioration de mon cash-flow, aux alentours de cent mille rands. Il me répond qu'il a besoin de fonds immédiatement. Que je n'ai qu'à emprunter. Il perd à moitié son calme, je vois que ce type est aux abois. Je lui demande où est passé tout son frix. Il répond que son entreprise ne marche pas aussi bien que prévu et qu'il faut que je l'aide.

J'ai rétorqué que je n'allais pas emprunter de l'argent pour le lui prêter ensuite. S'il ne peut plus attendre, eh bien qu'il raconte l'histoire à la terre entière. Mais dans ce cas, tout le monde sera au courant de ses combines.

J'espérais qu'il ne me verrait pas trembler en mon for intérieur. Car si toute l'affaire était révélée... Je venais de faire connaître mon premier vin dans le courant de l'année, je rentrais de New York et de Londres, j'attendais encore de savoir s'il y aurait une offre d'achat, on avait beaucoup travaillé… Si l'affaire devait éclater maintenant… Je ne m'en remettrais jamais…

SP : Et alors ?

FdT : Alors, il m'insulte, me crie que je vais le regretter. Il s'en va. Et voilà que j'apprends dans les journaux que le type a disparu. J'ai pensé qu'il s'était enfui, vous savez, loin de ses créanciers. Je me suis dit que c'était une porte de sortie, et je me suis senti un peu mal de n'avoir pas pu l'aider. La semaine dernière, on a retrouvé son corps, et puis cette énorme affaire, les noms de ses clients publiés sur Internet, et maintenant le monde entier veut savoir qui l'a assassiné…

SP : Monsieur Du Toit, vous ne l'avez plus revu depuis qu'il a quitté votre domaine, vivant ? Le… le lundi 24 novembre, c'est bien cela ?

FdT : C'est exact.

SP : C'est… Quand a-t-il disparu ?

FdT : La nouvelle est tombée le jeudi, mais il avait disparu le mercredi.

SP : Et vous n'avez pas eu le moindre contact avec lui ?

FdT : C'est exact.

SP : Alors pourquoi êtes-vous ici ?

FdT : Ma mère… le jour où il s'est pointé chez moi pour exiger de l'argent. Je crois que ma mère a tout entendu.

80

Griessel compose le premier numéro de sa liste, celui qui n'était pas client d'Alibi.

Un homme décroche sans tarder.

– Est-ce que je parle à monsieur Peter McLean ?

– Oui. Qui est à l'appareil ?

Un accent marqué des Cape Flats.

– Je m'appelle Bennie Griessel. J'appelle de la Direction des Enquêtes prioritaires de la police...

– C'est au sujet de Sammy ? Je vous l'ai dit la fois dernière, Sammy ne travaille plus chez moi. Gardez-le, je ne viendrai pas le chercher.

– Non, monsieur, nous sommes en train d'enquêter sur le meurtre d'Ernst Richter...

– Qui ça ?

– Ernst Richter. Sur un de nos listings, il apparaît qu'il vous a appelé le vendredi 23 mai.

– Le 23 mai ?

– Oui, sur ce numéro...

– Le 23 mai de cette année ?

Il semble à moitié en colère.

– C'est exact, nous...

– Vous pensez que je vais me souvenir de qui m'a appelé... il y a six, sept mois ?

– Nous aimerions savoir si vous ne voudriez pas venir

nous parler de cet appel, s'il vous plaît. Nos bureaux se trouvent à Bellville...

— Vernon, c'est toi ? Merde, Vernon, tu m'as presque piégé. Le 23 mai, en plus...

— Monsieur, mon nom est Bennie Griessel, je travaille avec les Hawks. Si vous voulez bien me rappeler...

— Les Hawks ? Maintenant, tu fais partie des Hawks ?

— Oui, monsieur, la DPCI, surnommée les Hawks...

— Vernon, ce n'est pas toi... ?

— Monsieur McLean, rappelez-moi. Voici mon numéro.

Il l'épelle lentement, avec insistance.

Un silence.

— J'aurais juré que c'était Vernon qui essayait de me piéger. Écoute, mon pote, c'est dimanche, ma belle-mère est arrivée pour le gigot d'agneau, il faut que j'aille le découper. Je ne connais pas ce Griessel, jamais entendu parler de lui.

— Mon nom est Bennie Griessel. La victime se nomme Ernst Richter, l'homme qui dirigeait Alibi point co point za. On a parlé de son décès aux infos ces jours derniers.

— L'histoire de cette fermière qui a descendu son mari, le truc dont parlait *Rapport* ?

Son étonnement est perceptible.

Liebenberg a raconté à Griessel que, la veille, la femme d'un éleveur à Bela-Bela avait tiré sur son mari après que son nom était apparu sur la liste des clients d'Alibi. L'homme est dans un état critique, sa femme en prison.

— C'est exact. Ernst Richter. Il vous a appelé le 23 mai, selon son relevé téléphonique.

— Pourquoi ?

— Que voulez-vous dire ?

— Pourquoi m'aurait-il appelé ? Je ne connais pas cet homme.

— Vous ne vous souvenez pas d'un tel appel ?

— Mon pote, est-ce que tu sais combien de gens m'appellent tous les jours ? Je suis le seul manager en poste à la VBC, on m'appelle tout le temps...

— Vous ne connaissez pas du tout Ernst Richter ?

— Je le connais depuis un instant, depuis que tu viens de me dire que c'est le gars de *Rapport* qui s'est fait descendre par sa femme.

— Non, non, ce n'est pas… Merci, merci beaucoup, monsieur. Profitez de votre déjeuner.

* * *

Cupido écoute Desiree Coetzee parler à Tricky Ricky Grobler. C'est une dure à cuire, il le sait, mais quand elle s'adresse à Grobler, elle met un peu de douceur, de patience. Elle serait même enjouée, croit-il entendre, avec une pincée de flirt. Il se demande à nouveau si Tricky est le Blanco de sa vie, l'actuel ou le futur.

Il l'entend dire : « L'enquêteur voudrait te parler », puis plusieurs fois « oui », « je ne sais pas » et puis : « Je comprends, Rick, je le comprends fort bien… »

Elle regarde Cupido en secouant légèrement la tête, pour lui indiquer que la conversation ne se passe pas bien.

— Et si je suis là ? Viendrais-tu lui parler si j'étais là ?

Et finalement :

— Oui, je te le promets. Merci, Rick.

Elle raccroche, regarde l'appareil l'air soucieux.

— Il n'est pas chaud pour venir, c'est certain.

— Mais il vient ?

— Oui, il dit qu'il va se laver d'abord.

Elle pose son portable sur un coin du plan de travail, pousse les deux mugs de café au milieu, puis le sucrier. Elle sort un carton de lait du réfrigérateur.

— Assieds-toi.

Il s'installe au comptoir.

Elle prend place sur une chaise haute en face de lui, désigne le sucre et le lait.

— Sers-toi.

Elle aime le café noir et amer, semble-t-il, car elle se saisit de son mug et souffle dessus.

– Deux mots sur Ricardo Grobler. Quand je suis arrivée chez Alibi… C'était une boîte pour programmateurs, c'est le cœur des activités, le reste du personnel vient en soutien, vraiment. Les programmateurs, c'est une corporation. Très fermée, très masculine, si tu ne sais pas ce qu'est MySQL, ni PostSQL, ni DDL, ni DML, tu fais figure de l'idiot du village, ils ne te respectent pas. Et voilà que je débarque, une métisse, une femme de surcroît. Master ou pas, j'entre dans toutes les mauvaises cases, ils ne me montrent par conséquent aucun respect. J'ai donc organisé une réunion, je voulais fixer les règles, mais les choses n'ont pas avancé. C'est alors que Ricardo Grobler s'est levé. Il faut comprendre, c'est un programmateur chevronné, à cause de son travail free-lance, c'est un peu une légende de la programmation, il a du poids. Ricardo a pris la parole pour demander que cesse ce petit jeu. Ayant travaillé dans pas mal de boîtes, il a souligné qu'aucune entreprise ne traitait ses employés mieux que la nôtre. On y est bien payé, et pour cela Desiree doit avoir les coudées franches dans sa gestion, elle a toutes les compétences pour ça, laissez-lui sa chance. Marquez-lui un peu de respect. Afin qu'on continue à recevoir nos salaires.

Elle goûte prudemment le café.

– Ce topo, c'est Ernst qui aurait dû le faire, mais c'est un homme qui voulait plaire à tout le monde, il avait trop peur d'énerver les programmateurs. Déjà, ils le méprisaient à cause de ses T-shirts et de son attitude copain-copain. C'est Ricardo Grobler qui a assumé ses responsabilités.

Encore une gorgée de café.

– Il est bizarre, je le reconnais. Tristement bizarre. Il a un problème en groupe, une intelligence sociale proche de zéro. Souvent en réunion, il reste morose dans son coin, mais si quelque chose l'intéresse, cela fuse et on n'arrive plus à l'arrêter. Je pense que c'est parce qu'il est resté trop d'années tout seul devant son ordi. Il voit un psy une fois par semaine, il essaie de se bouger…

– Et son coup de foudre de gamin…

– Oui. Les isolés sociaux comme Ricardo, si on leur montre un peu d'empathie, ils prennent cela pour le grand amour. Ça peut devenir compliqué, faut le gérer en douceur. Je crois que je l'ai toujours fait ainsi.

Du miel aux oreilles de Cupido.

– Comment dois-je m'y prendre pour l'amadouer ?

Elle hausse les épaules.

– Il a salement perdu la face. Tous les gens d'Alibi savent que c'est lui que le *Cape Times* visait. Ce sont ses pairs, et vous l'avez humilié…

– C'est pas vrai. On ne l'a pas menotté et on l'a exfiltré par-derrière…

– Va donc le lui expliquer.

Elle avale une longue gorgée de café.

* * *

Lors d'une enquête, le jour du Seigneur ne présente qu'un seul avantage.

Quand on appelle les clients d'Alibi – des hommes, sans exception – et qu'on leur propose de venir s'expliquer à la DPCI, ils saisissent l'occasion. Ils viennent sans leur conseil juridique, car c'est dimanche, les avocats sont plus chers ce jour-là ou bien ils ne sont pas disponibles.

Après la conversation surréaliste avec Peter McLean, il reste à Griessel quatre personnes à interroger.

Tous quatre sont bien établis – un roi de la restauration rapide avec sept concessions Kentucky Fried Chicken, un actuaire auprès d'une grande compagnie d'assurances à Pinelands, le propriétaire de quatre grands chantiers de récupération de Strikland et un agent immobilier de Somerset-West.

Trois d'entre eux reconnaissent qu'ils ont reçu un appel inconnu le jour indiqué. Une personne a essayé de les faire chanter. Trois d'entre eux ont refusé de payer, pour la même raison : si on cède, il y a de fortes chances que les exigences perdurent. Si bien qu'on prend le risque. Comme le résume l'homme des KFC : « J'ai refusé son coup de bluff. Il a passé la main. »

Le quatrième, c'est le ferrailleur. Ce n'est pas un homme sophistiqué. Il est en surpoids, avec des petits yeux porcins et des mains comme des battoirs. Il a les ongles sales.

— Oui, j'ai payé ce salopard. Cinquante mille rands. En cash. Que pouvais-je faire ? Ma Vera m'aurait tiré dessus, comme cet éleveur de Bela-Bela hier, c'est une putain de femme jalouse. Si j'avais fait un virement bancaire, Vera l'aurait vu, c'est elle qui tient la comptabilité... Mais j'ai glissé une lettre dans l'enveloppe à ce salaud. Je lui ai écrit que s'il recommençait à me menacer, j'allais le tabasser à mort avec ma clé à mollette.

— Comment lui avez-vous remis l'argent ?

— Je l'ai envoyé au bureau de PostNet à Stellenbosch. À l'attention de Martinus Grundlingh. Par la suite j'ai cherché Martinus Grundlingh dans l'annuaire et sur Google, mais je n'ai rien trouvé.

— Vous saviez que c'était Ernst Richter ?

— Comment aurais-je pu le savoir ? Il m'a dit qu'il s'appelait Grundlingh.

— Il aurait préféré un virement bancaire.

— Ben, oui, je ne me souviens pas des détails, je crois que je lui ai lancé « je t'envoie du cash, un point c'est tout ».

— Vous n'avez plus jamais entendu parler de lui ?

— Non. Il a dû avoir peur de ma clé à mollette.

— Où étiez-vous le soir du mercredi 26 novembre ?

— J'étais chez moi. Avec ma Vera. Mais si vous allez vérifier ça avec elle, ce serait mieux de raconter un mensonge. Je ne tiens pas à ce qu'elle me tire dessus.

* * *

Cupido se convainc que Tricky Ricky Grobler n'est pas le Blanc dans la vie de Desiree en découvrant que le petit Donovan ne le connaît pas.

Grobler arrive dans une vieille City Golf.

Desiree s'enquiert.

— D'où vient cette voiture ?

— C'est celle de mon voisin. Ils ont gardé la mienne.

Il pointe un index accusateur vers Cupido.

— On va aller la chercher ensemble, Rick.

Cupido a pris un ton conciliant.

— Et voilà ! Maintenant que vous avez besoin de moi, je redeviens Rick. Mais jeudi dernier, vous m'appeliez Tricky.

— C'est notre façon de bosser. Je ne vais pas m'excuser. Avec ce courriel furibard, tu faisais un suspect tout trouvé. Je n'en suis pas responsable.

Cupido capte le regard de Desiree, elle essaie de lui indiquer que ce n'est pas la bonne approche. C'est la vérité, pourtant, songe Cupido, pourquoi faudrait-il que je me mette à mentir ?

Rick Grobler s'entête.

— Vous allez me présenter des excuses. Vous allez vous excuser devant tout le personnel d'Alibi. Si du moins vous voulez savoir qui a fait fuiter la base de données.

81

Transcription d'entretien :
Maître Susan Peires avec M. François Du Toit
Mercredi 24 décembre, Huguenot Chambers 1604
40 Queen Victoria Street, Le Cap

FdT : À la ferme, mon bureau, c'est l'ancien petit chai. Papa
en avait fait trois pièces : un bureau, une salle de bains et un
débarras dans lequel nous stockons plein de choses destinées
aux ouvriers – du sucre, de la farine, des boîtes de conserve,
ce genre de trucs. Maman s'est installée chez nous, car mon
fils Guillaume est né il y a six semaines. Elle donne un coup
de main à San. Maman était venue chercher quelque chose
dans le débarras, car je l'ai aperçue qui s'en allait...

J'ai raccompagné Richter à sa voiture et je suis rentré au
bureau pour essayer de retrouver mon calme. Je regardais
par la fenêtre, l'affaire m'avait tout retourné. La fenêtre était
entrouverte, à quarante-cinq degrés à peu près, je pouvais
voir en reflet toute personne sortant du débarras. Et voilà ma
mère qui en sort, quelques objets à la main. Mais avant de
s'éloigner, elle a jeté un coup d'œil vers le bureau. Je ne sais
pas... Comme si elle craignait que je l'aperçoive...

SP : Elle aurait pu surprendre votre conversation ?

FdT : C'est ce que je me suis demandé. J'ai allumé la
radio et j'ai mis le son comme pour une discussion, et je suis

entré dans le débarras afin d'écouter. C'était possible. C'était certainement possible. Je... Je ne savais plus si on avait parlé fort. J'étais bouleversé, je pense que j'ai dû hausser le ton.

SP : Monsieur Du Toit, vous êtes en train de me dire que vous soupçonnez que votre mère a quelque chose à voir avec le meurtre d'Ernst Richter.

FdT : Je sais, je sais... Écoutez... la police m'attend à la maison. J'ai commis un délit, j'ai participé à une fraude internationale. L'affaire va éclater. J'ai besoin d'un défenseur. Mais s'ils... Si ma mère avait fait quelque chose...

SP : Comment la police a-t-elle établi le rapport entre vous et Richter ?

FdT : Je n'en ai pas la moindre idée. Ce matin je suis passé par Agrimark. C'est en arrivant là-bas que San m'a appelé : « Un bataillon de policiers vient de débarquer à la maison, ils te cherchent. Ce sont des Hawks, lui a précisé un des types, c'est lié à l'affaire Richter. »

SP : Comment peuvent-ils faire le lien entre vous et lui ?

FdT : Je ne sais pas... Il y avait d'autres personnes impliquées dans le trafic du vin, mais je n'en connaissais aucune... Je ne vois que ça.

SP : Votre mère n'est tout de même pas capable de... vous le pensez vraiment... ?

FdT : Ma mère... Rappelez-vous l'histoire de mon grand-père Pierre et du système de paiement en nature. Rappelez-vous sa façon de gérer le côté psychopathe de Paul. Ma mère vit dans l'action, ma mère est... On ne finasse pas avec ma mère. Qui peut la blâmer, alors que la vie l'a tant maltraitée, elle et sa famille ? Quand elle affirme : On va jusque-là, mais pas un pas plus loin ? On ne va pas envoyer mon autre fils en prison, on ne va pas foutre en l'air la vie de mon petit-fils... C'est pourquoi je vous ai raconté toute l'histoire de la famille, depuis le grand-père Jean, pour que vous compreniez le contexte. Pour que vous... Je ne sais pas, je cherche des circonstances atténuantes pour moi-même et pour ma mère...

SP : Comment aurait-elle pu connaître l'histoire de la contrefaçon de vin français ?

FdT : Je ne sais pas. Elle a certainement dû se demander comment j'étais retombé sur mes pieds. Une ou deux fois, elle a fait une allusion, elle aurait aimé savoir, mais j'ai dit simplement qu'il s'agissait de la bonne vendange de 2012... Il m'a semblé qu'elle me croyait.

82

Ce dimanche ne se termine pas du tout en beauté pour Cupido.

Il a perdu la face devant Desiree Coetzee, il a dû ravaler son orgueil – non sans mal, visiblement – et promettre à Tricky Ricky Grobler qu'il lui présenterait ses excuses devant toute l'équipe d'Alibi. Grobler a précisé :

– Faites-le d'abord, on en parle ensuite.

Cupido est parti.

Cependant le petit garçon l'a suivi jusqu'à sa voiture.

– Tu reviendras, *oom* ?

– Peut-être...

En route pour Bellville, Cupido songe qu'il aurait dû se rendre directement chez Grobler. Il aurait dû frapper à sa porte, il ne fallait pas faire intervenir Desiree. Il s'est fourré dans le pétrin. Quel crétin, il n'a pas su attendre pour revoir la fille. Faut réfléchir, Vaughn, faut réfléchir. Mais non, raide amoureux, on pense comme un idiot.

Il a dit qu'il s'excuserait parce qu'il veut que Desiree le prenne pour un homme moderne, lui, il n'est pas macho.

Et voilà qu'il va falloir se présenter devant tous ces gens et manger son chapeau. D'autant plus qu'il sait du fond de l'âme qu'il n'a aucune raison de s'excuser.

* * *

Au bureau, il retrouve Griessel. Benny fait du travail administratif, il rédige ses rapports sur les interrogatoires de la journée. Benny ressemble à ce que Cupido ressent intérieurement. Abattu et lessivé. Il comprend que ça va mal.

Il s'assied en face de son collègue.

– Donne-moi les mauvaises nouvelles.

Griessel s'exécute.

– Rien n'aboutit, Benny. Mon premier commandement opérationnel foire complètement.

– Ce numéro de McLean, celui qui n'était pas client d'Alibi. Il dit qu'il ne connaissait pas Richter… J'ai encore un doute sur ce bonhomme.

– Tu le crois ?

– Je ne sais pas… Le problème c'est que l'appel a duré quatre-vingt-quatorze secondes. Une minute et demie. Cela ne semble pas long, mais je voudrais vérifier sur ma montre…

Griessel prend son portable.

– Je vais t'appeler, on va voir combien de temps ça prend. Tu es Vaughn Cupido, mais tu ne sais pas qui appelle, tu ne reconnais pas ma voix. Parle comme si tu te trouvais dans ce genre de situation…

– OK.

Griessel compose le numéro. Le portable de son collègue sonne. Quand Cupido répond « Allô, ici Vaughn », Griessel note la position de sa trotteuse avant de parler.

– Allô, puis-je parler à Pietie ?

– Pietie ? Quel Pietie ?

– Pietie Pieterse.

– Mon pote, je pense que tu as fait un mauvais numéro.

– Ce n'est pas le numéro de Pietie Pieterse ?

– Non, ici tu es chez les Hawks.

– Ah ! Bon. OK. Désolé. Salut.

Il regarde sa trotteuse.

– Vingt-six secondes.

– Le mec était peut-être occupé sur une autre ligne,

c'est pourquoi il a fait attendre celui qui l'appelait sur le mauvais numéro.

– Que fais-tu si tu tombes sur un mauvais numéro ? Que fais-tu ensuite ?

– J'appelle le bon numéro.

– Exactement. Mais le numéro suivant, composé par Richter sur son portable secret, date de deux heures plus tard. Un numéro totalement différent.

– Curieux. Que t'a dit précisément ce M. McLean ?

Griessel raconte tout ce dont il se souvient.

– Et ça sonnait juste ? Il ne jouait pas la comédie ?

– S'il jouait, il mériterait un Oscar.

– Et tu ne penses pas à Oscar Pistorius.

Griessel sourit pour la première fois depuis des jours.

– Non, je ne pensais pas à cet Oscar-là.

– Peut-être s'agissait-il du numéro d'un autre. D'un client qui a fourni un mauvais numéro dans la base de données. Peut-être Richter a-t-il oublié qu'il téléphonait sur son portable secret, il voulait simplement commander du matériel de jardin chez ABC...

– VBC.

– Qu'importe. Les merdes, ça arrive. Avançons.

– Peut-être trouverons-nous quelque chose chez le personnel du poste de Stellenbosch. Vusi a transmis tous les numéros de portable à l'IMC. Ils disent qu'ils nous donneront le résultat après-demain, ça représente beaucoup de boulot. Mais ils savent bien que les chances sont ténues. Nombreux sont les chefs de bandes ou de cartels qui utilisent des portables non enregistrés ou inconnus.

Tous deux ne sont pas pressés de rentrer chez eux, dans la solitude dominicale. Ils mettent le dossier à jour et bavardent au-delà de 16 heures.

* * *

Griessel appelle Doc en chemin.

— Tu es encore au régime sec ?

— Oui, Doc.

— Je vais téléphoner à Alexa. Mais sois patient avec elle. Les dégâts sont importants.

— Très bien, Doc.

Il retourne en ville. Il y a une réunion des Alcooliques anonymes à 17 heures le dimanche soir, à l'église Union Congregational, à l'angle de Kloofnek et d'Eaton, à quelques pâtés de maisons de chez lui. Alexa et lui s'y sont déjà rendus. Peut-être viendra-t-elle.

Mais elle ne s'y trouve pas.

Il se lève le premier et fait un pas en avant.

— Je m'appelle Bennie Griessel et je suis alcoolique.

— Bonsoir Bennie, répondent-ils en chœur.

— Je sais que je suis incapable de résister à l'alcool. Je sais que ma vie est devenue incontrôlable. Cela fait un jour que je n'ai pas touché à l'alcool.

* * *

Sur la table de la cuisine, un plat à emporter de chez Woolies. Truite fumée en croûte. Avec une note de la main d'Alexa indiquant le mode de cuisson.

Et trois bisous.

Comment savait-elle qu'il ne se trouvait pas à la maison ? Comment savait-elle à quel moment passer ?

Trois bisous. C'est mieux qu'hier. Il reprend espoir.

Il sort sa guitare basse. Il glisse *Fresh Cream* du groupe Cream dans la chaîne hi-fi d'Alexa, afin de jouer en même temps que l'incomparable Jack Bruce.

83

L'immeuble Huguenot Chambers projette son ombre sur les jardins de la Compagnie des Indes orientales tandis que l'avocate Susan Peires va se poster à la fenêtre. Elle a demandé à François Du Toit de la laisser réfléchir.

Il reste sagement assis, contemplant ses mains posées sur la table.

Il y a longtemps qu'elle n'avait pas été prise complètement au dépourvu. Ses soupçons étaient passés du père au frère, puis à François lui-même. Elle n'avait pas vu venir la mère. Elle aurait dû s'en douter lorsqu'il avait évoqué la résistance d'Helena face au paiement en nature. Il ne l'avait pas mentionnée pour rien.

Pourquoi n'est-elle pas convaincue ?

Elle se retourne vers lui.

– Je vous le redemande : Me dites-vous la vérité ?

À sa façon de demeurer très silencieux, les yeux baissés – il hoche un peu la tête –, elle décide de le croire pour de bon.

Elle revient s'asseoir.

– Vous avez un gros problème. Car si la police détient suffisamment de preuves, l'affaire à première vue démarre mal pour vous. Vous êtes impliqué dans une escroquerie. Richter est venu vous faire chanter juste avant sa mort. Vous avez un motif sérieux, car vous aviez beaucoup à perdre en cas de révélation. Le seul autre suspect auquel vous pensez, c'est votre mère. Or vous ne voulez pas parler d'elle.

— Non.

— Nous ignorons ce que sait la police. La seule façon de l'apprendre, c'est de retourner chez vous. Je me propose de vous accompagner. Mais il faut d'abord se mettre d'accord sur plusieurs points. Vous avez le droit de vous taire, et vous devez l'utiliser. C'est une mauvaise nouvelle de savoir qu'autant de Hawks se trouvent à votre domicile. Ils ne déboulent en grand nombre que s'ils sont sur le point d'arrêter quelqu'un. Mais si arrestation il y a, nous aurons l'opportunité de découvrir les charges qui pèsent contre vous. Si vous voulez mon avis, laissez-moi piloter tous les entretiens...

— Je suis coupable d'une fraude sur le vin...

— Vous êtes innocent jusqu'à ce que le contraire soit prouvé au tribunal. Ne l'oubliez pas. Le trafic sur le vin, si jamais il était rendu public, serait une affaire bien plus facile à gérer. Le cas est compliqué d'un point de vue juridique, l'organisateur est décédé. Selon mon expérience, aucune industrie n'aime reconnaître que dix mille exemplaires d'un produit cher, déjà écoulé, étaient des contrefaçons. Je serais très étonnée si on vous poursuivait pour cela.

84

Lundi 22 décembre. Trois jours avant Noël.

Encalminé.

Le capitaine Vaughn Cupido se lève, avec une mission en vue.

Encalminé, parce que l'enquête sur Richter est au point mort.

Mais ailleurs se lèvent des vents violents : une nouvelle affaire, quatre cadavres retrouvés dans une maison de Kraaifontein. La criminalité au cap de Bonne-Espérance n'a aucune considération pour la période de Noël, aucun rythme de flux et de reflux. Une nouvelle bougie sanglante qui attire les papillons habituels – la police locale, les médias, les Hawks, les experts forensiques, les ambulances, les badauds. Une énergie nouvelle, un nouveau scandale, de nouveaux grands titres qui repoussent provisoirement Ernst Richter et les clients d'Alibi dans les pages intérieures des journaux.

Une nouvelle équipe d'enquêteurs, Liebenberg, Fillander et Ndabeni, part en soutien auprès des collègues de Kraaifontein, déclenchant les soixante-douze premières heures d'adrénaline.

Car il est encalminé, le dossier Richter, dans les seules mains de Bennie Griessel qui est sous pression et de Vaughn Cupido qui a une mission.

Il s'est réveillé avec une sorte de révélation, un instant de lucidité. Il s'appelle Vaughn Cupido. Amoureux ou pas, il est ce qu'il est. Droit, honnête, pas conventionnel. Sans prétention.

Son plus grand problème dans les relations sentimentales, c'est cette période d'approche, où chacun se présente sous son meilleur profil, où chacun essaie de se montrer tel que l'autre voudrait qu'il soit.

Eh bien, ce n'est pas franc, c'est prétentieux, et il ne va pas tomber dans ce panneau.

C'est pourquoi il part en mission.

Encalminé ou pas, il fait son rapport, exhaustif et professionnel, lors de la réunion de service du matin. Il écoute le général Musad Manie et le *major* Mbali lui dire que tout est calme sur le front diplomatique chinois. Il demande à Bennie Griessel – dont les yeux sont plus clairs ce matin, le visage buriné moins rouge – de garder un œil sur l'IMC et sur les rapports attendus des Hawks du Gauteng, du Free State et du KwaZulu-Natal, puis il fonce vers Stellenbosch.

Il entre chez Alibi et monte quatre à quatre l'escalier qui mène au bureau de Desiree ; elle est assise à son bureau, les yeux rivés sur l'écran de son PC. Il toque vite à la vitre, ouvre la porte, la referme, et avant qu'elle ne le salue, lui lance :

– Tu me plais.

– Pardon ?

Il se rend compte qu'il se penche sur le bureau. Ce doit être une attitude bien agressive. Il s'assied.

– Tu me plais vraiment. Mais je me doute que tu t'en étais rendu compte.

Elle veut intervenir. Mais il ne tient pas à ce qu'elle parle à cet instant.

– Je ne souhaite pas que tu dises quoi que ce soit, je te demande simplement de m'écouter. Une enquête pour meurtre, c'est du brutal. C'est pas pour les faibles. Un homme doit faire son boulot d'homme. Et cet homme, la seule chose qu'il doit faire, c'est capturer l'assassin. Ça veut dire que si je dois être brutal avec un type, je serai brutal avec lui. Maintenant voilà, tu me plais vraiment beaucoup, et je commence à me poser des questions, je ne suis plus moi-même, tu comprends ?

Elle le fixe avec de grands yeux.

– Je tiens donc à rester ce que je suis. Je ne vais pas m'excuser auprès de Tricky Ricky Grobler, ni devant lui, ni devant toi, ni devant tout le personnel. Parce que si je m'excusais, ce serait simplement pour t'impressionner, pour m'attribuer un trait de caractère que je n'ai pas. De la prétention, ça s'appelle. Je n'ai aucune prétention. Je suis ce que tu vois. Et si tu veux mieux me connaître, tu verras que je ne suis pas un mauvais gars. Rugueux à l'extérieur, je viens de Mitchells Plain après tout, mais à l'intérieur, je fais partie des braves types.

À nouveau, elle veut parler, mais il lève la main pour l'arrêter.

– Quand cette affaire sera finie, je t'appellerai et je te demanderai un vrai rendez-vous. Un dîner aux chandelles, dans un restau abordable pour un policier. À ce moment-là, tu pourras décliner poliment, et je comprendrai le message. Ou bien tu accepteras avec grâce, et je te sortirai le grand numéro, romantique et réglo. Parce que tu me plais tellement, tu es belle, tu as de la classe, tu es soucieuse des autres et tu es suffisamment futée pour repérer un gars qui se la joue, ce que je ne ferai pas.

– Je vois, dit-elle d'un ton très neutre.

– Tu n'as encore rien vu, mais on va s'arrêter là. Je m'en vais parler à Tricky Grobler. Je serai Vaughn Cupido, capitaine chez les Hawks, en train d'enquêter sur un meurtre. Ni plus ni moins.

* * *

Bennie Griessel est sous pression. L'attente lui fait peur, le vide est l'oreiller du démon de l'alcool.

Il fait des allers-retours à l'IMC, il surveille ses courriels, guettant les rapports des autres provinces, il se rend quatre fois chez Mbali pour savoir si les Chinois ont réagi. Il songe aux deux mignonnettes de whisky qui sont au fond de son tiroir, le reliquat de son plan du vendredi précédent.

Il se souvient de la complexité d'une vie faite de mensonges, quand on boit en douce, quand il faut se cacher, masquer son haleine. Cela exige tellement de concentration et d'énergie qu'il se force à admettre qu'il est reconnaissant d'avoir quitté cette vie-là, de s'être remis à l'eau, cahin-caha.

Il pense aux deux mignonnettes de whisky. Comment va-t-il s'en débarrasser ?

Il se demande comment Alexa a su qu'il se trouvait au bar l'autre soir. Comment sait-elle quand il s'absente de la maison ?

Pourquoi Doc n'a-t-il pas donné de nouvelles d'Alexa ?

Faudra-t-il qu'il se cherche un autre logement ? Maintenant, en pleine période de Noël ?

Il retourne à l'IMC.

* * *

Dans l'intimité du bureau vide de Richter, Cupido interroge Rick Grobler.

— Tu as récupéré ta voiture, n'est-ce pas ?

— Oui.

— Cool. Pas de souci avec ta voiture ?

— Aucun.

— Cool. On a remis les compteurs à zéro, toi et moi.

Avec autant de tact qu'il le peut, Vaughn Cupido explique à Tricky Ricky qu'il ne s'excusera pas. Si Grobler n'avait pas écrit un courriel plein de menaces, les Hawks ne l'auraient pas traité comme un suspect. Il n'a eu que ce qu'il méritait. C'est la vie, tout bien pesé, en fin de compte. Voilà maintenant ce qui va se passer. Les gens qui ont publié la base de données sont coupables de vol. Un délit. La loi est claire : si un citoyen retient des informations concernant un délit, ce citoyen peut être poursuivi. Il ne s'agit pas d'une menace, mais d'énoncer un fait.

Mais voici la proposition : si Grobler parvient à identifier les coupables, Cupido veillera à ce que l'honneur retombe publiquement sur lui, dans les médias et dans le bureau des programmateurs d'Alibi.

– Voilà le deal, à prendre ou à laisser.

* * *

Les rapports des Hawks de Durban, Johannesburg et Bloemfontein tombent au compte-gouttes. Ils n'apportent ni espoir, ni suspects potentiels, ni excitation.

Le directeur général de la DPCI à Pretoria appelle le général Musad Manie pour savoir si on a progressé au sujet des criminels qui ont publié la liste des clients d'Alibi, provoquant de grands dommages au pays et à sa réputation.

Manie, de sa voix grave et patiente, explique que son équipe travaille autant qu'elle peut, mais sans résultats pour le moment. A-t-on des nouvelles des Chinois ?

Non, pas de nouvelles.

Encalminé.

L'IMC doit analyser les meurtres de Kraaifontein, l'affaire Richter est marginalisée. Griessel repart à la pêche dans le dossier. Il déniche un petit poisson : dans son entretien de la veille, le propriétaire de chantiers de démolition a indiqué qu'il avait expédié le paquet avec l'argent au bureau PostNet de Stellenbosch, à l'intention d'un certain Martinus Grundlingh.

Il cherche le numéro de PostNet. Oui, répond-on, il faut

présenter une carte d'identité quand on veut récupérer une enveloppe ou un colis. À moins qu'on ne dispose d'une boîte postale à PostNet. Mais non, il n'y a pas de Martinus Grundlingh détenteur d'une boîte postale.

Du coup, au retour de Cupido, il lui annonce qu'Ernst Richter avait très probablement une fausse carte d'identité au nom de Grundlingh.

— Qui sait, un autre portable secret ? Cela m'ennuie que le portable dont il s'est servi pour faire chanter des clients disparaisse soudain de la circulation. Je me doute qu'il s'inquiétait qu'on puisse le retrouver. Il s'est débarrassé de l'appareil et en a acheté un nouveau.

— C'est possible. Je vais demander à l'IMC de faire une enquête auprès de RICA.

— Ensuite nous rentrerons à la maison, car ce n'est pas aujourd'hui que nos collègues se mettront à chercher, ni demain.

* * *

Alors qu'il ouvre la porte d'entrée, Griessel entend la tonalité de son portable. Un SMS d'Alexa : *Suis à J'burg. Commande une pizza.*

— Merde !

Il sort sous la varangue, regarde les maisons, en haut et en bas de la rue. Est-ce qu'elle l'observe ? Comment sait-elle qu'il rentre précisément maintenant ?

Elle n'est pas du genre à mentir sur sa présence à Johannesburg, a-t-elle engagé quelqu'un pour le surveiller ?

Il descend dans la rue.

Ne voit rien.

Il retourne à la maison pour commander sa pizza et jouer sur sa guitare basse. Et songer aux deux mignonnettes de whisky dans le tiroir, sur son lieu de travail.

85

Deux jours avant Noël, le 23 décembre, Le Cap est une fourmilière. Arrivés par dizaines de milliers, les vacanciers nationaux et internationaux se bousculent.

Il leur faut acheter les derniers présents, les cartes et le papier cadeau. Et les dindes, les chapons, les jambons, les gigots pour la veillée ou pour le repas de Noël. Ils affluent aussi sur la plage, sur la montagne, au cap de Bonne-Espérance ou dans les domaines viticoles, pour profiter du soleil, pour se faire plaisir, pour prendre des selfies, car dans la Péninsule on ne sait pas quand le vent ou les nuages vont venir gâter la fête. Les quatre saisons en un seul jour, si le destin s'en mêle.

Griessel démarre tôt pour éviter tout ça. Il a mal dormi à cause de la solitude, du combat contre les démons et la bouteille, de son inquiétude à propos d'Alexa.

Il est obligé de faire lui-même les courses. La boîte de céréales est vide, il n'y a plus de lait, il reste un fond de café, toutes ces choses dont Alexa s'occupe. Il ne sait pas si elle va revenir. Il ne lui en veut pas, car une alcoolique qui vit avec un alcoolique, c'est comme franchir un ravin sur un câble.

Le docteur lui a dit que c'était mortel, à quarante-six ans, de se remettre à boire inconsidérément. La pression artérielle atteint des sommets, les diarrhées deviennent incontrôlables, on souffre de myopathie cardiaque, d'hépatite, d'inflammation du pancréas et on se bousille la paroi gastrique, l'intestin grêle et les reins.

Alexa est un peu plus âgée que lui, elle est au courant de tous ces risques. Sa tête n'est pas pleine de dépression altruiste ni de tout un tas de sentiments de culpabilité, elle ne tient pas à se détraquer.

Il ne lui en voudra pas si elle ne revient pas.

* * *

Cupido se lève, grincheux. Il a mal dormi. Furieux contre lui-même. Un éléphant dans un magasin de porcelaine : aller trouver Desiree dans son bureau et lui sortir le grand jeu. *Jirre,* Vaughn, contrôler ton impulsivité n'a jamais été ton fort.

Il est commandant opérationnel d'une affaire bloquée et sa journée se présente comme un grand vide.

Il se dit qu'il fallait s'y attendre. Dans les films, à la télé, la vie d'un flic n'est qu'action et satisfaction, mais dans la vie réelle, les choses sont bien différentes. Dix pour cent d'action, quatre-vingt-dix pour cent de corvées fastidieuses, de routine, de travail administratif.

Tu es en plein dans les quatre-vingt-dix pour cent, *pappie,* souffre en silence.

C'est ce qu'il fait.

Bennie Griessel et lui se plongent dans les corvées fastidieuses, la routine, le travail administratif. Ainsi que les achats de dernière minute pour Noël. Jusqu'à 16 h 56 le 23 décembre.

Surviennent alors les dix pour cent.

* * *

Ils sont assis dans le bureau de Vaughn. Un sachet d'œufs en chocolat sur la table, ils grignotent et discutent.

Cupido est sur le point de suggérer de partir, car il a du mal à contrôler son impulsion, il aimerait interroger Benny : Comment s'y prendre avec une fille qui ne joue pas dans votre division, mais dont on rêve jour et nuit ? Il crève d'envie d'en parler, de vider son cœur.

Ils entendent le *tsip-tsap* presque silencieux des chaussures de Mbali Kaleni dans le couloir. Ils se taisent et échangent un regard entendu. À l'entendre marcher si vite, Cupido se dit que ce sont soit d'excellentes, soit de très mauvaises nouvelles.

Elle entre, des papiers à la main. Elle avise les œufs en chocolat, Cupido jurerait qu'elle leur a jeté un coup d'œil plein d'envie pendant une seconde. Elle se redresse et lui tend un document.

— Direct de Chine.

— *Jissis,* lâche-t-il involontairement.

Il se lève.

— Désolé, major. Merci, major.

Il prend le document et l'étudie. Elle ignore le juron. Cela signifie une bonne nouvelle.

— Regardez la dernière page. Le compte appartenait à une firme appelée Qin Trading. Elle était inscrite comme société d'import-export à Guangdong, en Chine. La société comme le compte ont existé de décembre 2011 à mars 2013. Les autres pages concernent tout un tas de paiements.

Griessel se lève et jette un coup d'œil par-dessus l'épaule de Cupido. À la traînée noire sur le bord droit et aux caractères, il voit qu'il s'agit d'un fax. En haut, le nom de la banque et celui de la société. En dessous, des relevés avec des dates, des codes et des montants. Il n'y comprend pas grand-chose. Ici et là, certains montants ont été entourés à la main d'un cercle.

Cupido ne comprend visiblement pas mieux.

— Comment savoir ce que signifient ces codes ?

— J'ai laissé un message à Benedict, mais il est en congé.

Elle contourne le bureau. Elle pose son doigt sur le document.

— Voyez les devises dans la colonne de droite. J'ai encerclé tous les montants libellés en rands. Voyez, c'est marqué ZAR...

— OK, disent-ils à l'unisson.

— La colonne de gauche est celle des montants en dollars. Trois d'entre eux correspondent aux sommes identifiées par Bones dans le relevé de Richter. Vous voyez ? Ici, ici et là. Cent vingt-cinq mille dollars deux fois. Deux cent cinquante mille ensuite.

— C'est juste.

— Mais on trouve quatre autres paiements convertis en rands. Je les ai soulignés. Un total de deux millions de rands environ. Et ils n'ont pas été virés sur le compte de Richter.

Cupido observe les codes des règlements. Ils sont indéchiffrables. Il jette un regard à sa montre, s'abstient in extremis de dire « putain ».

— Les banques sont fermées à présent. Même si on arrive à mettre la main sur Bones, il faudra attendre demain.

— Oui.

Cupido prend le sachet d'œufs en chocolat et en offre à Mbali.

— Non, merci. Le professeur Tim dit que c'est du poison.

* * *

Bones rappelle juste avant 6 heures.

— Je suis en congé, n'est-ce pas. J'ai promis à Baba que je ne travaillerai pas, elle me tuerait... Je ne suis tout de même pas le seul à la section des Crimes commerciaux.

Baba est l'abréviation de Babalwa, le prénom de sa femme.

— C'est vrai, mais tu es le meilleur.

Cupido connaît le point faible de Boshigo.

— Où as-tu emmené ta dame ?

– À Hermanus. Elle veut le style mer, sable fin et clair de lune.

– Hermanus ? Mais tu es black, Bones. C'est un bled pour les Blancs, un territoire pour Boers.

– Plus maintenant. Écoute, Baba est sous la douche, tu me la fais rapide ?

Cupido lui parle des relevés de la banque chinoise et des codes incompréhensibles.

– Transfère-les sur ton portable et envoie-les-moi. Je vais voir ce que je peux faire. Peut-être tôt demain matin. Baba se fait une séance d'aromathérapie au Birkenhead.

– Merci, Bones.

* * *

Sur la table de la cuisine, une barquette de viande froide de chez Woolies à côté d'une barquette de salade de pois chiches à faible indice de glycémie. Griessel jurerait qu'elles sortent du frigo.

Un billet.

Je suis contente que tu n'aies pas replongé. xxx

86

Ils sortent de l'ascenseur de Huguenot Chambers et débouchent sur Queen Victoria Street. L'avocate Susan Peires se tourne vers François Du Toit.

— Vous m'aviez bien dit que votre mère était de petite taille.

— C'est exact.

Il s'arrête et la regarde.

— Elle a soixante et un ans ?

— Oui...

— Elle n'aurait pas pu l'étrangler toute seule, n'est-ce pas ?

— Je... Moi aussi, ça m'a... Quand on est stressé, on songe à tant de choses, mais quand on y pense... Les ouvriers feraient n'importe quoi pour elle. Elle est une mère pour eux. Si elle était allée voir l'un ou l'autre, si elle leur avait dit que... Je ne sais pas, si elle leur avait dit que leur avenir et celui de leurs enfants étaient en jeu...

Peires opine.

— Allons-y. Où êtes-vous garé ?

— Juste là-bas.

— J'ai une Jaguar rouge, attendez que je sorte, je vais rouler derrière vous.

— Très bien.

Il se retourne et s'éloigne, sort son portable et l'allume, pour la première fois depuis le matin.

Peires descend l'escalier jusqu'au sous-sol pour chercher sa voiture. Elle réfléchit à la mère de Du Toit et à ses ouvriers, soudain très sceptique sur toute cette histoire.

Elle est au premier niveau lorsqu'elle l'entend crier d'une voix pressante, étrange.

– Maître !

– Je suis ici.

Il surgit en haut des marches, brandissant le portable.

– Il faut que vous voyiez ça…

87

L'esquif des enquêteurs embarqués dans l'affaire Ernst Richter sort du pot-au-noir le 24 décembre.

La première brise dans les voiles, c'est le décodage des relevés bancaires chinois – grâce au massage aromatique de Babalwa Boshigo et au talent de son époux.

Mais le grand vent, celui qui change tout, c'est la soif qui submerge Bennie Griessel.

Bones appelle Cupido avant 8 heures : les quatre paiements de Qin Trading ont été versés à une personne ou une société relevant de l'agence de Stellenbosch de la First National Bank, flanqués du sigle indéchiffrable DTFM. La banque lui fournira tous les détails, pourvu qu'il ait un mandat du juge.

C'est pourquoi Cupido a d'abord filé au tribunal de Bellville pour obtenir le mandat, puis il a foncé à Stellenbosch pour être à la banque dès l'ouverture.

À cause du trafic, Griessel est arrivé ce matin légèrement trop tard pour accompagner Cupido. Il se morfond dans son bureau. Les deux mignonnettes de whisky viennent le hanter, car le vide et le démon de l'alcool se mettent à danser. Il faut qu'il s'en débarrasse. Il ne peut pas les balancer dans la corbeille à papier, il doit trouver une autre solution.

Il prend sa décision à 9 h 10. Il va les jeter dans les poubelles de la cour, à l'arrière de la DPCI.

Il ferme la porte, ouvre son tiroir, prend les minibouteilles, sent le verre froid dans sa paume. Il en met une dans chaque poche de sa veste. Il ne s'agirait pas qu'elles se heurtent si jamais il croisait le major Kaleni dans les couloirs.

Il ouvre la porte du bureau. Le couloir est vide. Il se dirige rapidement vers l'escalier.

Son téléphone sonne.

Merde.

Il s'arrête, il constate que c'est un appel de Cupido. Il répond.

– Vaughn.

– Benny, on l'a. Le compte appartient au trust familial Du Toit, trust qui appartient, écoute-moi bien, à un viticulteur nommé François Du Toit. Le nom de l'exploitation est Klein Zegen, c'est juste de l'autre côté de Stellenbosch.

Ce nom de Klein Zegen résonne comme une cloche dans les oreilles de Griessel, il se cache dans les méandres de sa mémoire. Il a avalé pas mal de verres ces derniers temps, mais il va le récupérer. L'oreille collée au portable, au milieu du couloir, il répète « Klein Zegen » pour stimuler ses souvenirs.

– *Jis,* je pense que nous devons…

– Il y avait une bouteille… Non, il y avait plusieurs bouteilles de Klein Zegen dans le buffet à alcools de Richter.

– Benny, tout s'explique. Ces règlements bancaires, l'analyse des pesticides, la ficelle botteleuse rouge, la bâche en plastique, les feuilles de vigne, tout indique une exploitation agricole. Il nous suffit de retrouver le jacaranda. J'ai une hypothèse, je vous la dirai quand vous serez là. Tu peux m'obtenir un mandat de perquisition ? Ce matin j'étais chez la juge Cynthia Davids qui m'a signé le mandat pour interroger la banque. Elle a toutes les données, tu pourras juste ajouter la nouvelle information. Je prévois, Benny, de surprendre ce type avec toute la force des Hawks, lui foutre la trouille de sa vie. Demande à Mbali si *oom* Frankie et les nôtres en ont fini avec l'affaire de Kraaifontein, rassemble tous les gars que tu peux. Vusi est notre expert en jacarandas, ce serait bien qu'il vienne aussi. J'appelle les scientifiques pour qu'ils nous envoient leurs analystes. Tiens-moi au courant par téléphone, Benny, je voudrais orchestrer toute cette affaire, afin qu'on arrive tous en même temps, si tu vois le topo.

* * *

Cupido attend le convoi dans la station-service Engen, celle-là même où ils avaient acheté de quoi manger alors qu'ils fouillaient la maison de Richter.

Il commence par s'adresser à tous, commandant opérationnel en pleine possession de ses moyens, un homme avec une mission nouvelle. Vusi, Mooiwillem, Griessel et Frank Fillander sont présents avec quatre autres Hawks, ainsi que Zézaie Davids pour l'aspect technologique – les portables et les ordinateurs. Le Gros et le Maigre sont arrivés dans la camionnette du service forensique. Cupido détaille son hypothèse. Le viticulteur a importé quelque chose de Chine. Des machines, des vendangeuses ou des alambics, bref tout ce bazar qu'utilisent les viticulteurs. Dans ces vendangeuses, dans ces fûts ou autres bidules, était cachée de la drogue. Richter jouait les intermédiaires, il s'était rendu dans le Sud-Est asiatique pour nouer des contacts, fumeur de *dagga* qu'il était. Il a dû trouver un partenaire qui voulait importer du gros matériel de Chine. Pour cela le viticulteur a touché deux millions, et Richter environ le double. Mais la galette de Richter a fondu, alors il a tenté de faire chanter Du Toit, comme il avait essayé avec d'autres personnes.

Et voilà, il a été tué. Sous le jacaranda.

– *Sous le jacaranda.* Ce pourrait être le titre d'un film, si l'on en fait un sur Richter.

412

C'est l'opinion d'Arnold, le petit gros du service forensique.

Cupido fusille Arnold du regard.

– Il s'agit d'une affaire sérieuse. Nous cherchons des traces de drogue, vous passez tout au peigne fin et vous analysez. La grande opération de contrebande s'est déroulée il y a dix-huit mois, mais on ne sait jamais.

Il se tourne vers les enquêteurs.

– On cherche les papiers d'importation, on cherche des bâches en plastique, de la ficelle botteleuse rouge et le jacaranda.

– Et un fongicide.

C'est Jimmy, le grand maigre du service forensique.

– Exactement.

Cupido s'adresse à Zézaie.

– Et les téléphones portables, les ordinateurs et tout le bastringue.

* * *

Ils partent en convoi sur la route de Blauwklippen, Cupido devant, car c'est lui qui a les coordonnées. Juste après le domaine Dornier, ils prennent à gauche. Cupido lance la sirène et le gyrophare. Le sentier rétrécit en remontant la vallée, les belles montagnes sur leur gauche accumulent la chaleur. Le ciel est clair, d'un bleu sans nuages.

Tout au sommet de la colline, ils franchissent une grille dont le panneau indique : *Vins de Klein Zegen. Restaurant La Bonne Chère, cuisine traditionnelle française.*

Le corps de ferme est beau, soigné, avec pelouses vertes, parterres de fleurs, arbustes, joli fronton de style Cape Dutch, le restaurant, les dépendances. En contrebas, en direction de la petite rivière on aperçoit une structure plus récente, grande comme un chai, mais conçue pour s'intégrer à l'ensemble historique.

Quelques voitures sont garées devant le restaurant. Ils freinent, Cupido coupe la sirène, ils bondissent, sauf le Gros et le Maigre qui veulent d'abord s'assurer que n'éclate pas de fusillade.

Une femme sort du bâtiment principal. Petite, fine, la cinquantaine passée, belle, avec une épaisse chevelure grise. Elle porte un bébé qui pleure dans ses bras et, sur son visage, une expression de dégoût sévère.

Cupido se dirige vers elle, plein d'énergie, déterminé, le mandat de perquisition à la main. Il ouvre la bouche, mais elle le devance.

– Pourquoi faites-vous un raffut pareil ? Vous avez réveillé Guillaume.

* * *

La tension chute. François Du Toit est absent. Sa femme est bien là, très belle. Même pas trente ans. Elle se présente : San, en tablier blanc de chef cuisinier, les yeux apeurés.

– Que se passe-t-il ?

Cupido annonce qu'ils sont ici à cause du meurtre d'Ernst Richter. Ils recherchent son mari pour l'interroger, ils ont un mandat de perquisition concernant l'ensemble du domaine. Où est son mari ?

Elle est perturbée. Ernst Richter ? François ? Mais pourquoi ? Richter, celui dont on a parlé aux infos ?

– Oui, madame.

– Mais on ne le connaît même pas.

– Madame, où se trouve votre mari ?

– Il est parti au village. Ernst Richter ? On n'a rien à voir avec Ernst Richter.

Ils remarquent son inquiétude, il y a des choses qu'elle ignore visiblement.

La femme plus âgée qui porte le bébé saisit calmement San Du Toit par le bras.

– Viens, ma fille. Il s'agit d'une erreur. Ils vont s'en rendre compte bientôt, cela ne sert à rien de parler avec ces gens-là.

– Quand revient votre mari ?

La jeune chef se laisse emmener par la plus âgée, sa voix faiblit.

– Il sera de retour bientôt.

– Commençons donc la fouille. Je vais vous demander de choisir une pièce de la maison et de ne pas la quitter. Ne touchez à rien. Nous cherchons aussi quelqu'un qui puisse nous montrer tous les jacarandas.

La grand-mère s'arrête.

– Des jacarandas ?

Cupido confirme. Elle désigne un côté de la maison.

– Le voilà. C'est le seul que nous ayons.

Tous les enquêteurs tournent la tête. L'arbre est planté à l'angle de la maison. Il domine une pelouse verte.

* * *

Le Gros et le Maigre du service forensique traversent rapidement les dépendances, les espaces de stockage, le chai, appellent Plattekloof pour avoir du renfort, car il y a beaucoup plus de travail que prévu. Ils commencent par le chai. Tout en effectuant leurs tests, ils s'imaginent quels acteurs d'Hollywood vont jouer dans le film *Sous le jacaranda* – et lequel interprétera chaque enquêteur. Pour Mooiwillem, c'est facile : ce sera George Clooney. Pour le rôle de Fillander, c'est à coup sûr Morgan Freeman et pour Vusi : Denzel Washington. Il y a débat pour Cupido, ils finissent par tomber d'accord sur Chris Rock. Pour leurs propres rôles – ce n'est pas négociable – ce seront Brad Pitt (Jimmy) et Bradley Cooper (Arnold), même si Jimmy estime que son collègue enveloppé ressemble comme une goutte d'eau à Zach Galifianakis. Ils se grattent la tête en revanche concernant Bennie Griessel.

415

Chris Rock et Zézaie Davids s'attaquent au bureau de François Du Toit.

Morgan Freeman et George Clooney se chargent de la maison, car ce sont « les meilleurs pour faire face à ces femmes difficiles ».

Griessel est reconnaissant d'être inclus dans l'équipe qui va chercher d'autres jacarandas à travers le domaine, car personne ne croit la tantine à la tignasse, comme l'a baptisée Cupido.

Il a toujours les deux petites bouteilles de Jack Daniel's dans les poches de sa veste. Il a oublié de s'en débarrasser, dans l'intensité du moment, quand Vaughn l'a appelé. Il s'en est souvenu seulement quand le convoi s'est ébranlé.

C'est le moment de les jeter au milieu des vignes.

Mais à Klein Zegen, les étoiles ne s'alignent jamais comme on s'y attend.

88

Il s'avance sur un sentier, une main dans chaque poche pour assourdir le bruit du verre, tandis qu'il cherche du regard les petites fleurs violettes de jacaranda que Vusi a décrites.

— Mais nous sommes en fin de saison, les fleurs sont peut-être tombées, elles seront encore au pied de l'arbre. Voyez à quoi cela ressemble.

Il leur a montré une photo de l'arbre sur l'écran de son portable.

Des rangées et des rangées de ceps, des grappes vertes. Une colline par-derrière. Le silence, on entend juste les chants des oiseaux et le bourdonnement des insectes. En paix. Il a déjà visité ce genre de lieu, idyllique, à couper le souffle, on n'arrive pas à croire qu'un meurtre ait pu s'y produire, le râle de la victime s'y faire entendre.

Faut pas jouer avec ces idées, mais suivre les conseils de la psy.

Il se concentre sur la recherche de jacarandas.

Son portable résonne dans sa poche, sonnerie aiguë qui le fait sursauter.

C'est un souci en période de sevrage, avec les médicaments, le mauvais sommeil, la tension au travail, Alexa, tout cela le rend un peu nerveux.

Il sort son téléphone. Numéro inconnu. Il répond.

— Ici Griessel.

– Capitaine Bennie Griessel, des Hawks ?

Une voix d'homme qu'il ne reconnaît pas.

– Exact

– Je travaille au *Son,* capitaine. Le journal.

Il prononce ces mots à toute allure, comme s'il craignait que Griessel ne lui coupe la parole.

– Je voudrais simplement une confirmation de votre part. Où vous trouviez-vous mercredi soir aux alentours de 18 heures ?

Le cœur de Bennie s'emballe.

Que savent-ils ? Pourquoi maintenant ? *Jissis,* juste à présent qu'il remarque à l'eau ? Il s'agit de rester calme, il ne faut pas que le journaliste sente qu'il est effrayé.

– D'où sortez-vous ce numéro ?

– Par un contact, capitaine. Pouvez-vous confirmer où vous vous trouviez mercredi dernier ?

Rester calme. Mais sa résistance est faible. Tout son corps tremble à l'idée d'un entrefilet sur sa cuite, sur la bagarre. Bien pire, à présent qu'il a laissé tomber l'alcool, il entrevoit avec lucidité tous les effets négatifs. Maintenant que Vaughn le considère à nouveau d'un œil normal. Alors qu'il entretient le vague espoir d'un retour d'Alexa.

Il respire un grand coup. Il ne veut pas retarder trop longtemps sa réponse, ça indiquerait une certaine culpabilité.

– Je suis en pleine enquête, monsieur. S'il vous plaît, appelez le capitaine John Cloete de la DPCI, c'est lui qui s'occupe des médias. Au revoir.

Il clôt la conversation, mais son cœur bat à tout rompre.

Que savent-ils ?

Il fourre le portable dans la poche de sa veste. Il heurte la mignonnette de Jack Daniel's.

Le téléphone sonne encore.

Le même numéro. Il touche la petite bouteille.

Il va s'en prendre un, histoire de se calmer les nerfs.

Non, pas ici, il y a des collègues alentour. Il serre la

mignonnette en descendant la colline au hasard en direction de la petite rivière. *Pouvez-vous confirmer où vous vous trouviez mercredi soir ?* Il va réfléchir à la question dès qu'il aura calmé ses nerfs, la formulation était très particulière. Le temps de se ressaisir.

Il hâte le pas, trébuche sur une pierre. Merde. Là-bas près de la rivière, il pourra se cacher, il y est presque et manque de se cogner à une clôture en fil de fer, prend à droite derrière la barrière, un bosquet bien dense est en vue.

Il s'arrête, jette un regard circulaire. Personne ne peut l'apercevoir. L'eau serpente à ses pieds. Il sort la petite bouteille, tourne le bouchon en plastique d'un mouvement sec, la porte à sa bouche et lève la tête.

C'est à cet instant qu'il aperçoit le jacaranda.

De l'autre côté de la rivière. Ici et là une fleur violette pend encore aux branches.

* * *

Griessel demeure cloué sur place, la bouteille devant sa bouche, les yeux rivés sur l'arbre, à dix mètres de lui à peine. Un bâtiment derrière. On dirait un entrepôt, il remarque un mur en métal, de la tôle ondulée.

Rien ne pousse sous l'arbre. Rien que du sol brun, des végétaux pourris et des fleurs violettes.

Perdu. Loin de tout. Silencieux.

Il regarde au large. Un sentier de l'autre côté de la rivière passe devant l'arbre en direction de l'entrepôt.

Il se concentre sur la zone sous l'arbre. Si l'on y traîne un corps, des fleurs de jacaranda, des branchettes et des feuilles de vigne entreront forcément dans sa poche de derrière.

Il regarde la bouteille dans sa main.

Pouvez-vous confirmer où vous vous trouviez mercredi soir ?

Le type n'a pas dit « Étiez-vous au Fireman's ? » ou « Étiez-vous dans une cellule au poste central du Cap ? ».

Le journaliste a tenté de le ferrer. Comme les enquêteurs au cours d'un interrogatoire. Futé. Il a failli tomber dans le piège.

Il expire lentement. Il renverse la petite bouteille, laisse couler le liquide à ses pieds et la jette dans l'eau. Même chose avec l'autre.

Puis il remonte vers l'amont, afin de prendre un petit pont sur la rivière.

* * *

Il fait soixante mètres avant d'y parvenir. Il suit le sentier de l'autre côté de la rivière et descend vers l'aval en direction du jacaranda.

Le sol sous le jacaranda est intact. Cela s'est passé il y a un mois, il ne peut plus y avoir la trace d'un corps traîné par terre. Mais tout semble concorder.

L'entrepôt se trouve dix mètres plus loin. Il s'y rend. Il s'agit d'une grande structure métallique. Il contourne le bâtiment, aperçoit une porte coulissante, assez large pour laisser passer un tracteur. Elle est fermée, mais pas à clé. Il la pousse. Elle grince.

Il fait bien sombre à l'intérieur, deux fenêtres côté nord laissent filtrer des rais de lumière sur le bric-à-brac.

Il entre. Touffeur et odeurs étranges. Un curieux petit tracteur étroit. Il en a vu entre les vignes. Une remorque avec une grande citerne jaune. Encore du matériel pour combattre les mauvaises herbes, soupçonne-t-il.

Sous l'effet de la chaleur, il dénoue sa cravate, attend que ses yeux s'habituent à la pénombre. Il remarque des étagères surchargées le long des murs. Des boîtes, des pots et des bacs. Du matériel d'épandage.

Il s'approche. Des pulvérisateurs portables, des bêches, des fourches. Sur une étagère, plus de cinquante sécateurs, bien alignés.

Des cylindres sombres. Il regarde de plus près. Il s'agit de rouleaux de plastique noir.

En dessous, cinq grands rouleaux de ficelle. Rouge sang.

Il les touche pour vérifier, le plastique aussi.

Il se dépêche d'aller voir les fûts sur l'étagère. Il n'arrive pas à lire l'étiquette. Il allume son portable pour éclairer.

Il distingue le mot *Triazole*.

C'est ici que Richter a été ficelé et enroulé dans du plastique. Le crime s'est passé sous l'arbre.

C'est ça.

Il veut appeler Vaughn. Il se retourne vers la porte, cherche le numéro de Cupido.

Une silhouette apparaît dans l'encadrement. Griessel sursaute. L'homme aussi.

– Que faites-vous ici ?

La voix est pointue.

– Police.

Griessel voit qu'il s'agit d'un métis en bleu de travail.

– La police ? Est-ce que le patron est au courant ?

– Il n'est pas encore rentré.

Griessel remarque un panneau aux pieds de l'ouvrier, juste à l'intérieur. Il s'agit d'un panneau publicitaire, large de cinquante centimètres, attaché à deux piquets en métal, comme destinés à être fichés dans le sol. Un fond vert, des lettres blanches. Le logo, une bouteille avec quatre roues. Quelque chose retient son attention, mais l'homme se met à marmonner.

– Que dites-vous ?

– Je vais appeler le patron.

Grande nervosité.

– Il est de retour ?

– Le patron est resté au bureau toute la matinée. Aujourd'hui, c'est un jour de congé, un bonus pour Noël. Je vais l'appeler.

Il tourne les talons et s'en va.

– Quel patron ?

Griessel se demande s'il a affaire à un contremaître.

– M. Venske.

– Que fait-il ici ?

– C'est le propriétaire de ce domaine.

– Klein Zegen ?

L'ouvrier s'arrête un instant.

– Ici, c'est Blue Valley.

Mécontent, il s'en va à grandes enjambées, visiblement perturbé.

Griessel ne mesure pas tout de suite les conséquences de cette révélation, car il se concentre sur le panneau publicitaire. Sous la bouteille à roulettes est écrit en grosses lettres *VBC*. En dessous *Vintage Bottling Company* et en plus petit *Embouteillage et étiquetage mobiles. Appeler Peter McLean.* Suivi de son numéro de portable.

89

Debout devant la porte de l'entrepôt, en plein soleil, il est encore en train de parler avec Cupido sur son portable quand revient l'ouvrier, accompagné d'un grand homme portant des lunettes.

– Que faites-vous sur ma propriété ?

Griessel lève la main pour indiquer qu'il va répondre et termine avec Cupido :

– Le propriétaire est là. Vous allez trouver le chemin ? Blue Valley, le domaine voisin, juste de l'autre côté de la rivière.

– Je répète, que faites-vous sur ma propriété ?

Le ton et l'attitude de cet homme sont agressifs, un baron offensé. Griessel constate qu'il a la soixantaine, il est robuste, sous les lunettes, le nez aquilin pointe comme un bec d'oiseau. Une grosse moustache essaie de cacher une bouche amollie. La peau est marquée par le soleil.

– J'arrive, dit Cupido. Beau travail, Benny.

Griessel raccroche. L'homme lui fait face, intimidant, les épaules en avant. Griessel lui tend la main.

– Je suis de la police, monsieur. Bennie Griessel.

L'homme ignore la main tendue.

– Vous n'avez rien à faire ici.

L'ouvrier, quelques pas plus loin, confirme les mots de son employeur en opinant.

– Vous êtes le propriétaire ?

– Oui, c'est moi, et je vous le répète, quittez mon domaine.

– J'enquête sur un meurtre, et je viens à l'instant d'identifier le lieu du crime, sur votre propriété. Quel est votre nom ?

– Où est le document qui vous autorise à venir fouiner par ici ?

Cupido a souvent vu ce genre de comportement. La seule façon de le contrer, c'est de conserver son calme et sa maîtrise de soi. Et de protéger l'enquête contre des attaques qui pourraient pleuvoir au tribunal.

– Ce qui m'y autorise se trouve dans les articles 25 et 26 du Code de procédure pénale, monsieur. L'article 25 alinéa 3 indique que je peux pénétrer, au cours d'une enquête, dans tout lieu sans mandat de perquisition, s'il y a des raisons suffisantes pour penser que j'obtiendrai ce mandat dans ces circonstances particulières, afin de ne pas retarder l'enquête engagée. Et je vous repose la question, quel est votre nom ?

La tirade obtient l'effet escompté. Les épaules de l'homme s'affaissent un peu, il recule de dix centimètres.

– Je m'appelle Dietrich Venske.

– Monsieur Venske, j'ai de fortes raisons de croire qu'Ernst Richter a été assassiné sur votre propriété. Mes collègues sont en route. Nous allons passer cette zone au peigne fin et nous allons obtenir un mandat de perquisition pour une fouille complète. Nous espérons pouvoir compter sur votre collaboration.

– Ernst Richter ? Qui est Ernst Richter ?

Il pose la question avec dégoût, comme s'il se sentait insulté par ce nom. Il souffle par le nez comme un taureau.

– Ce sont des foutaises. Je téléphone à mon avocat.

* * *

Seuls Cupido, Ndabeni et les gens de la Scientifique arrivent, car les autres Hawks continuent la fouille de Klein Zegen.

— Ça se tient, estime Cupido, il a attendu Richter sur la propriété de son voisin, afin de ne laisser aucune trace sur la sienne.

Griessel hoche la tête et les entraîne auprès du panneau publicitaire posé contre le mur à l'intérieur de l'entrepôt.

— Ce nom, c'est celui que Richter a appelé sur son portable secret. Le gars prétend qu'il n'a jamais entendu parler de lui.

— Je suis scié.

— Je file, Vaughn. Je vais l'interroger.

— OK. Emmène *oom* Frankie avec toi.

* * *

Ils sont en train de traverser Stellenbosch lorsque le capitaine Philip Van Wyk de l'IMC appelle.

— Désolé d'avoir pris tant de temps, l'affaire de Kraaifontein nous a bien occupés, mais j'ai de bonnes nouvelles. Nous avons déniché ton Martinus Grundlingh dans la base de données RICA. Il s'agit à nouveau d'une falsification de Richter, une carte d'identité et une attestation de domicile. Avec cela, il a acheté un portable, en juin de cette année — donc après que l'autre portable s'est évaporé.

— Merci, Philip.

— Nous n'attendons plus que le mandat du juge pour localiser ce nouveau numéro.

— Philip, ce que j'aimerais savoir, c'est si ce portable « Grundlingh » a appelé Peter McLean.

— Je vais vérifier. Je t'appelle dès que je trouve.

* * *

Ils s'arrêtent devant la maison de Kuilsrivier. Typique banlieue, classe moyenne, proprette. Trois petits garçons et une fillette, entre quatre et sept ans, galopent derrière une balle sur la pelouse, riant, poussant des cris stridents. Les rideaux du salon sont ouverts, ils aperçoivent les guirlandes clignotantes sur le sapin. Dans l'allée, derrière deux voitures, stationne un minibus Fiat vert sur lequel se détachent les lettres *VBC – Vintage Bottling Company. Embouteillage et étiquetage mobiles.*

Fillander et Griessel sortent, remontent l'allée jusqu'à la porte d'entrée. Les enfants s'arrêtent et les regardent. Le plus âgé se précipite vers la porte et hurle d'une voix excitée :

– Grand-père, voici deux messieurs.

Mais c'est la grand-mère qui sort avec un plateau chargé de nourriture, une jolie métisse, probablement en fin de cinquantaine, qui sourit d'un air accueillant.

– Bonjour, vous cherchez Peter ?

– Oui, s'il vous plaît, répond Fillander.

– Je l'appelle.

Elle se tourne vers les enfants.

– Venez par ici, je vous ai préparé des *essies** et des *rulle**.

Les gamins l'entourent, tout excités.

– Non, non, on se lave les mains d'abord...

Puis elle appelle Peter :

– Des gens veulent te voir.

Il apparaît dans l'encadrement de la porte, les observe, ce Blanc et ce métis, son visage tressaille, une découverte, une intuition.

– Venez, allons parler près de votre voiture.

* * *

Ils se dirigent vers la voiture des Hawks garée dans la rue.

– Tout va bien, mon chéri ? s'inquiète la grand-mère.

– Pas de problème.

— Vous êtes très bon au téléphone, monsieur McLean.

Griessel se lance, mais il sait qu'il n'a rien hormis un appel de quatre-vingt-quatorze secondes, un panneau publicitaire et des soupçons. Il va falloir le ferrer. De façon aussi futée que le correspondant du *Son*.

McLean s'arrête, les bras croisés sur la poitrine. Il a la soixantaine, les cheveux gris et courts, un torse et des bras puissants, résultat d'une vie de labeur. Fillander s'adosse à la voiture des Hawks.

Bennie tente sa chance.

— On a retrouvé l'autre portable de Richter.

Pas de réaction.

— On va donc vérifier s'il vous a appelé.

Silence stoïque.

— On va recevoir un mandat pour obtenir vos relevés bancaires.

McLean le regarde dans les yeux. Il va falloir jouer plus gros. Griessel hésite, car s'il se trompe, l'homme saura qu'il avance à l'aveuglette.

— On est au courant pour vous et François Du Toit.

Le visage de McLean bouge imperceptiblement. Griessel sait qu'il va dans la bonne direction.

— On est en train de fouiller Klein Zegen de fond en comble.

McLean regarde à droite, vers le lointain, fixe Griessel, puis Fillander. Il se tourne vers sa maison et pince les lèvres.

Quand il se met à parler, il s'adresse à Fillander, comme s'il pouvait espérer plus de sympathie de la part d'un enquêteur métis.

— Voilà le deal. Nous parlerons ici, près de la voiture. Vous ne me mettez pas les menottes, vous ne m'emmenez pas. Vous me laissez libre pour que je passe Noël avec mes enfants et petits-enfants. Le lundi de Noël, je viendrai me rendre.

Fillander ne masque pas son étonnement.

— Vous avez tué Richter ?

— Non. Mais je ne suis pas innocent pour autant.

* * *

Peter McLean leur demande de bien comprendre certains faits. Ces dernières années, les entreprises d'embouteillage ont été sous pression, car il était devenu plus rentable pour les viticulteurs d'expédier le vin en vrac, depuis que la demande avait augmenté en Europe. Il a dû licencier, dès 2011. Des gens qui travaillaient pour lui depuis longtemps. Des personnes avec des familles, des enfants scolarisés, des crédits sur leur maison ou leur voiture.

— Je suis à quatre ans de la retraite, je n'ai pas reçu la moindre augmentation en trente-six ans, mes économies sont limitées.

Pour résumer : en janvier 2012 Ernst Richter a débarqué avec une proposition pour Peter McLean. L'embouteillage de dix mille bouteilles de rouge, payé plein pot, un coup de cent mille rands. Mais à la condition que McLean ne pose aucune question sur l'origine, la destination ou la nature du vin.

— J'ai dit d'accord, mais en cash, cinquante mille maintenant, cinquante mille à la fin du job. En cash, parce que je ne voulais pas de trace dans la comptabilité. Je l'ai rencontré deux jours plus tard à Stellenbosch, il m'a remis la première tranche de cinquante mille. C'est alors qu'il m'a demandé si je connaissais un viticulteur qui pourrait lui fabriquer un vin rouge spécial, sans trop poser de questions. Je lui ai dit que j'allais y réfléchir et l'appeler. Il m'a donné un numéro et je suis parti. Cela fait quarante-deux ans que je travaille dans l'industrie du vin, à force de passer d'exploitation en exploitation pour offrir ses bouteilles ou ses services, on entend tout ce qui se raconte. C'était un mois après que le vieux Du Toit et son fils s'étaient tués en voiture, je savais que le jeune François avait repris l'affaire et qu'il s'apprêtait à vendanger. J'étais allé le voir pour lui dire que lorsqu'il voudrait mettre en bouteilles nous étions les meilleurs et les moins chers. Du coup, j'ai téléphoné à Richter pour lui dire de parler au jeune Du Toit.

« Une semaine plus tard, il me rappelle et me remercie. Du Toit est dans le coup, nous mettrons en bouteilles en juin ou juillet. C'est ce qui s'est passé. Cet hiver-là, on a rempli dix mille bouteilles à Klein Zegen, mis les bouchons, les capsules, les étiquettes. Ça a dû rapporter une fortune à Richter. Une fortune.

McLean se tait. Il coule un regard à sa maison. Fillander relance :

– Et alors ?

– J'ai reçu la seconde tranche de cinquante mille rands, et je me suis dit que l'affaire était close. Mais non. Presque deux ans plus tard, Richter m'appelle sans crier gare. Il voulait de l'argent...

– C'était ça, l'appel du mois de mai ?

– Oui.

– Et alors ?

– Ben, il voulait de l'argent. Sinon, il allait raconter la mise en bouteilles clandestine de 2012 à mon patron. Je lui ai demandé combien, car je ne voulais pas perdre mon job... Il a annoncé cent mille rands, je lui ai dit que je n'avais pas autant d'argent, je pouvais lui donner dix mille. C'est tout ce que j'avais. Alors, il a coupé la communication.

– Vous connaissiez sa boîte, Alibi ?

– Non, pas du tout. Je ne lis pas les journaux.

Griessel est certain qu'il en sait plus.

– Quand avez-vous à nouveau entendu parler de lui ?

– Le lundi 24 novembre, dès que j'arrive au bureau – nos locaux sont à Devon Valley –, mon patron me demande si je sais quelque chose au sujet de vins français mis en bouteilles en juin 2012. Ça m'a fait très peur, et j'ai

répondu que je n'en savais rien, pourquoi cette question ?
Il me raconte qu'un type se prétendant des impôts l'avait
appelé, une enquête en cours, il fallait en parler à Peter
McLean. J'ai répété que je n'en savais rien. Mais je me suis
rongé les sangs toute la journée. L'après-midi, Richter m'a
rappelé et m'a demandé si j'étais prêt à lui filer le fric. Je
lui ai dit promis juré que je n'avais pas l'argent. Mais que
j'avais une histoire à lui raconter.

– Quelle histoire ?
– Une histoire qui pouvait lui rapporter gros.

90

François Du Toit descend les marches à toute allure, Susan Peires l'attend en bas. Elle ne distingue pas l'expression de son visage, mais elle perçoit une grande émotion dans sa voix. Il tient son téléphone portable comme s'il s'agissait du saint Graal.

– Regardez !

Il lui montre l'appareil, mais il tremble tellement qu'elle le prend elle-même en main.

Un SMS sur l'écran. *Les policiers sont repartis. Vraiment désolés. Une grosse erreur. Où es-tu ? Appelle, stp. Nous sommes TRÈS inquiètes. San.*

Elle lit l'émotion dans ses yeux.

– Merci, Seigneur. Merci, Seigneur.

– Il ne faut pas trop vous reposer sur les étoiles.

Il secoue la tête, conscient des larmes qui coulent.

– Je présume que vous n'avez plus besoin de moi aujourd'hui.

– J'espère... Je ne pense pas.

– Qu'allez-vous dire à votre femme ?

– La vérité. Je vais lui raconter toute la vérité.

– C'est bien. La vérité, c'est toujours ce qu'il y a de mieux.

* * *

Le corps de ferme de Blue Valley est moderne. Il est perché haut à flanc de montagne et donne sur la vallée de Blauwklippen. Du salon, la perspective est d'une beauté indescriptible avec le soleil qui descend au loin sur Table Mountain.

Mais personne ne l'admire.

Quatre enquêteurs sont assis sur le canapé : Ndabeni, Fillander, Liebenberg et Griessel. Leur commandant opérationnel, Vaughn Cupido, bien calé dans un fauteuil, à l'aise, comme un homme heureux.

Face à eux, Dietrich Venske, l'air offensé, et son conseil juridique Wynand Van Straaten, avec son museau de chacal — comparaison accentuée par deux oreilles pointues et des yeux sautillant d'un enquêteur à l'autre.

— À toi de jouer, Benny, dit Cupido.

Griessel feuillette son calepin, tombe sur la bonne page, hoche la tête et s'adresse à Venske.

— Monsieur Venske, quand avez-vous acheté ce domaine ?

Venske jette un œil à Chacal Van Straaten. L'avocat hoche affirmativement la tête. Revêche, Venske répond :

— En 1994.

— Avant d'acheter cette propriété, que faisiez-vous ?

Le Chacal approuve, Venske parle.

— Je travaillais à la KWV.

— Quelle était votre fonction ?

Le Chacal opine.

— J'étais le chef de la section comptabilité au département Administration juridique, puis j'en suis parti.

— À combien se montait votre salaire à l'époque ?

Intervention du Chacal :

— Je ne vois pas en quoi cette question est pertinente.

— La question est la suivante : Comment M. Venske a-t-il pu acquérir ce domaine avec un salaire de la KWV ? Pouvez-vous nous dire combien vous avez payé pour cette exploitation ?

— Tu n'as pas à répondre.

Venske se frotte la moustache et ne dit rien. Cupido se lâche.

– Je ne vous comprends pas, vous les avocats. Tout ce que vous faites, c'est d'attiser nos suspicions. Si votre client est innocent, pourquoi se tairait-il ?

Van Straaten se tourne vers Venske.

– Tout ce que tu diras, Dietrich, on peut s'en servir contre toi au tribunal. Et tu sais comment fonctionne notre système juridique.

– Il n'y a pas de dysfonctionnements dans notre système juridique, coupe Ndabeni.

Le Chacal et Venske l'ignorent.

– Allez-vous répondre à ma question, monsieur Venske ?

– Je crois que j'ai dit tout ce que j'avais à vous dire.

Il frotte son épaisse moustache. Van Straaten intervient.

– Pourquoi en voulez-vous à mon client ? C'est un viticulteur et un homme d'affaires respecté. Il n'a jamais fait appel aux sinistres services d'Ernst Richter.

– Sinistres services, répète Cupido. Quelle belle formule.

– Il n'a jamais rencontré Richter.

– Bon, je vais vous dire ce qui nous pose problème avec votre client.

Griessel se penche, son calepin ouvert devant lui.

* * *

Transcription : interrogatoire et déclaration sous serment

Nom : M. Peter McLean
Date : 26 décembre 2014
Lieu : DPCI, Mark Street, Bellville
Présents : cpt V. Cupido (DPCI), cpt B. Griessel (DPCI), Me A. Prinsloo (procureur de la République)

P. McLean : On est donc sur la même longueur d'onde. Je suis cité comme témoin, vous m'avez arrêté pour rien.

M^E Prinsloo : La remise en liberté ne vaut que pour les délits commis entre 1990 et 1994, dans le cadre de ce que vous nommez le Projet Champ'. Je tiens à être précis sur ce point.

P. McLean : C'est tout ce que je demande. Le Projet Champ' s'est achevé fin 1992. Pour vos tablettes.

M^E Prinsloo : Nous sommes donc sur la même longueur d'onde.

V. Cupido : OK. Attaquons l'affaire. Que s'est-il passé en 1992 ?

P. McLean : Ça a commencé en 1990.

V. Cupido : OK. Partez de là.

P. McLean : Je crois que c'était en mars 1990. M. Venske est venu me parler de…

B. Griessel : Il s'agit bien de M. Dietrich Venske, aujourd'hui propriétaire du domaine Blue Valley ?

P. McLean : C'est exact. J'étais à l'époque contremaître pour l'embouteillage à la KWV et il était chef du département de comptabilité.

B. Griessel : Également à la KWV.

P. McLean : C'est exact.

V. Cupido : Monsieur McLean, nous ne sommes pas au tribunal. Vous n'êtes pas obligé de lancer « c'est exact » à tous les coups.

P. McLean : D'accord. Je suis un peu nerveux… Bref, M. Venske est venu me voir, en mars 1990, à l'unité d'embouteillage de la KWV. Il m'a d'abord parlé des sanctions internationales. À cette époque, les sanctions contre l'apartheid étaient rudes, la KWV a perdu beaucoup de marchés parce qu'on ne pouvait pas exporter notre vin. M. Venske m'a dit que les temps étaient durs, que ces sanctions nous tuaient. Les hommes politiques outre-mer ne comprennent pas l'Afrique du Sud, ils font du mal aux personnes qu'ils essaient d'aider. Les métis, les Noirs. Il m'a pris en exemple, moi, contremaître à la KWV : à quand remontait ma dernière augmentation de salaire ? Il m'a parlé des sanctions, du commerce qui ne marchait pas. J'ai compris qu'il cherchait à m'attendrir, mais je ne voyais pas où il voulait en venir.

Alors il m'a demandé si je serais intéressé par une grosse somme, si jamais il existait une possibilité de faire un doigt d'honneur aux sanctions. Grosse comme quoi, monsieur Venske ? j'ai demandé. Cent cinquante mille, il m'a dit. Cash, directement dans ma poche. Je suis rempli de honte quand je pense à ce jour-là, à cet argent qui m'a paralysé. Cent cinquante mille rands, pour moi, ça représentait plus de deux ans de salaire. Mes enfants étaient petits, j'en avais quatre, cet argent était… c'était une fortune pour un métis.

Je lui ai dit, je suis avec vous, monsieur Venske. Il m'a demandé s'il pouvait me faire confiance. Parce qu'il ne s'agissait pas que ce deal sorte dans la presse, à cause des journaux étrangers, des sanctions, de tout ça. « L'argent achète ton silence – si tu parles, si tu dis un mot, ne serait-ce qu'à ta femme, tu n'auras rien. »

J'ai répété que j'étais avec lui.

Il m'a dit qu'on allait fabriquer neuf cent mille bouteilles de champagne, qu'on allait mettre ça en bouteilles de nuit, chez moi. Ça s'appelait le Projet Champ', ça nous prendrait environ un an pour fabriquer le champagne…

B. GRIESSEL : « Nous » ? Qui était-ce ?

P. McLEAN : Lui, quelques-uns de ses copains, et puis des gars dans les petits échelons de la KWV…

B. GRIESSEL : Ses copains venaient tous de la KWV ?

P. McLEAN : Non, il était le seul.

B. GRIESSEL : Ce n'était donc pas un projet officiel de la KWV ?

P. McLEAN : Absolument pas.

B. GRIESSEL : Vous a-t-il dit à qui le champagne serait livré ? Quelle sorte de champagne ?

PETER McLEAN : Pas ce jour-là. En fait il ne m'a jamais tout expliqué. Mais à bosser la nuit pendant deux semaines avec lui et ses copains, ça m'a suffi pour repérer certaines choses. Et puis je travaille dans le vin. Je sais tout de même que Bollinger et Dom Pérignon sont les champagnes les plus chers au monde... Et puis, trois jours avant la fin, arrive un type d'Amérique, il vient jeter un coup d'œil. Il a pris une bouteille de Bollinger, l'a inspectée sous toutes les coutures. On l'a ouverte, on a rempli des verres, ils ont goûté. Et l'Américain était très content, je les ai entendus parler. C'est comme ça que j'ai reconstitué toute l'histoire, au bout du compte. M. Venske et ses copains ont acheté ou reçu des surplus de vin de la KWV, je ne sais pas si ça faisait partie du deal. Ils en ont fait du champagne, dans un chai, en 1990 et 1991. Fin 1991, pendant les vacances de décembre, c'était bien calme, on l'a mis en bouteilles. Les bouteilles que M. Venske avait fait venir n'étaient pas de fabrication locale, on les a sorties de leurs caisses, c'était marqué « importé de France ». Les bouchons venaient du Portugal. Mais les étiquettes et les capsules étaient fabriquées ici. On a rempli neuf cent mille bouteilles, du Bollinger, du Dom Pérignon, on les a mises en caisses et ces bouteilles sont parties pour Las Vegas. Via le Panama, c'est ce qui était marqué sur le bordereau de transport...

V. CUPIDO : Les neuf cent mille bouteilles sont parties pour Las Vegas.

P. McLEAN : Autant que je sache.

B. GRIESSEL : Et alors ?

P. McLEAN : J'ai reçu mon argent en janvier 1992, c'était tout bon. Et voilà que début février, M. Venske nous a réunis, tous les gars du Projet Champ'. Il nous a dit qu'il y avait un agent américain de l'AFT ou quelque chose comme ça...

M^E PRINSLOO : ATF ? Le Bureau pour l'alcool, le tabac, les armes à feu et les explosifs ?

P. McLEAN : Sans doute. Il a dit que ce type travaillait avec la police sud-africaine à la KWV, car ils étaient sur la piste d'un champagne de contrebande que la Mafia de Las

Vegas a fait venir d'Afrique du Sud. Ils en avaient trouvé quelques caisses au Panama. M. Venske a dit que si quiconque nous interrogeait là-dessus, il fallait répondre qu'on n'était au courant de rien.

B. Griessel : Et alors ?

P. McLean : On a été sauvés par Frederik De Klerk. Avec son discours au Parlement, en février 1990. Car il a légalisé tous les partis, il a dit, voici venir la nouvelle Afrique du Sud, toute l'affaire s'est évaporée...

B. Griessel : Et c'est cette histoire que vous avez racontée à Ernst Richter ? Le 24 novembre de cette année ?

P. McLean : Oui, c'est celle-là.

91

Dans le salon de Blue Valley, Bennie Griessel s'adresse au Chacal.

— En 1991, votre client était employé à la KWV. À une époque où celle-ci traversait une passe difficile en raison des sanctions internationales et d'une surproduction de vin qu'elle stockait dans ses caves. Votre client a élaboré une astuce pour se débarrasser du vin en surplus tout en se faisant un paquet de fric. Suffisamment d'argent pour acheter ce vignoble, ce qu'il n'aurait pu faire avec son seul salaire. D'après mes informations, Blue Valley a coûté en 1994 au moins six millions de rands…

— J'avais hérité. Du côté de ma femme.

Venske semble irrité.

— Dietrich, non, intervient l'avocat.

— C'est bien noté. Par cinq membres des Hawks, dit Cupido.

— Le problème, monsieur Venske, c'est que nous allons mettre la main sur tous vos documents, et je suis assez certain qu'on ne trouvera pas trace d'un tel héritage. Car vous étiez l'un des cerveaux du Projet Champ'. Pour vous dire la vérité, je viens de parler il y a quelques heures avec un homme prêt à témoigner au tribunal qu'il était à vos côtés quand vous avez mis du champagne en bouteilles. Neuf cent mille bouteilles de champagne contrefait.

Griessel consulte ses notes.

– Du champagne français, Bollinger, Dom Pérignon. Neuf cent mille bouteilles. C'est beaucoup. Avec vous il y avait un citoyen américain de Las Vegas qui voulait ce champagne pour sa chaîne d'hôtels.

– Risible, dit le Chacal.

Venske se tait.

– Neuf cent mille bouteilles, répète Griessel. Cela fait beaucoup d'argent, même si on le vend à dix pour cent du cours du champagne. Assez de fonds pour régler le vin, les bouteilles, les étiquettes et le transport en contrebande vers Las Vegas. Pour filer cent cinquante mille rands en cash au gars qui a assuré la mise en bouteilles. Et pour acheter un domaine comme Blue Valley.

Le viticulteur et l'avocat se taisent.

– Mais les choses ne se terminent pas là, monsieur Venske. Car vingt ans plus tard, l'histoire revient pour vous mordre. Aujourd'hui, vous êtes un grand viticulteur, et vos plus gros revenus viennent d'Amérique, car...

Griessel cite à nouveau ses notes.

– ... votre vin rouge a été désigné l'année dernière par l'Américain Robert Parker comme le meilleur vin produit en Afrique. C'est exact ?

Pas de réaction. Griessel poursuit.

– Et donc, quand un type a débarqué chez vous, menaçant de révéler le Projet Champ' à un journal américain si vous ne lui donniez pas d'argent, vous l'avez attiré dehors et vous l'avez étranglé sous le jacaranda...

– C'en est assez. Vous n'avez aucune preuve, coupe Van Straaten.

– Si, nous les avons.

Griessel observe Venske avec intensité.

– Nous avons un témoin qui affirme avoir raconté le 24 novembre toute l'histoire du Projet Champ' à Richter. Cette date vous dit quelque chose, monsieur Venske ? Nous disposons d'analyses scientifiques montrant qu'il a été étranglé sous cet arbre. Nous avons la preuve qu'il a été enterré avec votre plastique et vos ficelles, imprégnées de votre Triazole.

– Cela ne signifie rien, dit Venske. Ce peut être n'importe qui.

– Ne dis pas un mot, intime le Chacal.

– Nous avons d'autres preuves. Ernst Richter avait un portable secret avec lequel il vous a appelé. Le 24 novembre, juste avant 17 heures, sur votre numéro au centre de dégustation de vins. Il a dû vous laisser un message intéressant, car vous l'avez rappelé à 17 h 15, de votre portable, et la discussion a duré onze minutes. C'est un peu long pour quelqu'un que vous prétendez ne pas connaître.

Venske change légèrement de contenance.

– Mais cela ne s'arrête pas là, monsieur Venske. Le jour où Richter a disparu, le jour où il a été assassiné, vous lui avez encore parlé trois fois à ce même numéro. À 16 h 42, 17 h 18 et 19 h 34. Notre Centre d'analyse nous indique que le portable de Richter n'a pas bougé de Stellenbosch jusqu'à 23 heures. Il a été déplacé ensuite vers Blouberg. Juste après minuit, il a été coupé. De façon définitive, il n'a plus jamais été rallumé. Notre Centre d'analyse est en train de décrypter votre téléphone portable. Je pense que nous trouverons les mêmes horaires. Stellenbosch, Blouberg, puis retour à Stellenbosch. Pourrez-vous nous expliquer tout cela ?

Silence de mort.

– Vous l'avez attiré ici avec une promesse d'argent. Mais vous n'aviez aucune intention de lui en donner. Vous l'avez épié pendant qu'il attendait sous le jacaranda. Vous l'avez étranglé avec une ficelle botteleuse. Quand un homme est étranglé, il donne de terribles coups de pied, nous l'avons souvent constaté. En se débattant, Richter a perdu ses chaussures de sport. Vous l'avez enterré sans ses chaussures, aussi loin de chez vous qu'il était possible, à un endroit où le sable est fin, car il fallait agir au plus vite. Je crois que vous avez brûlé les chaussures et le portable – celui sur lequel vous aviez communiqué – ou bien vous les avez enterrés ailleurs. Vous avez laissé son Audi TT par ici à Plankenbrug. Je me demande si vous aviez des gants. Il y a deux jeux d'empreintes digitales que nous n'avons pas identifiés. Peut-être est-ce de la stupidité. Peut-être pas. Cela ne change rien. Plankenbrug, c'est précisément à 10,4 kilomètres d'ici, j'ai mesuré cet après-midi. Bien trop long pour une trotte, monsieur Venske, surtout en pleine nuit, pour un homme qui cherche à se débarrasser d'un cadavre. Je crois donc que vous avez téléphoné à quelqu'un pour qu'il vienne vous chercher là-bas. Un contremaître, un ouvrier, votre femme peut-être. La liste de vos appels nous fournira la réponse, nous irons parler à cette personne.

Venske ôte ses lunettes et se frotte les yeux du bout des doigts.

– Une dernière chose. Le type qui nous assure qu'il témoignera au sujet de la mise en bouteilles du champagne, nous dit que l'ATF, le Bureau américain pour l'alcool, le tabac, les armes à feu et les explosifs, a lancé deux enquêtes, en 1992 et en 1997. Un journal sud-africain en a fait mention. Notre témoin affirme en avoir parlé à Richter. Je pense qu'Ernst Richter a dû vous envoyer un courriel, peut-être avec une référence aux articles parus en 1997 dans le *Mail & Guardian*. Ce courriel vous a tellement inquiété que vous avez soudoyé un agent du poste de Stellenbosch pour voler l'ordinateur portable de Richter. Nous sommes en train d'analyser toutes vos communications sur votre portable afin de savoir avec quel membre de la police vous avez communiqué. C'est comme ça que nous allons vous coincer. Parce que cette personne préférera témoigner pour sauver ses fesses.

Venske combat sa mauvaise humeur. Spectacle intéressant. Le Chacal lève la main pour l'en empêcher, mais Venske laisse tomber le masque.

– Allez vous faire foutre, siffle-t-il avec une rage non déguisée.

– Procède à l'arrestation, Benny, dit Cupido. Notre job est terminé.

* * *

– Bennie Griessel ? (La voix du journaliste du *Son* retentit dans l'appareil.) Vous ne me racontez pas de conneries ?

Le capitaine John Cloete répond avec flegme :

– Exact, Maahir. Cupido était le commandant opérationnel, mais c'est Griessel qui a élucidé l'affaire. Votre petit doigt vous refile des tuyaux crevés. Sur la date de l'assassinat de Richter d'abord, sur cette prétendue agression en état d'ivresse. Si vous me le demandez, et toujours *off the record,* votre indic a agi par jalousie. La police sud-africaine compte aussi son lot de jaloux…

– Eh bien… John, vous savez comment ça se passe, je ne fais que mon travail. Si mon petit doigt murmure, je ne fais que mon travail.

– Je comprends. Mais ce petit doigt-là, réfléchissez à deux fois avant de l'écouter.

– C'est de bonne guerre… Mes excuses. Je me suis trompé.

– Il n'y a pas de mal, Maahir. Bon Noël.

* * *

Dans le salon d'Alexa, il y a un petit sapin de Noël sur une table basse. Le cœur battant, Griessel l'appelle, mais elle ne répond pas. La maison est vide.

92

Le jour de Noël.

À Klein Zegen, San Du Toit se réveille avant l'aube et constate que son mari n'est plus dans le lit.

Elle le rejoint dehors, sous la varangue, un mug de café à la main.

Elle s'assied près de lui, lui passe le bras autour des épaules.

– Joyeux Noël.

Il ne répond pas. Elle l'observe et voit des larmes qui coulent sur ses joues.

– François, je comprends. Tout. C'est bon.

Il remue la tête. Quand il retrouve son calme, il articule :

– C'est à cause du cadeau de Noël. Qui m'est tombé du ciel.

Un peu plus tard, quand ils regardent ensemble monter le soleil, il lui raconte ce qu'il entend par là.

* * *

Griessel est réveillé par de la musique.

Il songe d'abord qu'il est en train de rêver, mais c'est assez proche, ça le tire du sommeil.

Dans la rue ?

Il se lève, va regarder par la fenêtre.

La voiture d'Alexa est garée le long du trottoir.

La musique vient d'en bas, de sa chaîne hi-fi.

Il reconnaît le morceau. Un vieil air. Vince Vance &
The Valiants, « All I Want For Christmas Is You ». Un
des favoris d'Alexa.

Il a beau avoir la vessie pleine, il descend l'escalier à
toute allure et fonce dans le salon.

Elle est là. Et ses enfants à lui, Carla et Fritz. Chacun
avec un cadeau pour lui.

* * *

À 16 heures, Vaughn Cupido quitte la maison de ses
parents à Mitchells Plain et rentre chez lui, l'estomac plein
à l'issue du grand repas de famille. Il reçoit un SMS de
Desiree Coetzee.

*Vaughn Stroebel a fait fuiter la base de données. Aucun
doute là-dessus.*

Il songe : Rien de plus ? C'est tout ce que Desiree veut
lui dire ?

OK. Qu'il en soit donc ainsi.

Vaughn Stroebel, qui plus est. Quel voyou ! Il a certainement cru qu'il devait faire quelque chose pour regonfler
son ego, après sa grande confession à propos de la *dagga*.
Il aurait dû le voir venir, car Tricky Ricky Grobler avait
assuré que la sécurité optimale des données, telle que la
proclamait Ernst Richter, n'était qu'un mythe. *N'importe
quel programmateur peut aller fouiner dans la base de données
comme il l'entend.*

Néanmoins, il aurait dû s'en douter. Il n'avait pas pris
cette histoire de fuite assez au sérieux.

Peu importe.

Ce sera un souci pour demain ou après-demain.

Et puis tombe son cadeau de Noël.

Desiree : *Joyeux Noël. J'attends ton coup de fil.*

Épilogue

Dans la maison d'Alexa Barnard et de Bennie Griessel, rue Brownlow à Tamboerskloof, c'est un repas de Noël à la Woolies, mais tout le monde s'en moque. Car, comme l'année précédente, Alexa s'est montrée généreuse pour les cadeaux.

Carla a reçu une enveloppe avec un contrat. Pour un petit rôle dans une comédie musicale afrikaans, dans laquelle se produit Alexa.

Griessel a reçu un iPhone 6. Son fils Fritz, une Play-Station 4, qu'il a sortie immédiatement de son emballage et branchée sur la télévision. Afin de jouer à *Need for Speed : Rivals*.

Griessel les regarde. Il réfléchit. Il se souvient de son malaise dans la maison d'Ernst Richter, quelque chose qui clochait. Une fois assis à table, il demande à Fritz si on peut aussi utiliser des jeux Xbox sur une PlayStation.

Fritz est habitué à l'ignorance de son père. Il rigole :

– Duh.

– Ce qui signifie ?

– Non, papa, c'est impossible, sinon Bill Gates ne se serait jamais fait autant de pognon.

– Sauf si on est un idiot.

– Pourquoi tu demandes ça ? intervient Carla, car elle se sent obligée de voler au secours de son père.

– Je crois savoir où quelqu'un a planqué ses faux passeports et son portable trafiqué. À l'intérieur d'une boîte Xbox.

– Cool ! dit Fritz.

* * *

Ils ont raccompagné les enfants chez Anna et son petit avocat. Sur le chemin du retour, Alexa lui dit :

– Tu n'as qu'à glisser ton ancienne carte SIM dans ton nouveau portable. J'ai déjà tout synchronisé.

Griessel se souvient qu'elle avait fait de même, l'année précédente, avec son iPhone 5. Il comprend que c'est ainsi qu'elle pouvait le localiser. Ça avait un rapport avec son téléphone.

Il lui sourit.

– Merci. Merci beaucoup.

Glossaire

Aag ! : Allons donc !

BEE : *Black Economic Empowerment*, promotion au sein des entreprises des personnes défavorisées sous l'apartheid (Noirs, métis, Indiens, femmes). Une licence BEE est capitale pour l'obtention de marchés publics.

Bobotie : Hachis de viande au curry d'origine malaise.

Boerewors : Saucisse de porc et de bœuf très épicée.

Boland : Région viticole au nord-est du Cap dont Stellenbosch est le centre.

Braai : Barbecue, symbole de la convivialité en Afrique du Sud.

Broederbond : Société secrète cherchant à promouvoir les Afrikaners.

Cappie : Abréviation de capitaine.

Dagga : Cannabis.

Democratic Alliance : Parti politique d'obédience libérale, depuis 1999 il représente l'opposition officielle face à l'ANC.

Dewani, Shrien : Citoyen britannique né en 1979, accusé d'avoir fait assassiner son épouse au Cap en 2010, acquitté en décembre 2014.

DPCI : *Directorate for Priority Crime Investigation*, unité d'élite de la police sud-africaine, surnommée « the Hawks ».

Essies : Sablés à la noix de muscade.

Gautrain : train à grande vitesse qui relie Johannesburg à Pretoria.

Haai ! : Transposition en afrikaans du salut anglais « hi ».

Hayi ! : expression zouloue pour marquer l'effroi ou le dégoût.

Hawks : Faucons en anglais, surnom des enquêteurs spécialisés de la police sud-africaine.

Hofmeyer, Steve : Chanteur afrikaner controversé, né en 1964.

IMC : *Information Management Centre*, le service de traitement de l'information au sein de la Direction du Renseignement criminel de la police sud-africaine.

Jirre ! : Seigneur ! (afrikaans).

Jissis ! ou *Jis !* : Jésus ! (afrikaans).

KWV : *Koöperatieve Wynbouwers Vereniging*, société coopérative des viticulteurs, productrice importante de vins et de spiritueux en Afrique du Sud.

Lièvre : Un quidam, en jargon policier sud-africain.

Magtig ! : Bonté divine !

Oom : Oncle en afrikaans, formule à la fois familière et respectueuse pour s'adresser à un homme plus âgé que soi.

Oupa et *ouma* : Grand-père et grand-mère.

Noakes, Timothy : Professeur de sciences sportives à l'université du Cap. Il prône un régime diététique riche en protéines animales et faible en glucides.

Pappie : Signifie « papa » mais aussi « mon vieux ».

Parti national : Parti au pouvoir entre 1948 et 1994, instaurateur de l'apartheid. Parmi ses chefs figurent Verwoerd, Vorster, Pieter Botha et Frederik De Klerk.

PCSI : Provincial Crime Scene Investigation.

Pedi : Un des neuf groupes linguistiques bantous, appelé aussi Sotho du Nord.

RICA : *Regulation of Interception of Communications and Provision of Communication-Related Information Act*. Loi de 2003 obligeant les détenteurs d'un téléphone portable à faire enregistrer leur numéro.

Rulle : Beignet enroulé, avec de la cannelle et de la cardamome.

Sjoe ! : Exclamation afrikaans exprimant l'épuisement ou l'admiration.

Zuma, Jacob : Président de l'Afrique du Sud élu en 2009 et réélu en 2014, dont la langue maternelle est le zoulou.

Remerciements

En vrille est une œuvre de fiction. Aucun personnage de ce livre n'a été inspiré par une personne existant réellement.

L'intrigue, toutefois, est en partie une version hautement romanesque d'événements dont on dit qu'ils se sont réellement produits dans les années 1990 au sein de la KWV, qui était encore à l'époque une institution semi-gouvernementale. Pour que mon récit soit crédible, j'ai dû attribuer à mes personnages de fiction des emplois spécifiques au sein de cette institution, mais je tiens à être parfaitement clair sur ce point : il n'existe absolument aucun lien entre eux et toute personne ayant travaillé pour la KWV.

De même que je n'ai parlé à aucun employé, ancien ou actuel, de la KWV concernant des événements qui se seraient produits dans les années 1990. Mes sources ont presque exclusivement été des archives de presse.

Je souhaite également préciser que la KWV datant de l'époque de l'apartheid et la société extrêmement dynamique qui porte aujourd'hui ce nom sont deux entités complètement différentes. L'actuelle KWV est en fait contrôlée par un actionnaire du BBBEE – Broad Based Black Economic Empowerment.

Un autre aspect qui a été partiellement romancé est la façon dont la technologie d'identification tactile d'Apple fonctionne sur l'iPhone. Il est évident que lorsqu'un iPhone est complètement éteint, un code PIN *et* une empreinte digitale sont nécessaires pour l'activer. J'ai pris quelques libertés avec ces réalités afin de rendre le livre plus passionnant.

Je tiens à remercier très chaleureusement les nombreuses personnes qui m'ont offert leur temps, leur aide, leurs conseils, leurs connaissances, leur perspicacité, leur savoir-faire, leur soutien et leurs encouragements au fil des recherches qui ont accompagné la rédaction de ce livre.

Tous mes remerciements à :

– Neil Pendock, pour son temps précieux, sa connaissance encyclopédique et ses livres passionnants : *Biography of a Vintage*, Cuspidor Press (Mayfair, 2010), et *Sour Grapes* (Tafelberg, Kaapstad, 2008).

– Hannes Myburgh de Meerlust, pour le récit de son enfance et de la viticulture dans l'un des domaines les plus anciens et les plus estimés d'Afrique du Sud.

– Jacques du Preez, qui m'a offert un récit si divertissant de ses souvenirs d'inspecteur des quotas à la KWV.

– Roy Peires, qui a contribué si généreusement au Loxton I Am Living Trust et a fait en sorte que je puisse utiliser le nom de sa femme, Susan Peires, dans le livre. Et merci à Jerry Graber pour avoir joué les intermédiaires.

– Le professeur Dap Louw, Catherine Du Toit, le Dr. J.D. Nel, Rudie van Rensburg, Danie Small, François Erasmus, Leslie Watson, Etienette Benadé, Eamon McCloughlin, Nadia Engelbrecht, Martin Smith et Sophia Hawkins.

– Mon inégalable éditeur, Etienne Bloemhof, et mon agent, Isobel Dixon, pour leur inestimable loyauté, leur lucidité, leur patience et leur perspicacité. Merci également à Hester Carstens, et NB Publishers, pour ses excellentes interventions et aux correcteurs Annie Klopper, Liesl Roodt et Marette Vorster.

– Marianne Vorster, Diony Kempen, Lida Meyer et Johan Meyer, pour leur patience et leur soutien. Un grand merci.

– Tous ceux dont j'ai perdu les noms au fil de notes

incomplètes et après des conversations téléphoniques inter-
rompues.

– Les domaines viticoles Dornier, Rustenberg, Vilafonté
et Tokara, chez qui je suis allé voler des informations avec
mes yeux, mais aussi goûter d'excellents crus. Tout cela au
nom des recherches, bien entendu.

Bibliographie

Ce livre a commencé en deux endroits. Le premier était le film documentaire *Red Obsession*, de David Roach et Warwick Ross (2013). Le deuxième était http://fortune.com/2014/04/17with-technology-an-easier-path-to-infidelity-in-france.

Je souhaite également citer les références suivantes :

– Tim James, *Wines of the New South Africa*, University of California Press (Berkeley, 2013)
– Jan-Bart Gewald, Andre Leliveld, Iva Pesa, *Transforming Innovation in Africa : Explorative Studies on Appropriation in African Societies (African Dynamics)*, Brill Academic Pub (November 2012)
– Lynn E. O'Connor, Jack W. Berry, Joseph Weiss, Paul Gilbert, « Guilt, fear, submission and empathy in depression », *Journal of Affective Disorders 71* (2002) 19-27
– Jessica H. Lee, « The Treatment of Psychopatic and Antisocial Personality Disorders : A Review », Risk Assessment Management and Audit systems (London, 1999)
– Franklin R.W. van de Goot, Mark P.V. Begieneman, Mike W.J. Groen, Reza R.R. Gerretsen, Maud A.J.J. van Erp & Hans W.M. Niessen, « Moisture Inhibits the Decomposition Process of Tissue Buried in Sea Sand : A Forensic Case Related Study », *Journal of Forensic Research* (2012), 3 : 10

- *Classic Wine*, Classic FM (May/June 2014)
- *The Big Issue*, South Africa (25 June-24 July, 2014)
- http://blogs.psychcenral.com/childhood-neglect/2014/114-things-psychologists-know-that-you-should-know-too
- www.sahistory.org.za/1900s/1970s
- www.gov.za/documents/constitution/1996/a108-96.pdf
- www.citypress.co.za/news/csi-plattekloof-style
- www.cityam.com/1418155740/desert-island-wines-bordeaux-index-foundergary-boom
- www.dieburger.com
- www.farmersweekly.co.za
- www.osxdaily.com
- www.justice.gov.za/legislation/acts/1977-051.pdf
- http://mg.co.za
- http://forensicjournals.com/2010/02/02/late-postmortem-changesdecomposition
- http://en.wikipedia.org/wiki/Neuroscience_of_free_will
- www.forensicspathologyonline.com/e-book/post-mortem-changes/postmortem-hypostasis
- www.capl.sci.eg/ActiveIngredient/Penconazole.htlm
- http://wynboer.co.za/technical/a-south-african-perspectives-of-powederymildew-in-grapevines
- https://bonesdontlie.wordpress.com/2013/04/11/preservation-when-bodies-dont-decompose
- http://en.wikipedia.org/wiki/Château_Lafite_Rothschild
- www.exploreforensics.co.uk/rigor-mortis-and-lividity.html
- www.capewineacademy.co.za/dissertations/Rise-of-the-Dragon-The-chinese-Wine-Market-Raymond-Paul-Noppe.pdf
- www.fin24.com/Tech/News/SA-hackers-as-good-as-international-cybercriminals-20141020
- www.saps.gov.za/faqdetail.php?fid=273

– www.markwynn.com/wp-content/uploads/death-by-strangulation.pdf

– http://bandbacktogether.com/survivor-guilt-resources

– www.fin24.com/Tech/News/Technology-vital-in-fight-against-crime-20141020

– www.theguardian.com/commentisfree/2014/octo/14/age-of-loneliness-killing-us

– http://mg.co.za/article/2014-04-23-the-capes-top-20-wineries-of-2014

– http://time.com/2909847/facebook-twitter-job-hunting-social-sweepster

– www.winemag.co.za

– www.enca.com/opinion/blog/weather

– www.health24.com/Lifestyle/Healthy-you/What-happens-when-you-die-20130916

– www.thinkmoney.co.za/insurance/life-insurance/life-insurance-and-suicide

Oliver Harris
Sur le fil du rasoir
Le Réseau fantôme

Veit Heinichen
À l'ombre de la mort
La Danse de la mort
La Raison du plus fort

Charlie Huston
Le Vampyre de New York
Pour la place du mort
Le Paradis (ou presque)

Joseph Incardona
Aller simple pour Nomad Island

Viktor Arnar Ingólfsson
L'Énigme de Flatey

Thierry Jonquet
Mon vieux
400 Coups de ciseaux et Autres Histoires

Mons Kallentoft
La 5ᵉ Saison
Les Anges aquatiques

Joseph Kanon
Le Passager d'Istanbul

Jonathan Kellerman
Meurtre et Obsession
Habillé pour tuer
Jeux de vilains
Double Meurtre à Borodi Lane
Les Tricheurs
L'Inconnue du bar
Un maniaque dans la ville

Jonathan et Jesse Kellerman
Le Golem d'Hollywood

Hesh Kestin
Mon parrain de Brooklyn

Natsuo Kirino
Le Vrai Monde
Intrusion

Michael Koryta
La Nuit de Tomahawk
Une heure de silence

Volker Kutscher
Le Poisson mouillé
La Mort muette
Goldstein

Clayton Lindemuth
Une contrée paisible et froide

Henning Mankell
L'Homme qui souriait
Avant le gel
Le Retour du professeur de danse
L'Homme inquiet
Le Chinois
La Faille souterraine et Autres Enquêtes
Une main encombrante

Petros Markaris
Le Che s'est suicidé
Actionnaire principal
L'Empoisonneuse d'Istanbul
Liquidations à la grecque
Le Justicier d'Athènes
Pain, éducation, liberté

Deon Meyer
Jusqu'au dernier
Les Soldats de l'aube
L'Âme du chasseur
Le Pic du diable
Lemmer l'invisible
13 Heures
À la trace
7 Jours
Kobra

Sam Millar
On the Brinks

Carsten Stroud
Niceville
Retour à Niceville

Joseph Wambaugh
Flic à Hollywood
Corbeau à Hollywood
L'Envers du décor

Don Winslow
Cool
Dernier Verre à Manhattan
Missing : New York

Austin Wright
Tony et Susan

COMPOSITION : NORD COMPO À VILLENEUVE-D'ASCQ
IMPRESSION : NORMANDIE ROTO IMPRESSION S.A.S À LONRAI
DÉPÔT LÉGAL : JANVIER 2016. N° 123664 (1504859)
IMPRIMÉ EN FRANCE